Poètes d'Italie

POÈTES D'ITALIE

Anthologie

Des origines à nos jours

℞

Paris **La Table Ronde** , 1999
7, rue Corneille, Paris 6ᵉ

Sommaire

7

9

siode. Le Bœuf. Les Puffins. La Jument pie. Les Grenouilles. Jamais... jamais plus... Au feu. Éclair. Tonnerre. Jésus. Solon. Bénédiction. Nuit. Le Passé. Pleurs. L'Enchanteur. Soir d'octobre. Labours. Lavandières. Mort et soleil. Orphelin. Le Dimanche des Rameaux. Aux anges. Mon soir. La Vérité 239

Jardins à l'italienne

On connaît l'adage italien *traduttore-traditore* (traduire, c'est trahir) qui repose sur un simple calembour ; il a eu l'honneur de figurer dans les pages roses du Larousse — ce qui a suffi pour donner à cette expression, communément citée, un caractère axiomatique et donc quasiment indiscutable. Ainsi, d'après cet adage qui obsède quiconque s'apprête à traduire, surtout de la poésie, réputée intraduisible, toute traduction risque-t-elle d'être, peu ou prou, une trahison.

Dans l'encyclopédie Larousse, du début de notre siècle, on relève à la rubrique *traduction* cette définition qui ne manque pas de piquant, pour ne pas dire de cocasserie :

> Il y a peu de bonnes traductions... Les traductions en vers, fort cultivées au dix-septième siècle, sont à peu près abandonnées, en raison du peu d'exactitude qu'elles comportent...

Et voici l'opinion de Lamartine (elle faisait autorité à l'époque !) :

> On ne traduit personne... La pensée tout au plus se transvase d'une langue à l'autre ; mais la forme de la pensée, mais sa couleur, mais son harmonie s'échappent... (lignes extraites de son discours de réception à l'Académie française, 1830).

Faut-il donc croire que c'est la quadrature du cercle que de traduire de la poésie ?

Allons, qu'on se détrompe et qu'on se rassure ! car enfin ces mises en garde, ces ukases, adressés notamment aux traducteurs de poésie, n'ont jamais découragé ni ne décourageront personne.

Certains ont eu à s'en féliciter qui ont tenté cette entreprise, laquelle aurait dû d'après ces Cassandres se solder par un échec cuisant, châtié comme l'avait été le *vol insensé (il folle volo)*, selon l'expression de Dante, condamnant le dernier voyage d'Ulysse, ainsi que l'essor d'Icare et d'autres téméraires, mythiques ou réels.

Peut-on ne pas savoir gré à tous ces audacieux qui nous permettent par le truchement d'une traduction poétique de lire des poètes d'une langue étrangère à laquelle on n'a pas accès et d'y prendre plaisir ?

Malgré cette interdiction, moi aussi, j'ai passé outre, j'ai osé. J'ai fait ce que d'autres ont fait avant moi et feront après.

Aurais-je traduit le vers par de la prose, c'eût été une profanation. Le vers de la langue de départ ne souffre que d'être traduit en vers dans la langue d'arrivée.

On s'est moqué à juste titre de ces traductions qui ont fait florès jusqu'au siècle dernier et qu'on a qualifiées de « belles infidèles ».

Il a été dit qu'une traduction est comme la femme : « belle, elle est infidèle ; fidèle, elle n'est pas belle ». Faut-il n'y voir qu'une boutade ? ou l'accepter sous bénéfice d'inventaire ?

Quoi qu'il en soit, tout traducteur, en dépit des difficultés auxquelles il se heurte, doit tendre à l'association de ces deux termes : beauté et fidélité. Il est indéniable que ce qu'il n'est pas aisé de faire passer d'une langue à l'autre ce n'est pas l'idée (ou le fond), mais le style (ou la forme).

Sous peine d'être injuste ou d'une sévérité injustifiée, reconnaissons qu'il est des traductions en vers qui sont d'authentiques réussites, d'aucunes de vrais miracles.

Ai-je, pour ma part, réussi ce tour de force ? et pour l'avoir osé, peut-on dire que mon « audace était belle » ?

C'est au lecteur de trancher.

Je souhaiterais en effet que cet ouvrage exclusivement subjectif, malgré ses limites et ses manques inévitables, soit une passerelle, une sorte de trait d'union entre deux nations auxquelles j'appartiens congénitalement, viscéralement, culturellement et avec lesquelles je me sens en symbiose.

Deux nations, elles aussi, qui demeurent, quoi qu'on en dise et qu'on en pense, intimement liées, en dépit des brouilles, des malentendus, des mésententes, des conflits qui ont pu les séparer, toujours temporairement, jamais irréparablement.

Toutes deux, même fondues et confondues dans une future Europe unie, garderont leur spécificité de sœurs latines.

J'attire l'attention sur ce point : mon anthologie, dépourvue de tout appareil critique, de notes, d'apostilles, de gloses érudites et savantes, s'adresse, telle quelle, surtout (mais pas uniquement, bien sûr) à des lecteurs et lectrices qui ignorent l'italien et qui, de ce fait, n'ont pas besoin du texte original en regard.

Entrez dans mon jardin à l'italienne en toute confiance ou mieux, avec plaisir et allégresse.

Au seuil de ce jardin (je voudrais tant qu'il soit pour quiconque a répondu à mon invitation comme un Éden), vous trouverez pour vous accueillir François d'Assise à qui l'on doit le *Cantique des Créatures,* cet hymne à l'amour universel.

C'est lui qui vous chuchotera : « Je sais où je vais, / Je t'y veux conduire » et qui vous mènera de siècle en siècle (depuis le XIIIᵉ — le sien — jusqu'à notre siècle), à travers les allées de ce jardin *sui generis,* où il vous sera loisible de rencontrer, au fur et à mesure de votre promenade, au détour d'un massif, d'un buisson ou d'un parterre, tel ou tel poète, les uns connus, d'autres peu connus ou méconnus et certains même tout à fait inconnus.

À vous le plaisir de la rencontre et de la découverte… dans ce jardin à l'italienne – l'ancêtre des célèbres jardins à la française.

Sᴉᴄᴄᴀ Vᴇɴɪᴇʀ.
Vichy, mars 1998.

Poètes d'Italie

François d'Assise

LE CANTIQUE DES CRÉATURES

Très-Haut, Tout-Puissant, ô Seigneur très bon,
À Toi appartiennent les louanges, la gloire et l'honneur
Et toute bénédiction.

Très-Haut, tout cela sied à Toi seul,
Et nul homme n'est digne de te nommer.

Loué sois-tu, mon Seigneur, par ta création tout entière
Surtout par messire frère Soleil,
Qui est lumière du jour et par Lui tu nous éclaires ;

Et Lui, il est beau et d'une splendeur rayonnante ;
De Toi, Très-Haut, il porte témoignage.

Loué sois-tu, mon Seigneur, par sœur Lune et les Étoiles ;
Au ciel tu les as façonnées claires et précieuses et belles.

Loué sois-tu, mon Seigneur, par frère Vent
Et par l'Air et les Nuées et le Temps serein
Et par toutes les Saisons,
Nourricières de tes créatures.

Loué sois-tu, mon Seigneur, par sœur Eau,
Bien utile et humble et précieuse et chaste.

Loué sois-tu, mon Seigneur, par la Terre,
Notre Sœur et Mère, qui nous sustente et gouverne,
Produisant des fruits variés, des fleurs bigarrées et l'herbe.

Loué sois-tu, mon Seigneur, pour ceux qui pardonnent
Au nom de ton amour et qui supportent maux et tribulations.

Bienheureux ceux qui les endurent paisiblement ;
Ceux-là seront par Toi, Très-Haut, couronnés

Loué sois-tu, mon Seigneur, par notre sœur la Mort corporelle
À qui nul vivant ne peut échapper.

Malheur à ceux qui mourront dans le péché mortel !
Bienheureux ceux qu'elle trouvera,
Prêts à faire tes saintes volontés ;
Car la seconde mort ne leur pourra faire aucun mal.

Louez et bénissez mon Seigneur et remerciez-le,
Et servez-le en toute humilité.

Chiaro Davanzati

LA FEMME ANGÉLISÉE [1]

Ô douce élue, point je ne m'en étonne,
Si vous êtes pour moi la fleur des fleurs
Ou si toute beauté, votre vertu
L'éclipse, tant elle est incomparable.

L'étoile du matin, me semble-t-il,
A votre éclat et plus je vous regarde,
Plus votre amour, noble et toute droiture,
Spontanément atteint la perfection.

Aussi bien, chaque fois que je contemple
Votre visage clair, moi, je suis sûr
Que vous, vous n'êtes pas femme incarnée,

Mais je pense qu'en sa majesté Dieu
A, pour sûr, façonné votre beauté
Pareillement à la beauté d'un ange.

Nota. [1] *Donna Angelicata* : femme angélisée, autrement dit transfigurée en ange et donc, comme tel, jouant le rôle de médiatrice entre l'homme qui l'aime d'un amour sublimé et Dieu.

La beauté de la femme aimée est ainsi synonyme de vertu et de noblesse d'âme, incitation à toute élévation spirituelle.

Voilà bien un thème, devenu un leitmotiv pour tous les poètes du Dolce Stil Nuovo, Dante l'ayant ensuite porté à la perfection.

Compiuta Donzella

PRINTEMPS TRISTE

En la saison où tout est en fleur et feuillole,
Tous les amants courtois sont en grande liesse ;
Alors dans les vergers se promènent les couples
Aux charmants gazouillis des oisillons en chœur.

Tout noble damoiseau dès lors tombe amoureux
Et chacun à l'envi courtise son élue ;
Si chaque jouvencelle a le cœur en fête,
Moi, je ne suis qu'en pleurs et dans le désarroi.

Mon père m'a plongée dans le doute et l'angoisse,
Souvent il me harcèle et me fait bien souffrir,
Car il me veut donner mari contre mon gré.

Je ne désire point ni ne veux le mariage !
Aussi je vis sans cesse en proie à la détresse,
Sans que feuille ni fleur puissent me réjouir.

MÉPRIS DU MONDE

Je veux quitter le monde et ne servir que Dieu,
Je veux me dépouiller de toute vanité,
Attendu que je vois s'accroître et déferler
Fausseté, muflerie et démence en tout lieu,

Cependant que bon sens et courtoisie se meurent

Et bonté tout autant et fines qualités :
Aussi je ne voudrais ni maître ni mari.
S'il ne tenait qu'à moi, je fuirais bien le monde.

Me souvenant que l'homme affiche ses défauts,
Je n'ai pour chacun d'eux que souverain mépris
Et vers Dieu je me tourne et en lui j'ai fiance.

Mon père ne veut pas que je serve le Christ ;
Puisque je ne sais pas quel sera mon mari
Qu'il voudra me donner, me voilà bien marrie.

Guido Guinizelli

LA DAME ANGÉLISÉE

De vrai je veux ma Dame louanger :
Elle a des lys et des roses semblance,
Passant l'éclat de l'Étoile Bergère,
Des célestes beautés miroir fidèle.

Elle est mon ciel, ma berge, ma verdure,
Mon joyau sans pareil en qui se mêle
Des fleurs et des couleurs toute la gamme ;
Pour lui plaire l'Amour même s'épure.

Dans la rue Elle passe et le salut
De cette vertueuse et noble Dame
Brise l'orgueil, convertit l'incrédule.

Nul ne peut l'approcher dont l'âme est veule ;
Très grande est sa vertu, je vous l'assure :
Qui l'admire ne peut songer au mal.

À SA DAME

Quelle est celle qui vient et que tout homme admire ?
Elle est toute clarté si bien que l'air en tremble.
L'Amour la suit de près et nul ne peut parler
Et chaque homme soupire après qu'elle est passée.

Et quand Elle regarde, à quoi ressemble-t-elle ?
Je ne saurais le dire : ah, que l'Amour le dise
Elle semble à mes yeux une femme si humble
Qu'auprès d'Elle toute autre hautaine la nomme.

Personne ne saurait dire toute sa grâce :
Toute noble vertu la reconnaît pour Dame
Et la beauté désigne en Elle sa Déesse.

Mais hélas ! mon esprit n'a pas l'envol qu'il faut
Ni assez de vertu n'a visité mon âme
Pour que je la connaisse autant qu'Elle en est digne.

BALLADE D'EXIL

Dès lors que jamais plus je n'ai cette espérance
Du retour en Toscane,
Ma ballade mignonne,
À tire-d'aile va
Et suavement humble
Tout droit devers ma Dame

Qui dans sa courtoisie
Te fera grand honneur.

Apprends-lui mes soupirs,
Mon trop-plein de navrance et mon immense peur ;
Prends garde cependant
De te montrer à ceux
Qui ont pour ennemie
Toute noblesse d'âme,
Parce qu'assurément
À mon grand détriment
Tu serais disputée
Et si vilipendée
Que j'en aurais angoisse, et même après ma mort
J'en aurais deuil et pleurs.

Tu sens bien, ma ballade,
Qu'elle m'étreint, la mort,
Que la vie m'abandonne.
Mon cœur bat la chamade
Pour ce que peuvent dire
Mes esprits en délire.
Débris n'est que mon corps :
Aussi n'en puis-je mais.
Veux-tu m'être agréable ?
Emmène, je t'en prie,
À l'heure du trépas,
Mon âme où tu iras.

Ah, petite ballade,
Mon âme tremblante
C'est à ton amitié que je la recommande,
Mon âme pitoyable auprès de cette Dame
Belle à qui je t'envoie,
Emmène-la quand même.
Ah, petite ballade, en soupirant dis-lui,
Quand tu seras présente :
—*Voici votre servante*

Qui vient rester avec Vous, ayant pris congé
De celui-là qui fut
Un chevalier servant ! —

Faible voix éplorée,
Qui de mon cœur dolent
T'exhales en pleurant,
Devise avec mon âme et avec ma ballade
De mon esprit malade.
Ainsi trouverez-vous une Dame gentille,
Si fine et délicate.
Il vous sera si doux de rester devant Elle
À tout moment. Mon âme,
Adore-la toujours
Ma vertueuse Dame.

À SA DAME

Je vois porter sur Vous les fleurs et la verdure,
Tout ce qui est beau, tout ce qui resplendit ;
Et plus que le soleil votre visage brille.
Qui ne saurait vous voir ne peut être homme noble.

De ce monde il n'est créature qui soit
Le charme et la beauté autant que Vous, ma Dame ;
Quiconque de l'amour a crainte se rassure
Et veut aimer, voyant votre si beau visage.

J'ai grand plaisir à voir, dès lors que je vous aime,
Les femmes autour de Vous et qui sont vos compagnes :
Aussi je les prie au nom de leur courtoisie

De Vous honorer Vous le plus qu'elles pourront
Et même de chérir votre emprise sur elles,
Puisque Vous êtes bien la meilleure des femmes.

MON PRINTEMPS

Ma rose fraîche éclose,
Mon charme, mon *Printemps*,
Par fleuves et prairies
Je jubile en chantant,
Je proclame et confie
Votre beauté sans prix
    À la verdure.

Votre beauté sans prix,
Qu'on la proclame aussi
En tous lieux, dans les chants
Des grands et des petits !
Et que dans leur jargon
Du matin jusqu'au soir
La chantent les oiseaux
Sur les verts arbrisseaux !
Que de tous soit chantée
Au temps du renouveau,
Comme il sied, la louange
De votre âme si noble,
Car vous avez de l'ange
    La vraie nature !

Angélique semblance
En vous, *Ma Dame*, habite.
Dieu, pour moi quelle chance
Que je me sois épris
De votre aspect joyeux
Dont le charme insolite
Est admirable chose !
Car entre elles les femmes
« *Déesse* » vous proclament ;
Assurément vous l'êtes.
Je ne puis exprimer
Les vertus qui vous parent :

Mais peut-on concevoir
La surnature ?

Dieu fit *surnaturelle*
Votre noble beauté.
Vous voilà souveraine
Par *essence* réelle.
Ne vous éloignez pas,
Je veux votre présence ;
Que votre bienveillance
Ne devienne envers moi
Jamais de l'arrogance !
Et si c'est hardiesse
De vous avoir aimée,
Que je n'en sois blâmé,
Puisqu'Amour seul me pousse
Et me fait violence !
Vaines la résistance
Et la mesure.

Cino da Pistoia

SUR LA TOMBE DE SELVAGGIA

Je m'en fus sur la haute et heureuse montagne
Où j'adorai sa tombe et couvris de baisers
Cette pierre sacrée où je m'effondrai d'un coup.
Honnêteté vint y poser aussi son front,

Elle qui avait clos là-dedans cette source
De toute vertu, ce jour où la mort cruelle
Se saisit de ma dame, hélas ! qui était bien
Si pleinement comblée des charmes les plus rares.

Ainsi sur cette tombe appelai-je l'Amour :
Ô mon Dieu de douceur, puisse-t-elle la Mort
M'attirer en ce lieu où demeure mon cœur !

Mais puisque mon Seigneur n'entendit pas mon cri,
Je partis, appelant sans cesse ma dame bien-aimée ;
Et criant ma douleur, je franchis l'Apennin.

BÉATRICE

Elle apparaît honorable et bien née,
Ma dame à ceux qu'elle salue au point
Que toute langue en tremble et ne dit rien
Et que les yeux ne l'osent regarder.

Elle avance en un concert de louanges,
Bienveillamment d'humilité vêtue :
Du ciel sur terre on la croirait venue
Pour accomplir des miracles étranges.

Tant elle plaît que des yeux jusqu'au cœur
De qui la voit se glisse une douceur
Qu'il faut avoir sentie pour la comprendre.

De son visage on dirait qu'il émane
Un esprit tout amour, suave et tendre,
Qui dit *Soupire* ! à tout moment à l'âme.

(Vita Nuova.)

POUR UNE PETITE GUIRLANDE

Pour une petite guirlande
Que je vis, je soupirerai
À la vue de toute fleur.

C'est vous, ma Dame [1], qui portiez

Une guirlande si mignonne
De fleurs au-dessus de laquelle
Vole humble angelot d'amour
Qui chantait mélodieusement :

Quiconque me verra louera
Mon Seigneur.

Me trouvé-je là même où est
Florelle [2], ma belle écouteuse,
Alors je dirai que ma Dame
Sur sa tête porte mes plaintes.
Et pour accroître mon désir,
Ma Dame se présentera
Devant moi, couronnée par *Amour*.

Mes vers que voici tout nouveaux
Sont sertis dans une *ballade*
À la louange des fleurs et
Pour être plus beaux ont ici
Emprunté leur mélodie
À une autre ancienne *ballade*.
Mais vous, ma Dame, je vous prie
Que tout homme qui la chantera
Reçoive de vous les honneurs.

Nota. [1] La Dame pour qui est écrite cette ballade n'est pas identifiée.
[2] Florelle (Fioretta) : probablement prénom conventionnel de la
Dame, chantée par Dante.

LE VOYAGE ENCHANTÉ

Je voudrais, ô mon *Guido*, que *Lapo* [1], *toi* et *moi*,
Nous fussions emmenés comme par sortilège
Et ensuite embarqués sur une mer voguant
Au gré de tous les vents, selon votre vouloir,

De sorte que tempête et autre adversité
Ne nous puissent causer aucun empêchement,
Mais que croisse l'envie d'être toujours ensemble
Et de vivre, tous trois, dans une belle entente.

Je voudrais aussi que notre brave enchanteur
Mette à côté de nous et *madame Vanna* [2]
Et *madame Lagia* et la belle *Trentième* [3] :

Pour qu'ainsi sur la nef, tous devisant d'amour,
Chacune d'elles soit et contente et ravie,
Comme nous le serions, en toute vraisemblance.

> **Nota.** [1] Guido Cavalcanti et Lapo Gianni, poètes du Dolce Stil
> Nuovo amis de Dante.
> [2] Vanna (Jeanne), dame de G. Cavalcanti ; Lagia (Lise), dame de
> Lapo Gianni.
> [3] La Trentième, la dame de Dante, qui n'est certainement pas
> Béatrice. Dans un sirventès (chanson d'amour), Dante célèbre les
> plus belles dames de Florence qui sont au nombre de soixante ; celle-
> ci occupe la trentième place et Béatrice la neuvième.

FRANCESCA DA RIMINI

À peine eus-je entendu mon Docteur [1] me nommer
Les Dames de jadis et tous leurs chevaliers,
L'angoisse me saisit, j'en fus presque égaré.

Et moi de commencer : « *Poète, volontiers*
Je parlerais à ces deux qui vont de conserve
Et qui sont, semble-t-il, si légers dans ce vent. »

« *Tu verras,* me dit-il, *quand ils seront plus proches*
De nous : c'est alors que tu pourras les prier
Au nom de cet amour qui les mène ; ils viendront. »

Aussitôt que le vent les pousse devers nous,
Je leur dis à voix haute : « *Âmes à la torture,*

Venez nous parler, si l'Autre [2] *ne le refuse.* »

À l'appel du désir, de même les colombes
Regagnent leur doux nid, les ailes haut dressées
Et planant dans les airs, portées par leur vouloir ;

Ce couple sort des rangs où se trouve Didon
Et s'approche de nous, traversant l'air mauvais :
Mon cri, tout de tendresse, avait eu cette force !

« *Créature courtoise et bienveillante, ô toi*
Qui nous vas visitant dans cet air pourpre et sombre,
Nous qui de notre sang avons souillé la terre,

Serait-il notre ami le Roi de l'Univers,
C'est lui que nous prierions de te donner sa paix,
Puisque tu prends pitié de notre mal pervers.

De tout ce qui te plaît et d'entendre et de dire,
Nous l'entendrons de vous et nous vous le dirons,
Cependant que le vent (comme il le fait) s'apaise.

La terre où je naquis est sise sur la grève
Vers laquelle descend, pour y trouver la paix,
Le fleuve Pô, suivi de ses affluents.

Amour qui promptement d'un cœur noble s'empare
S'est saisi de cet homme, épris de mon beau corps
Qui me fut arraché ; son pouvoir me subjugue.

Amour pour qui l'aimé doit aimer en retour
Fit m'éprendre si fort du charme de cet homme [3]
Que, comme tu le vois, je n'en suis plus déprise.

Amour nous conduisit à une même mort :
Caïne [4] *attend celui par qui notre vie fut éteinte.* »
Ainsi parlèrent-ils, en s'adressant à nous.

Dès lors que j'entendis ces deux âmes meurtries,
Je penchai mon visage et le gardai si bas

Qu'à la fin le poète : « *À quoi*, dit-il, *tu songes ?* »

Je répondis : « *Hélas, quelles douces pensées*
Et quel désir ardent ont dû mener ce couple
Au douloureux trépas ! » Je me tournai vers eux

Et c'est moi qui parlai : « *Francesca*, commençai-je,
Ce terrible tourment qui te déchire encore
M'apitoie et m'afflige et m'arrache des larmes.

Mais, dis-moi : dans le temps de vos soupirs charmants
Comment et par quel signe Amour vous permit-il
Que vous fassiez l'aveu de vos désirs douteux ? »

Elle me répondit : « *Pas de douleur plus grande*
Que de se souvenir de ce temps de bonheur
Dans la détresse ; et ton Maître sait bien cela.

Mais si de notre amour toi tu désires tant
Connaître quelle en fut sa première racine,
Je mêlerai mes pleurs à ce que je vais dire.

Un jour nous lisions par déduit Lancelot [5]
Et comment dans ses liens Amour le ligota ;
Tous deux étions seuls et sans nous douter de rien.

Plusieurs fois nos regards l'un vers l'autre poussa
Cette lecture et fit nos visages blêmir ;
Mais nous fûmes vaincus rien que par un passage.

Lorsque nous eûmes lu que par un tel amant
Au souriant visage un baiser fut donné,
Celui-ci qui jamais ne m'abandonnera,

La bouche me baisa d'un baiser tout tremblant.
Galehaut [6] *fut le livre, et son auteur aussi :*
Et ce jour-là nous n'en lûmes pas davantage [7]. »

Cependant que parlait l'un de ces deux esprits,
L'autre pleurait : aussi eus-je pitié

Et je m'évanouis comme si je mourais ;

Et je tombai du coup comme tombe un corps mort.

(Enfer, ch. V.)

Nota. Nous sommes dans le deuxième cercle de l'Enfer où sont damnés les sensuels, les amants, tous ceux qui ont péché contre la chair. Dante a de l'indulgence à l'égard de ce péché auquel il a dû succomber plus d'une fois ainsi qu'à l'égard des infortunés pécheurs qui se sont laissé emporter par la violence de leur passion irrépressible. Cette passion est ici allégorisée par le vent, qui souffle sans arrêt et brasse les âmes des luxurieux. Parmi ces derniers il y a précisément Francesca Da Rimini et son inséparable compagnon, Paolo Malatesta, lequel restera muet pendant le dialogue entre Dante et Francesca. Dans l'Enfer dantesque, les pécheurs sont châtiés selon la loi du *contrapasso* (loi du talion). Si Dante a une certaine indulgence pour le péché charnel, il ne le condamne pas moins en bon chrétien du Moyen Âge, pour qui les commandements de Dieu et de l'Église n'étaient pas lettre morte, bien au contraire. L'événement qu'illustre cet épisode de la *Divine Comédie* dut avoir lieu entre 1283 et 1285, Dante étant alors âgé d'une vingtaine d'années. Francesca Da Rimini, fille de Guido da Polenta, seigneur de Ravenne, fut l'épouse de Gianciotto Malatesta, seigneur de Rimini, homme rustre (selon les chroniqueurs), boiteux et physiquement difforme. Aussi Francesca s'éprit-elle du beau Paolo, frère de Gianciotto ; les amants incestueux furent, tous deux, surpris et tués par le mari trompé.

[1] Docteur : Dante nomme ainsi Virgile, son guide en Enfer et au Purgatoire. Docteur pris dans son sens étymologique : *doctus* : savant, celui qui enseigne, endoctrine (*cf.* plus loin : *Mon maître*).

[2] L'autre : il s'agit de Dieu, jamais nommé dans l'*Enfer* sinon par périphrase (*cf.* plus loin : *Le Roi de l'Univers*).

[3] Cet homme : Paolo Malatesta.

[4] Caïne : la première des quatre régions du neuvième cercle de l'Enfer (du nom de Caïn, le premier fratricide) où sont damnés les traîtres envers leurs parents.

[5] Lancelot : héros du roman homonyme de Chrétien de Troyes, faisant partie du cycle breton des chevaliers de la Table ronde.

[6] Galehaut : sénéchal de la reine Guenièvre, femme du roi Arthur, favorisa en tant qu'entremetteur les amours entre celle-ci et Lancelot. Voilà pourquoi Dante dit que le livre et son auteur, Chrétien de Troyes, jouèrent, en l'occurrence, le rôle d'entremetteurs, puisque c'est en raison de la lecture de ce roman chevaleresque, très connu

à l'époque de Dante que Francesca et Paolo purent s'avouer leur amour réciproque.

[7] Le vers : « Ce jour-là nous n'en lûmes pas davantage » peut s'entendre de deux manières différentes : ou bien ce jour-là ils arrêtèrent leur lecture passionnante à l'épisode du baiser échangé entre Lancelot et la reine Guenièvre — ce qui les poussa, à leur tour, à échanger un baiser tout tremblant —, ou bien c'est à cet instant-là que le couple fut surpris par le mari qui mit incontinent fin à leur lecture et à leur vie.

MÉTAMORPHOSES DANTESQUES

Lecteur, si tu as quelque réticence à croire à mon récit, je ne m'en étonne guère, puisque moi qui en fus témoin oculaire, j'ai peine à y croire.

J'avais sur eux [1] mes yeux rivés, quand un serpent [2] à six pattes s'élance, s'enroule et s'accroche tout entier à sa proie.

Ses pattes médianes ventousent le ventre et celles de devant garrottent le bras de la victime, et de lui mordre à pleins crocs les deux joues.

De ses pattes de derrière il enveloppe les cuisses entre lesquelles il glisse sa queue qui, roide, se tendit le long des reins.

Jamais lierre ne se cramponna à son arbre aussi fort que cet horrible reptile se lovant autour de ce corps humain.

Les voilà qui s'engluent et se soudent, comme cire chaude, et mêlent leur couleur, les deux corps se distinguant à peine.

Ainsi sur le papier qui brûle s'étale un halo foncé virant au noir et gagnant sur le blanc qui meurt...

Les deux têtes n'en formaient déjà plus qu'une seule, quand j'aperçus deux aspects confondus en un seul visage où les deux êtres s'étaient abolis.

Pattes et bras se réduisirent en deux bras : cuisses et pattes, ventre et poitrail devinrent des membres jamais vus.

Leur aspect originel avait disparu : était-ce là l'image difforme de deux ou de nul être ? Et ce tout indémêlable s'éloignait lentement.

Tel le lézard que la canicule fouaille, passe invisible d'une haie à l'autre ; mais traverse-t-il le chemin, il jaillit comme l'éclair.

Ainsi fonçait un serpenteau [3], tout feu, noir et terne comme poivre ; il prit pour cible le ventre des deux autres.

Il fora le nombril de l'un d'eux et se laissa choir, tout de son long étendu aux pieds de celui-ci [4].

Sans mot dire, le transpercé regarda son bourreau ; médusé, le ventre percé, il bâillait comme saisi par le sommeil ou par la fièvre.

Tous deux, homme et serpent, s'entre-regardaient ; la plaie de l'un et la gueule de l'autre étaient fumantes et se mêlait leur fumée.

Se taise désormais Lucain, nous parlant des malheureux Sabellius et Nassidius afin d'écouter attentivement ce que va décocher l'arc de mon esprit !

Se taise Ovide au sujet de Cadmus et d'Aréthuse ! Il a beau dans son poème métamorphoser l'un en serpent et l'autre en fontaine, je ne les jalouse point.

Car il n'a jamais fait se muer deux êtres face à face, prêts à troquer, l'un l'autre, leur propre essence contre des formes différentes.

La queue du serpent se fendit et se fourcha, tandis que les pieds de l'homme mordu se soudèrent.

Jambes et cuisses se fondirent si bien qu'en peu de temps s'effaça toute trace de jointure.

La queue fourchue empruntait la forme que les jambes étaient en train de perdre : sa peau mollissait et celle des jambes durcissait.

Je vis les bras s'escamoter sous les aisselles et les pattes courtes du reptile s'allonger autant que s'amenuisaient les pieds de l'homme.

Les pattes de derrière s'enchevêtrent et les voilà muées en ce membre que l'homme cache ; tandis que le malheureux voit son membre saillir et se fendre.

Cependant la fumée voile l'un et l'autre et change leur teint et fait pousser ici les poils et là les fait tomber ;

L'un se dresse debout, l'autre s'affaisse, les yeux dans les yeux au regard maléfique sous lequel visage et mufle échangeaient leur forme.

Celui qui était debout rétracte son mufle vers les tempes et la chair débordante engendra les oreilles, saillant hors des joues ;

Tout ce qui n'avait pas reflué vers les tempes pour s'y figer, tout ce superflu de chair devient nez et se gonfle en lèvres bien proportionnées.

Celui qui rampait voit poindre son mufle et disparaître ses oreilles dans la tête comme la limace fait de ses cornes.

Et la langue, auparavant d'une pièce et toujours prête à parler, se fend, alors que chez l'autre se soude la langue fourchue. Plus de fumée dès lors.

L'âme transmuée en reptile s'enfuit en sifflant dans la vallée, tandis que l'autre le suit et crache tout en parlant.

(Enfer, ch. XXV.)

Nota. [1] Ce sont trois esprits — Agnello Brunelleschi, Buono Degli Abati et Puccio Sciancato — qui se présentent d'abord sous leur forme humaine avant leur métamorphose.

[2] C'est Cianfa Donai, membre du Conseil du capitaine du peuple en 1382. Accusé d'être un voleur.

[3] Il s'agit de Francesco Cavalcanti, un autre voleur florentin, tué à Gaville, village du Valdarno.

[4] Buono Degli Abati.

LE VOL FOU
OU
LE DERNIER VOYAGE D'ULYSSE

M'arrachant à Circé qui m'avait retenu
Plus d'un an, là près de Gaète, avant qu'Énée
Ainsi ne l'appelât, ni la douce tendresse

À l'égard de mon fils ni le pieux respect
Pour mon vieux père ni Pénélope, non plus,
Que je devais aimer pour faire son bonheur,

Ne purent vaincre en moi cette ardeur de connaître
Le monde, les vertus et les vices des hommes.
Aussi je m'élançai sur la mer large ouverte

Avec une nef seule et quelques compagnons,
Jamais lâché par eux. Je vis les deux rivages :
L'un jusqu'au Maroc et l'autre jusqu'à l'Espagne,

Ainsi que la Sardaigne et les îles que baigne
Alentour cette mer. Mes compagnons et moi,
Nous étions vieux et gourds, quand nous eûmes atteint

Cette étroite embouchure où Hercule dressa
Ses bornes pour que l'homme au-delà n'aille point.
Je dépassai Séville à tribord et Ceuta

Je l'avais à bâbord déjà doublé. Je dis :

44

« *Vous, mes frères, bravant tous ces périls sans nombre,*
Vous voilà parvenus jusques à l'Occident.

À nos sens en éveil — qui ne le seront plus
Que pour un temps si court — veuillez faire connaître,
En suivant le soleil, le monde inhabité.

Hommes, considérez votre origine. Non,
Vous ne fûtes pas faits pour vivre telles des brutes,
Mais à seule fin de suivre Science et Vertu. »

Si bien j'aiguillonnai par ma brève harangue
Mes compagnons qu'après j'aurais eu de la peine
À briser leur élan. Et la poupe au levant,

Dans une course folle au vol des avirons
Nous mîmes, sans virer, le cap sur notre gauche.
Notre pôle affleurant au ras de l'océan,

L'autre nous dévoilait ses étoiles, la nuit.
Par cinq fois, tour à tour, la lune s'alluma
Et s'éteignit sa face éclairée d'en dessous.

Depuis que nous avions franchi la passe ardue.
Alors nous apparut une montagne, sombre
Par son éloignement, haute plus qu'aucune autre,

Me sembla-t-il. Bientôt notre joie explosée
En pleurs se transforma : de la terre nouvelle
Une trombe surgit qui vint frapper l'étrave.

Puis, soulevant les eaux, elle fit par trois fois
Tournoyer le navire ; au quatrième tour,
Poupe en haut, s'enfonça la proue au gré d'un *Autre*.

Et la mer à la fin sur nous se referma.

(Enfer, ch. XXVI.)

UGOLIN
OU
LE HIDEUX REPAS

Sa bouche, il la leva de la pâture ignoble,
Ce pêcheur, l'essuyant sur les cheveux du crâne
Dont il avait rongé la nuque. Il commença :

« Tu veux que, ma douleur, moi je la renouvelle ;
Elle me désespère et m'accable pourtant
À la seule pensée et avant que j'en parle.

Néanmoins, si ces mots sont forcément semence
Du fruit qui flétrira ce traître que je ronge,
Tu me verras parler et pleurer à la fois.

Je ne sais qui tu es ni comment ici-bas
Tu as pu parvenir ; mais ton accent révèle
Que tu es florentin. Tu sais bien que je fus

Le comte Ugolin et celui-ci que tu vois,
L'archevêque Rogier. Je te dis à présent
Pourquoi nous voisinons : terrible voisinage !

Trompant ma confiance, il se saisit de moi,
Ourdissant un complot, et me fit mettre à mort.
Tout cela, tu le sais : à quoi bon te le dire ?

Mais tu ne peux savoir la cruelle façon
Dont je fus mis à mort. Écoute, et tu sauras
Si l'on peut essuyer offense plus atroce.

Par un étroit pertuis au-dedans du cachot
Que l'on nomme dès lors le Donjon de la Faim
Et où d'autres encor devront être écroués,

J'avais pu voir déjà plus d'une lunaison,
Lorsque je fis un jour le sombre cauchemar
Qui déchira pour moi le voile du futur.

Cet homme m'apparut le Maître et le Seigneur
De la chasse, traquant le loup, ses louveteaux
Sur la montagne — écran entre Lucques et Pise.

En tête il avait mis sur le front des veneurs
Sismondi, Gualandi, Lanfranchi, tous ensemble,
Poussant leur meute ardente et maigre et bien dressée.

Après un bref pourchas ils me semblaient fourbus
Le père et ses petits. Je croyais voir leurs flancs
Déchirés par les crocs acérés de la meute.

Lorsqu'avant le matin je me fus réveillé,
J'entendis mes enfants pleurer dans leur sommeil ;
Ils étaient avec moi, me demandant du pain.

Te voilà bien cruel, si songeant seulement
À ce que pressentait mon cœur en son tréfonds,
Tu n'en es point navré ! Si tu restes sans larmes,

Rien ne te fait pleurer ? Ils étaient réveillés
Déjà ; l'heure approchait du repas, mais ce rêve
Hantait chacun de nous et nous rendait anxieux.

Et j'entendis clouer la porte tout en bas
De cette horrible Tour ; c'est pourquoi mes enfants,
Moi, je les regardai, mes yeux bien dans leurs yeux,

Et sans souffler un mot. Non, je ne pleurai pas,
Mais j'étais devenu de pierre. Eux, ils pleuraient :
— Père, qu'as-tu ? me dit mon cher petit Anselme.

Quel regard est le tien ! — Non, pas même une larme,
Pas un mot, ce jour-là, non plus la nuit d'après,
Jusqu'à ce qu'à nouveau le soleil se levât.

Aussitôt qu'un rayon se glissa faiblement
Dans la triste prison et que j'eus aperçu
Le reflet de moi-même à travers leurs visages,

Brisé par la douleur, je mordis mes deux mains.
Et mes fils aussitôt de se lever, croyant
Que je venais d'agir tenaillé par la faim :

— Père, nous souffrirons bien moins, dirent-ils,
Si tu manges de nous : tu peux nous dépouiller
De cette pauvre chair dont tu nous as vêtus ! —

Je restai calme pour ne les chagriner plus ;
Ce jour-là, le jour suivant, nous restâmes muets.
Terre implacable, hélas ! Que ne t'es-tu ouverte ?

Mais dès lors qu'arriva le quatrième jour,
Gaddo de tout son long à mes pieds se jeta :
— Père chéri, pourquoi tu ne m'aides pas, toi ? —

Et là même il mourut. Et comme tu me vois,
Je les vis tous les trois tomber l'un après l'autre
Entre le cinquième et le sixième jour.

Et, aveugle déjà, je me mis à ramper
Sur chacun à tâtons ; deux jours après leur mort,
Je les appelai tous. La faim eut le dessus,

Bien plus que ma douleur. » À ces mots, les yeux torves,
Il enfonça ses dents dans le crâne macabre,
Broyant l'os aussi fort que les crocs d'un chien.

(Enfer, ch. XXXIII.)

LE PARADIS TERRESTRE

Brûlant de parcourir le cœur et le pourtour
De la forêt divine, épaisse et vert feuillue
Qui tamisait du jour l'éclat insoutenable,

Je quittai sans retard le bord du grand ressaut,
Marchant à pas très lents à travers la campagne

Dont la pente déclive embaumait de partout.
La brise me frôlait le front d'un souffle égal
Qui ne changeait jamais, d'une touche légère
Comme d'un vol très doux ; le feuillage docile

Ployait tout d'un côté, de celui que couvrait
D'ombre, dès le matin, la montagne sacrée [1] ;
Il se ployait à peine et sans trop s'écarter :

Ainsi les oisillons, nullement épeurés,
Ne cessaient de jaser, sautillant ou volant,
Au faîte de chaque arbre au doux balancement.

Ils saluaient en chœur avec jubilation
Les heures du matin, blottis dans le feuillage
Qui faisait à leur chant la basse-continue,

Pareil au bruissement qui court de branche en branche,
À Chiassi, sur la grève où s'étend la pinède [2],
Les jours où Eolus débride Sirocco.

Déjà je m'enfonçais à pas lents en plein cœur
De l'antique forêt : aussi bien ne pouvais-je
Revoir l'endroit par où je m'étais engagé,

Quand voici tout à coup me barra le passage
Un fleuve (presque un ru) qui de ses vaguelettes [3]
Vers la gauche pliait le gazon de ses berges.

Il n'est point d'eau terrestre, et fût-ce la plus pure,
Qui ne semblerait pas en quelque sorte trouble
Au regard de cette onde on ne peut plus limpide

Et qui ne cache rien, encor qu'elle soit sombre,
Sous l'ombrage touffu que jamais nulle clarté
De lune ou de soleil ne baigne ou ne déchire.

Lors je m'arrêtai court ; mais je fis à mes yeux
De ce fleuve petit traverser l'autre berge
Afin de contempler l'immense variété

Des frais rameaux fleuris : c'est là que m'apparut,
Comme peut apparaître une chose étonnante
Qui vous plonge soudain dans le ravissement,

Une Dame seulette [4] : elle allait et chantait,
Tout en cueillant des fleurs entre toutes choisies,
Ces fleurs dont le chemin était tout parsemé.

(Purgatoire, ch. XXVIII.)

Nota. [1] La montagne sacrée, ou le Purgatoire.

[2] La pinède sur le rivage de Chiassi (ou Classe) s'étend non loin de Ravenne, sur les bords de l'Adriatique. Dante dut s'y rendre pendant les dernières années de son exil et de sa vie. Il devait en effet mourir à Ravenne en 1321.

[3] Un fleuve, presque un ru : il s'agit du Léthé, fleuve dont les eaux donnaient l'oubli à quiconque en buvait.

[4] Une Dame seulette : il s'agit de Matelda, figure plutôt allégorique qu'historique (auquel cas, ce pourrait être la comtesse Mathilde de Toscane qui aida le pape Grégoire VII dans sa lutte contre le Saint Empire germanique). Dans ce Paradis terrestre cette Matelda personnifie et symbolise la vie active ou, de préférence, la béatitude terrestre. C'est elle qui est chargée de faire boire à Dante l'eau du Léthé.

PETIT FLORILÈGE DANTESQUE

LE TAUREAU

Comme le taureau qui, ligoté, se dégage
À l'instant où le coup de grâce l'a frappé ;
Il ne peut plus mâcher, mais bondit çà et là.

LES BREBIS

Tout comme les brebis sortent de leur enclos,
Une d'abord, puis deux, puis trois ; toutes les autres,
Craintives et figées, le mufle et les yeux bas,

Regardent la première et font ce qu'elle fait,
S'appuyant tout contre elle, à peine elle s'arrête,
Simplement, calmement, mais ne savent pourquoi.

LE CHIEN

Mêmement en été les chiens se démènent
Se grattant de la patte et tour à tour du mufle,
Harcelés par des taons, des puces ou des mouches.

Tel est aussi le chien qui dans sa convoitise
Aboie et se tient coi, sitôt qu'il tient son os :
Le voilà qui le ronge, appliqué, luttant même.

LES ÉTOURNEAUX

Pareils aux étourneaux volant à tire-d'aile
Dans la froidure et par bandes larges et drues.

LES GRUES

Comme les grues qui vont chantant leurs longues plaintes
Et s'étirent dans l'air, volant en file indienne...

LE CIGOGNEAU

Comme le cigogneau qui brûle de voler,
Mais bat de l'aile en vain, ne se décidant pas
D'abandonner son nid, lors, laisse choir son aile.

LES CHOUCAS

Dès la pointe du jour ensemble les choucas
Tout naturellement s'ébrouent et se trémoussent
Afin de réchauffer leurs plumes engourdies.

L'ALOUETTE

L'alouette, elle aussi, plane dans l'air et chante
Pour ensuite se taire on ne peut plus comblée
De goûter la douceur de ses tout derniers trilles.

LE FAUCON

Le faucon qui d'abord se regarde les pattes,
Puis se retourne à l'appel : voilà qu'il tend le col
Et se tend tout entier, convoitant la pâture.

Ainsi que le faucon qui longtemps a plané,
Sans avoir repéré ni sa proie ni le leurre,
Fait dire au fauconnier : *« Holà, vas-tu descendre ? »*

Puis il descend, recru, virant en rond cent fois,
Lui qui partit en flèche, et voilà qu'il se perche,
Plein de morgue et farouche et loin de son dresseur.

LE FAUCON ET LE CANARD

Mêmement tout à trac le canard plonge, quand
S'approche le faucon ; déconfit, courroucé,
Ce dernier, s'arrêtant court, remonte au ciel.

LES ABEILLES

On eût dit un essaim d'abeilles qui s'unit
Intimement aux fleurs et revient à la ruche
Pour transmuer en miel le fruit de son travail.

LE LÉZARD

Tout pareil au lézard qui, d'une haie à l'autre,
File comme l'éclair, en traversant la route
Sous le fouet brûlant des jours caniculaires.

LES FOURMIS

Comme on voit les fourmis dans leur cortège noir
Se frotter bouche à bouche ; elles se font peut-être
Des aveux mutuels ou quêtent leur chemin.

GRENOUILLES ET COULEUVRE

Les grenouilles de même ont toutes disparu,
Aussitôt qu'apparaît la couleuvre ennemie ;
Tout au fond de la mare elles se pelotonnent.

LA RAINETTE

La rainette, elle aussi, coasse sans arrêt,
À fleur d'eau le museau, lorsque la paysanne
Rêve souventes fois d'aller glaner aux champs.

LES RAINETTES

De même que l'on voit tout au bord d'une mare,
Leurs museaux affleurant, se tenir les rainettes,
Escamotant leur corps et les pattes sous l'eau.

LES DAUPHINS

Ainsi font les dauphins, quand ils mettent en garde,
Arc-boutant leur dos, les matelots afin
Qu'ils emploient tout moyen qui sauve leur navire.

LE POISSON

Ce damné disparut au-dedans de la flamme,
Comme un poisson dans l'eau qui vous pique un plongeon.
Tel un poisson qui plonge au plus profond de l'eau :
Ainsi disparut-il à l'intérieur du feu...

LES PIGEONS

Tout comme le pigeon auprès de sa compagne
Roucoule et tourne en rond pour se livrer ainsi
Au réciproque aveu de leur grande tendresse.

Les petites fleurs que le givre de la nuit
A fait pencher et clore, à l'éclat du soleil,
Se dressent sur leur tige et toutes sont encloses...

Nous avons rencontré des âmes cheminant
À la file et le long d'un remblai ; et chacune
D'elles nous regardait, comme l'on se regarde
D'habitude, le soir, à la nouvelle lune ;
Et leurs yeux, pour nous voir, se faisaient plus perçants,
Tels ceux d'un vieux tailleur pour le chas d'une aiguille.

Gare à juger trop vite, avec trop d'assurance,
Comme le paysan qui dans son propre champ
Évalue sa moisson, avant qu'elle soit mûre I....

Car moi-même j'ai vu tout au long de l'hiver
Le rosier se montrer d'abord sec et revêche
Avec ensuite une rose au sommet de sa branche...

Et je vis une nef pendant tout son trajet
Filer sur l'océan rapide et sans biaiser
Qui à la fin sombra juste à l'entrée du port...

Ce n'est pas en restant couché sur un divan
Ou blotti dans un lit qu'on parvient à la gloire ;

Et quiconque a vécu sans le moindre renom
Ne laisse pas plus de trace sur cette terre
Qu'une fumée dans l'air ou que dans l'eau l'écume...

Qu'est-ce donc que la gloire ici-bas ? Rien d'autre
Que le souffle du vent, soufflant d'ici, de là
Et qui change de nom à chacun de ses rhumbs...

Car notre renommée a la couleur de l'herbe
Qui pousse et se flétrit ; et pâlit au soleil
Qui du sol la fait naître à peine verte et tendre...

ANGÉLUS DU SOIR

OU

NOSTALGIE

(1re version)

C'était l'heure du soir où le mal du pays
Ramène les marins à la ressouvenance
(Et le cœur s'en émeut) des adieux qu'ils firent

À leurs doux amis ; l'heure où l'amour vient navrer
Le voyageur aux tintements lointains
D'une cloche semblant pleurer le jour qui meurt...

(2e version)

C'était l'heure du regret douloureux
Dont s'attendrit le cœur des marins sur la mer,
Évoquant les adieux à leurs amis si chers,

Où l'amour vient navrer le voyageur novice,
Dès qu'il entend au loin un tintement de cloche
Qu'on prendrait pour le glas de ce jour qui se meurt...

Francesco Petrarca

LAURE

(1ʳᵉ version)

Ses cheveux d'or épars et livrés à la brise
Se nouaient joliment en de nombreuses boucles
Et le charmant éclat de ses yeux, aujourd'hui
Si ternes devenus, brillait on ne peut plus ;

Et son visage *(leurre ou bien sincérité ?)*
Se fardait de pitié, me semblait-il ; l'Amour
Dans ma poitrine avait allumé son amorce ;
Je m'embrasai soudain : faut-il s'en étonner ?

Sa démarche n'avait rien d'une mortelle
Mais d'un être angélique ; elle avait dans sa voix
Une autre inflexion que simple voix humaine ;

C'est un esprit céleste et un vivant soleil
Ce que je vis en elle à présent si changée :
L'arc fût-il détendu, point ne guérit la plaie.

LAURE

Sa chevelure blonde était livrée aux brises
Qui de mille frisons la lui nouaient en nattes ;
Et l'éclat de ses yeux, maintenant si terni,
Brillait d'une douceur passant toute mesure.

Était-ce duperie ou bien sincérité ?
Son visage exprimait la pitié, semblait-il ;
Moi dont le cœur alors s'embrasait promptement,
Si je brûlai soudain, faut-il s'en étonner ?

L'allure qu'elle avait était celle d'un ange
Et non d'une mortelle, et le son de sa voix
Était d'une harmonie inconnue ici-bas.
Un esprit tout céleste et un vivant soleil,
Voilà ce que je vis et qui a cessé d'être.
Quand l'arc est débandé, la plaie ne guérit pas.

QUAND VOUS SEREZ BIEN VIEILLE...

Si jamais de l'angoisse et de l'âpre tourment
Ma vie peut se défendre au point que je pourrai,
Au déclin de mes ans, voir, ma Dame, s'éteindre
L'éclat de vos beaux yeux et s'argenter aussi

L'or fin de vos cheveux ; lorsque vous quitterez
Guirlandes, verts atours et que se ternira
Votre visage qui m'interdit de me plaindre
Et m'intimide, encor que j'en souffre beaucoup,

Amour me donnera suffisante hardiesse
Pour que je vous révèle et les ans, jours et heures,
Pendant lesquels je fus par vous martyrisé.

Et alors, si le temps s'oppose aux belles flammes,
Puisse-t-elle du moins recevoir ma douleur
Quelque soulagement de vos tardifs regrets !

LE ROSSIGNOL

Ce rossignol qui pleure avec un doux flûtis
Peut-être sa compagne ou bien ses chers petits,
Fait s'attendrir le ciel et toute la campagne
Par son chant qui ruisselle avec un art modulé.

Tout au long de la nuit on dirait qu'il me suit
Non sans me rappeler mon sort et ma détresse.
De qui dois-je me plaindre, hormis de moi tout seul,
Me flattant que la Mort épargne les Déesses ?

Tout homme confiant facilement se leurre !
Les beaux yeux de ma Dame à l'éclat de soleil,
Les voilà terre sombre : qui l'eût jamais songé ?

Maintenant moi je sais qu'au gré de mon malheur
Je vis mais pour apprendre au milieu de mes larmes
Qu'ici-bas rien ne charme et ne saurait durer.

LA FORÊT DES ARDENNES

À travers bois rebutants et sauvages
Où des hommes armés encourent de grands risques,
Je marche, sûr de moi, car je n'ai peur
Que du soleil rayonnant d'amour vif.

Et je m'en vais chantant (suis-je bien fol ?)
Celle dont ne pourrait le ciel m'éloigner,
Car je l'ai dans les yeux et la crois voir parmi
Dames et damoiselles, mais ce ne sont

Que hêtres et sapins. Je crois l'entendre
Dans les gémissements des brises, des feuillages,
La plainte des oiseaux, le murmure de l'eau

Qui fuit dans le gazon. Un silence si rare,

L'horreur d'une forêt ombreuse et solitaire,
J'en raffole, et pourtant j'ai perdu mon *Soleil*.

PRINTEMPS MOROSE

Aux souffles du zéphyr le retour du beau temps,
Des herbes et des fleurs, cortège de douceur ;
Gazouillis de Procné, plaintes de Philomène :
C'est le printemps avec sa blancheur et sa pourpre.

Sourire des prairies sous un ciel apaisé,
Et Jupiter exulte en contemplant sa fille ;
L'air et l'eau, tout regorge d'amour
Et tout être aimé se propose d'aimer.

Mais, hélas ! mes soupirs redoublent mon chagrin,
Du tréfonds de mon cœur je soupire pour Celle
Qui emporta au ciel les clefs de mon bonheur.

Et les chants des oiseaux et les plaines fleuries
Et les femmes pour moi en dépit de leur charme :
Tout est désert et tout n'est que bêtes sauvages.

SOLITUDE

À pas lents je parcours, pensif et solitaire,
Les champs les plus déserts et je scrute la grève
De mes yeux attentifs pour fuir loin de ces lieux
Où l'homme a pu laisser la trace de ses pas.

Voilà le seul recours qui me mette à l'abri
Des gens qui clairement me sondent reins et cœur,
Dès lors que toute joie a vécu dans mes gestes
Et qu'on voit du dehors le feu qui brûle en moi.

Aussi me semble-t-il que les monts et les plaines,

Les fleuves et les bois connaissent désormais
Cette vie que je mène et que je cache aux autres.

Mais je ne puis trouver, hélas ! chemins si durs
Ni sentiers si déserts sans que vienne Amour
Deviser avec moi qui lui parle à mon tour.

LASSITUDE

La douceur des coteaux que je hante toujours,
Même en quittant ces lieux que je ne puis quitter,
M'accompagne partout où je vais, emportant
Ce fardeau qui m'est cher et qu'Amour m'a livré.

Je m'étonne souvent, lorsqu'à part moi j'y songe
Que j'ai beau voyager, mais demeure soumis
À cet aimable joug vainement secoué :
Dès lors que j'en suis loin, je n'en suis que plus proche.

Je suis semblable au cerf que la flèche a blessé :
Il fuit, le trait mortel enfoncé dans son flanc ;
Sa course s'accélère et ses affres redoublent.

Moi de même en mon cœur j'emporte cette flèche
Qui tour à tour m'épuise et de plaisir me comble :
La souffrance me mine et la fuite me lasse.

DÉTRESSE

Elle passe ma nef, d'oubli tout alourdie,
En hiver à minuit sur la mer en fureur,
De Charybde en Scylla. Mon maître et mon Seigneur,
Que dis-je ! Mon Bourreau est assis à la barre.

Souquant sur l'aviron, un Penser, prompt au mal,
Se moque de l'orage et même de la mort ;

Un vent trempé de pleurs, de désirs et d'espoir
S'efforce sans répit de rompre la voilure.

Un brouillard de dédains, des bourrasques de larmes
Mouillent et font mollir les haubans déjà las,
Toronnés d'ignorance et torsadés d'erreur.

Les phares de tes yeux cessent de me conduire ;
Ma science et ma raison sombrent parmi les flots ;
Aussi je désespère, en m'éloignant du port.

TRISTE RETOUR

Vallée qui retentis de l'écho de mes plaintes,
Fleuve, souvent gonflé par les pleurs que je verse,
Bêtes de nos forêts, oiseaux libres, poissons,
Qui êtes retenus par les deux vertes berges.

Air qui par mes soupirs brûles ou deviens pur,
Doux sentier, te voilà devenu si amer,
Colline, autrefois chère, et qui me fais pleurer,
Où l'Amour me ramène encor par habitude,

Je reconnais en vous vos lignes si connues :
Hélas, j'ai bien changé ! Car maintenant j'héberge
Un infini chagrin, moi qui fus si joyeux.

J'apercevais d'ici mon aimée, je reviens
En ces lieux d'où son âme au ciel s'en est allée,
Sur terre délaissant sa charmante dépouille.

LE CONFIDENT

Ô mignon oiselet qui chantes tour à tour
Ou bien pleures le temps de tes jours enfuis,
Maintenant que la nuit et l'hiver sont tout proches

Et que les jours heureux vers le passé s'estompent,

Si tu pouvais connaître à la fois les chagrins
Accablants et mon sort par trop pareil au tien,
Tu viendrais partager mon malheur torturant,
Te blottir dans mon sein d'homme désespéré.

Je ne sais si nos lots seraient en tout pareils :
Car celle que tu pleures, peut-être est-elle en vie,
Mais le Ciel et la Mort m'ont disputé sa vie :

En revanche cette heure et la saison moroses,
Au souvenir des ans d'amertume et de joie,
M'invitent à parler tendrement avec toi.

REPENTIR

SONNET 365

Moi, je m'en vais pleurant le temps de mon passé
Où je n'eus d'autre but qu'aimer une mortelle
Et n'ai jamais tenté de prendre mon essor
Et d'être un entraîneur grâce à mon envergure.

Ô Dieu, Seigneur du ciel invisible, immortel,
Qui sais combien je suis indigne et sacrilège,
Mon âme dévoyée et faible, remplis-la
De ta grâce dont elle manque tellement !

Même si j'ai vécu dans la dure tourmente,
Puissé-je au moins mourir, à bon port arrivé !
Je voudrais dignement quitter mon vain séjour

Terrestre. Accorde-moi une main secourable,
Puisque ma mort est proche et que ma vie s'épuise,
Tu le sais bien, Seigneur, mon unique espérance.

ÉVOCATION

Claires, fraîches et douces
Eaux de la Sorgue où put se baigner le beau corps
De Celle qui pour moi est la femme des femmes ;
Arbre tout gracieux
Dont elle fit colonne où appuyer sa hanche
Au joli galbe *(avec regret il m'en souvient !)*
Gazon jonché de fleurs
Que sa robe pimpante et sa gorge angélique
Recouvrirent, et toi,
Air paisible et sacré
Où l'Amour en mon cœur se glissa par ses yeux,
Écoutez tous ensemble
Ma plainte qui s'exhale en ce suprême appel.

Si tel est mon destin
(Et le ciel s'y emploie)
Qu'Amour ferme mes yeux en pleurs, puisse emmi vous
Par la grâce du Ciel, mon pitoyable corps
Bientôt enseveli,
Mon âme retournée à sa propre demeure,
Désormais dépouillée !
Moins cruelle la mort,
Si j'ai cette espérance
Jusqu'au douteux passage,
Car mon esprit recru
Ne pourrait jamais fuir dans un havre plus calme
Ni dans une fosse plus tranquille mes os
Et ma chair tourmentée.

Il se pourra qu'un jour
Cette femme, à la fois bienveillante et farouche,
Mais belle, revienne au lieu qu'elle fréquentait
Et que, tournant les yeux avec désir et joie
Pour me chercher là même où elle m'aperçut
En ce jour béni où nous nous rencontrâmes,

Elle ne voie, hélas !
Sous la dalle funèbre
Qu'une poignée de terre,
Qu'elle gémisse alors, par Amour inspirée,
D'une plainte assez douce
Pour arracher au ciel
De vive force mon pardon, en s'essuyant
Les yeux de son beau voile.

On voyait une pluie
De fleurs sur son giron
(Ô douce souvenance !)
Choir des belles ramures,
Et elle était assise
Dans cette apothéose,
Auréolée déjà
Par cette pluie, d'amour éprise et si profuse ;
Telle fleur sur le pan de sa robe tombait,
Telle autre se posait
Sur ses tresses si blondes,
Pareilles, ce jour-là,
Aux perles et à l'or,
Celle-ci sur le sol, celle-là dessus l'onde ;
Une autre enfin semblait par ses belles voltiges
Dire : « *Ici règne Amour.* »
Que de fois m'écriai-je,
Alors tout effaré :
« *Cette femme pour sûr est née au Paradis !* »

Sa démarche divine,
Son visage, sa voix, son sourire avenant
M'avaient fait égarer
Ma mémoire et ravi hors du réel : aussi
Disais-je, en soupirant :
« *Comment suis-je venu*
En cet endroit et quand ? »,
Me croyant être au Ciel et non là où j'étais.

Depuis lors, j'aime tant
Ce pré que je ne puis ailleurs goûter la paix.

Chanson [1], si tu avais
Des beautés à souhait,
Tu pourrais hardiment
Sortir de ce bois et aller parmi les gens.

Nota. [1] En italien *canzone* : petit poème, divisé en stances, plus ou moins égales, et terminé par une stance, le *congedo* (l'envoi). Pétrarque, sans être le créateur de la *canzone,* en a été néanmoins l'un des plus brillants représentants.

LES YEUX QU'ON FERME...

La plainte des oiseaux, les vertes frondaisons
À la brise d'été doucement balancées,
Ou de limpides eaux le murmure enroué
Se font-ils d'aventure entendre d'une rive

Où je songe à l'amour ou m'assieds pour écrire,
Je la vois, je l'entends, je la comprends : c'est *Elle*
Que nous montra le Ciel et que la terre cache,
Elle qui vit encore et répond de si loin

À mes pleurs : « *Oh, pourquoi te miner avant l'heure ? »*
Dit-elle apitoyée : « *À quoi bon épancher*
De tes yeux attristés tout un fleuve de larmes ?

Ne pleure pas mon sort, puisque l'éternité
Je la dois à la mort ; mes yeux en se fermant
Ont pu s'ouvrir dès lors à l'intime clarté [1]*. »*

Nota. [1] *L'interno lume* : la clarté ou la lumière intérieure, celle de l'âme en opposition avec la lumière extérieure du soleil.
  Le titre de ce sonnet est emprunté à une poésie de Sully Prudhomme : *Les Yeux,* d'où j'extrais la dernière strophe : « Bleus ou noirs, tous aimés, tous beaux / Des yeux sans nombre ont vu l'au-

rore… / Ouverts à quelque immense aurore / De l'autre côté des tombeaux / Les yeux qu'on ferme voient encore. »

LE PIÈGE

MADRIGAL

Un jeune ange étonnant, toutes ailes planantes,
Du ciel descendit sur le rivage frais
Où je passais tout seul, selon ma destinée.

Et après m'avoir vu sans amis, sans escorte,
Cet ange-femme alors sur le chemin herbeux
Me tendit un filet de soie entre-tissé.

Encor que piégé, je n'en fus point marri,
Une douce lumière émanant de ses yeux.

DIANE ET LAURE

MADRIGAL

(1re version)

Diane n'a pas su davantage ravir
Son amant qui l'a vue, par un heureux hasard,
Se baigner toute nue emmi des eaux glacées

Qu'elle ne m'a ravi, ma cruelle et farouche
Pastourelle, avec soin lavant un joli voile
Où clore ses cheveux blonds, livrés à la brise.

Aussi m'a-t-elle fait malgré la canicule
Tout transir et trembler du frisson de l'amour.

DIANE ET LAURE

(2ᵉ version)

Par un heureux hasard Diane en sa nudité
Se baignant dans les eaux froides d'une rivière
Fut si ensorceleuse aux yeux de son amant ;

Je fus ensorcelé à mon tour, en voyant
Ma bergère cruelle et rétive, tandis
Qu'elle lavait au fleuve un voile bien joli
Qui retiendrait captifs ses blonds cheveux au vent.

Et depuis ce jour-là, même au cœur de l'été,
Un long frisson d'amour tout entier me transit.

ANNIVERSAIRE

Père du Ciel, après les jours perdus
Et les nuits, dépensées à divaguer
En proie à ces tourments de mon brûlant désir
Qui me tient sous son charme et fait tout mon malheur,

Puisses-Tu désormais par ta grâce éclairante
Me faire revenir à une vie
Tout autre, à de plus belles entreprises
Au grand dam de mon cruel Adversaire

Et rendre vains ses pièges ! Voilà onze ans
Que j'ai été soumis à ce joug sans pitié,
D'autant plus dur qu'on s'y plie davantage.

Pitié, mon Dieu, de ma douleur indigne !
Ramène en lieu plus sûr mes errantes pensées,
Rappelle-leur le jour de ta Crucifixion.

Nota. Sonnet composé le vendredi saint 1338, anniversaire du jour
où il tomba passionnément amoureux de Laure.

LE TEMPS S'EN VA, MADAME...

La vie fuit et s'en va ni ne s'arrête une heure
Et à marches forcées la mort nous traque et suit
Et présent et passé aussi bien que futur
Se liguent contre moi pour me livrer combat.

Et me voilà navré tour à tour et autant
Par l'attente de l'un, le souvenir de l'autre.
J'aurais tôt fait déjà d'être de ces pensées
Délivré, si de moi je n'avais eu pitié.

Éprouva-t-il jamais mon cœur mélancolique
Les douceurs de la vie ? Il m'en souvient encore.
Mais je vois devant moi les vents troubler ma route.

Dans le port où je vais, la tempête fait rage
Et mon pilote est las, haubans et mât brisés,
Et ils se sont éteints, les phares de tes yeux.

LA MORT DE LAURE

Non pas comme une flamme éteinte violemment,
Mais comme flamme se consumant toute seule,
Son âme s'en alla en paix et réjouie,

À l'instar d'une lampe à la clarté suave
Qui peu à peu faiblit, faute d'être nourrie,
Gardant jusqu'au bout son aimable façon d'être.

Sans aucune pâleur, mais plus que neige blanche
Qui sur un beau coteau sans un brin de vent tombe,
Elle reposait comme eût fait quelqu'un de las.

Une sorte de doux sommeil dans ses beaux yeux,
Puisque déjà son âme avait quitté son corps,
C'est cela que les gens sots appellent la mort

Sur son visage beau la mort paraissait belle.

Ludovico Ariosto

LA COURGE ET LE POIRIER

Une courge jadis en quelques jours tout haut
Tellement se hissa qu'un poirier, son voisin,
Se trouva recouvert par elle jusqu'au faîte.

Ce poirier qui longtemps avait si bien dormi
Ouvrant un beau matin ses yeux vit sur sa tête
La courge s'étaler avec ses fruits étranges :

— *Mais toi qui es-tu donc ?* lui dit-il, *et comment*
As-tu fait pour monter si haut ? Où étais-tu,
Lorsqu'au sommeil, recru, j'abandonnai mes yeux ?

Elle lui dit son nom et lui montra la place
Où on l'avait plantée, en bas, lui révélant
Comment d'un pas hâtif elle avait en trois mois

Grimpé jusque là-haut. — *Et moi,* repartit l'arbre,
Je n'y suis arrivé qu'à grand'peine aussi haut,
Luttant pendant vingt ans contre les éléments.

Mais toi qui jusqu'au ciel en un clin d'œil arrives
Sois assurée pourtant que ta tige aussi vite
Qu'elle t'a portée haut te fera choir par terre.

(*Satire VII.*)

LA MAISON DU SOMMEIL

En Arabie il est un vallon bien joli,
À la fois à l'écart des hameaux et des villes,
Et tout entier blotti entre deux monts qu'ombragent
Des hêtres vigoureux, des sapins séculaires.
Mais en vain le soleil brille de son éclat,
Aucun de ses rayons ne pouvant s'y glisser
Puisqu'il est arrêté par des branches touffues :
À cet endroit sous terre une grotte s'enfonce.

Sous une forêt sombre une grotte béante
Et immensément vaste à même le rocher
S'ouvre : tout à l'entour rampe, grimpe et s'enroule
Le lierre, épousant les creux et les saillies.
C'est ici la demeure où le pesant *Sommeil*
Gîte : l'*Oisiveté* corpulente et obèse
Se tient à ses côtés, la *Paresse* impotente
Titube sur ses pieds et s'affale par terre.
Et l'*Oubli* sans mémoire est debout sur le seuil :
N'écoute nul message et n'en transmet aucun.
Le *Silence* alentour rôde et monte la garde,
Drapé dans son manteau noir et chaussé de feutre.
D'un geste de la main il interdit l'entrée
À tous ceux qu'il rencontre ou qu'il voit du plus loin.

(Roland Furieux.)

L'AMITIÉ

Est-on dans le malheur, victime de la gêne,
C'est souvent sous un toit, dans une humble chaumière
Qu'on trouve l'amitié qui aide et réconforte ;
On ne la trouve pas dans les maisons cossues
Ni à la cour des rois, truffée de traquenards,
D'envie et de soupçons où toute charité

Est à jamais éteinte et toute amitié mensonge.

Voilà pourquoi parmi les Seigneurs et les Princes
Rien n'est fragile plus que traités, concordats :
Aujourd'hui Empereurs, Papes, Rois ne se liguent
Que pour être demain tous à couteaux tirés,
Car leurs mines ne sont que maquillage et leurre,
Leurs esprits et leurs cœurs pensant tout le contraire,
Car se moquant du droit, aveugles sur le reste,
Les Puissants ne voient rien d'autre que leur profit.

Ces derniers, encor qu'ils soient inaptes à l'amitié,
Dès lors qu'elle n'est pas dans les lieux où l'on parle
Tout le temps pour mentir, pour masquer sa pensée
Soit par plaisanterie ou dans les choses graves ;
Mais lorsque par hasard un sort à la fois dur
Et traître les fait choir et croupir dans la dèche,
Alors en peu de temps, ces ex-Puissants apprennent
Ce qu'est cette amitié qu'ils n'ont jamais connue.

(Roland Furieux.)

ROLAND FURIEUX

OUVERTURE DU POÈME

Les Chevaliers, les Dames, les combats,
Les exploits audacieux, l'amour fou, le courtois :
Je chante tout cela qui remonte à ce temps
Où, traversant la mer, les Maures, venus d'Afrique,
Pour ravager la France ont suivi Agramante,
Leur jeune roi, en proie à la fureur,
Désireux de venger sur Charlemagne,
Empereur romain, la mort de son père.

Au sujet de Roland ce poème dira
Ce qu'on n'a jamais dit en vers ni en prose :

Comment l'amour le rendit fou furieux,
Alors qu'auparavant on le jugeait si sage.
Encor faut-il que ma Dame par qui,
Jour après jour, mon talent s'amenuise,
M'en laisse toutefois suffisamment
Pour que je puisse accomplir ma promesse.

Généreux rejeton d'Hercule, ô Vous,
De notre siècle ornement et splendeur,
Vous, Hippolyte, daignez agréer
Ce que veut et ne peut que vous donner
Votre humble serviteur. Je ne puis acquitter
Partiellement ma dette que moyennant
Des paroles et des écrits. Ne croyez surtout pas
Que je vous donne peu, vous donnant tout ce que j'ai.

Vous entendrez, parmi tous ces héros
Dont je m'apprête à chanter les louanges,
Rappeler ce Roger qui de vos aïeux
Illustres fut l'antique souche.
C'est sa haute valeur, ses exploits éclatants
Que par ma voix vous entendrez, pour peu
Que vous m'écoutiez et si tant est que mes vers
Se glissent au milieu de vos pensées sublimes.

Roland qui fut longtemps de la belle Angélique
Épris et qui avait pour elle abandonné
En Inde, en Tartarie et chez les Mèdes
Une infinité d'immortels trophées,
En Occident avec elle était revenu,
Là où campait avec ses gens de France
Et d'Allemagne le roi Charles qui guerroyait
En rase campagne au pied des Pyrénées.

Cuisant regret de leur hardiesse folle
Que ce retour : regret pour les deux rois,
Agramante et Marsile, l'un pour avoir d'Afrique
Conduit tout homme à même de porter des armes,

Et l'autre pour avoir poussé l'Espagne
À détruire le beau royaume de France...

(Chant I.)

DANS L'ÎLE D'ALCINE

Cet Hippogriffe, étrange et grand oiseau,
Rapidement l'emporte à tire-d'aile,
Tant et si bien qu'il aurait pu laisser
Le véloce porteur de la foudre à la traîne.
Aucun autre animal ne traverse les airs
Avec une vitesse égalant la sienne :
Le tonnerre et l'éclair vont, à mon sens,
Du ciel jusqu'à la terre, à peine un peu plus vite.

Après que cet Oiseau eut parcouru
Un grand espace en ligne droite et sans virer,
Ayant volé son saoul, traçant de larges cercles,
Le voilà qui descend sur une île, pareille
À celle où aborda Aréthuse, la Nymphe
Qui voulut fuir en vain son amant éconduit
Par un chemin étrange et obscur sous la mer.

Parmi tous les pays, jusqu'alors survolés,
En aurait-il cherché d'autres dans le monde,
Non, il n'en aurait jamais vu aucun
Qui fût plus attirant que ce pays
Où le grand Oiseau, après un ample virage,
Descendit avec Roger à califourchon.
Des plaines cultivées, des coteaux délicats,
Des berges ombragées, de doux prés, des eaux claires,

De charmants petits bois de lauriers suaves,
De palmiers et de fort agréables airelles,
D'orangers, de cédrats avec leurs fleurs, leurs fruits,
Diversement et joliment entrelacés,

Sous leurs dômes touffus offraient un abri frais
Pendant les jours brûlants de la canicule.
Se sentant en toute sécurité,
Des rossignols volaient parmi les branches.

Au milieu des lys blancs et des roses pourprées
Que gardent toujours frais des brises tièdes,
Des lièvres et des lapins vivaient sûrs et des cerfs,
Le front haut et hautain, sans crainte d'être pris
Ou tués, viandaient ou ruminaient de l'herbe ;
Des daims et des chevreuils, adroits et souples,
Bondissaient à foison en ces endroits champêtres.

Sitôt que l'Hippogriffe eut fait du rase-mottes,
Rendant ainsi le saut pas du tout dangereux,
Roger a vite fait de quitter sa monture
Et atterrit sur un pré bigarré,
Tout en gardant les rênes qu'il empoigne
Pour empêcher son coursier de reprendre l'essor.
C'est au bord de la mer qu'ensuite il le ligote
À un myrte vert entre un laurier et un pin.

(Chant VI.)

LA FÉE ALCINE

Sa personne avait de si belles formes que des peintres habiles ne sauraient en tracer de plus belles : sa chevelure était blonde, longue et nattée ; l'or ne brille ni ne resplendit davantage.

Sur ses joues délicates s'épandait un teint où la rose se mêlait aux troènes ; son front rieur était d'ivoire poli et achevait le visage avec une proportion harmonieuse.

Sous deux sourcils noirs, finement arqués, deux yeux noirs, que dis-je ? deux soleils éclatants ; leur regard est tendre et presque toujours figé.

L'Amour semble voler et s'ébattre alentour et vider de ce lieu tout son carquois et ravir tous les cœurs visiblement.

Le nez partage le visage en douce pente : même l'Envie ne saurait y trouver un défaut.

Au-dessous se niche, comme entre deux petites vallées, la bouche naturellement carminée : sur deux rangées des perles de choix, closes et offertes tour à tour par des lèvres douces et mignonnes.

C'est de là que fluent des paroles courtoises à faire mollir tout cœur rude et grossier ; c'est là que se forme ce rire suave qui ouvre à son gré le paradis.

Les bras sont harmonieusement proportionnés et l'on voit souvent la blanche main, un peu fuselée et fine où ne saillent ni veine ni nodosités.

On voit enfin de cette auguste personne le pied petit, nerveux et joliment galbé.

On ne peut cacher sous aucun voile les traits angéliques nés au Ciel. Il ne faut pas s'étonner si Roger en est captivé, la trouvant si avenante.

À quoi bon tout ce qu'au sujet de cette femme lui avait appris le myrte [1] : *combien elle est perfide et cruelle !*

Il ne peut croire que traîtrise et duperie puissent voisiner avec un sourire si suave.

(Chant VII.)

Nota. [1] Le myrte : les chevaliers qui abordent à l'île d'Alcine — nouvelle Circé — sont métamorphosés en objets divers, dès qu'ils ont cessé de plaire à la magicienne. Ainsi le myrte auquel Roger avait attaché l'hippogriffe n'était autre qu'Astolphe d'Angleterre.

LA FOLIE DE ROLAND

Toute la nuit le Comte rôda à travers bois ; et quand parurent les feux du jour, son destin le ramena à la source où Médor avait gravé l'inscription.

Cet affront qu'il voyait tracé sur le rocher attisa sa colère, tant et si bien qu'il ne fut plus que haine, rage, courroux et fureur ; incontinent, il dégaina son épée.

Il trancha la pierre et l'inscription ; les menus éclats en volèrent jusqu'au ciel. Malheur à cet antre et malheur au moindre tronc où l'on déchiffre les noms de Médor et d'Angélique !

Désormais ils ne donneront plus au berger et à son troupeau ombrage et fraîcheur : et la source, naguère si limpide et pure, point n'échappa à un tel courroux ;

Car il ne cessa de jeter dans son onde claire des branches et des souches, des troncs, des pierres et des mottes jusqu'à ce qu'il l'eût troublée de fond en comble ; depuis, à tout jamais, elle perdit sa limpidité et sa pureté.

Enfin fourbu et tout ruisselant de sueur, sa vigueur vaincue ne secondant plus sa colère, sa haine terrible et son ardent courroux, il se laissa choir sur le pré, et devers le ciel il soupire.

Il choit sur l'herbe à la fin, dolent et recru, les yeux rivés au ciel et sans mot dire. Le soleil par trois fois se lève et se couche par trois fois, mais le Comte ne prend sommeil ni nourriture.

Sa peine cruelle ne fit que redoubler et jusqu'à la démence enfin elle le conduisit.

Le quatrième jour, poussé par une grande fureur, il s'arracha cotte et haubert.

Son heaume gît ici et là son bouclier, là-bas son armure et plus loin son haubert : bref, toutes ses armes avaient un gîte différent par tout le bois. Et puis il déchira ses habits et mit à nu son ventre hirsute, toute sa poitrine et son dos.

Et commença la grande Folie — si terrible que de plus grande jamais depuis on n'en ouïra.

Tant fut sa colère et tant fut sa fureur que ses sens en restèrent obnubilés. Se fût-il souvenu d'empoigner son épée, il eût fait, selon moi, des prodiges.

Mais sa vigueur immense n'avait besoin ni d'épée ni de hache à un ou deux tranchants.

D'emblée, il donna des témoignages extraordinaires de sa force ; car il déracina un grand pin, à peine l'eut-il ébranlé.

Et après celui-ci il en arracha bien d'autres comme si c'étaient des fenouils, des hièbles ou des aneths ; et il en fit autant des chênes et des ormes centenaires, des hêtres et des aulnes, des yeuses et des sapins.

Tel un oiseleur qui, pour tendre ses filets, fait place nette, en arrachant les joncs, les éteules et les orties, lui, c'étaient des chênes et d'autres vieux arbres qu'il arrachait.

Les bergers, entendant ce fracas, abandonnent leurs troupeaux épars dans la forêt ; de çà, de là, tous à grands pas accourent voir ce qu'il en est.

Mais me voilà parvenu à cette borne que je ne dois point franchir, sinon mon histoire pourrait vous ennuyer ; aussi j'entends vous la conter une autre fois plutôt que de vous lasser par sa longueur...

(Chant XXIII.)

Nota. La beauté fascinante d'Angélique subjugue les chefs des deux camps. Qu'ils soient chrétiens ou sarrasins, tous ces paladins (Roland, Renaud, Roger et d'autres encore) tombent tour à tour ou en même temps amoureux de la séduisante princesse du Cathay — royaume imaginaire du côté de la Chine. Chacun d'eux ambitionne d'obtenir les faveurs de la belle indifférente qui se dérobe à ses prétendants. Plus elle les fuit, plus ces derniers se lancent éperdument, mais vainement à sa poursuite, faisant fi de leur devoir et de leur honneur chevaleresque. Angélique échappe à ses poursuivants, amoureux transis ou passionnés, grâce à la magie ; elle possède, en effet, un anneau qui la rend invisible (*cf.* le mythique anneau de Gygès). Or un jour notre insaisissable princesse, toujours aimée, jamais amoureuse, recueille un obscur guerrier appelé Médor et qui est d'une surprenante beauté physique — ce qui représente pour lui un atout

78

majeur dans cette extraordinaire compétition. Aussi Angélique s'éprend-elle du jeune guerrier : c'est à la fois le coup de foudre et l'amour fou. Elle transporte Médor au fond d'une forêt, le mettant ainsi à l'abri dans la cabane d'un berger, le soigne et le guérit. Au cours de leur idylle bocagère, les deux amants couvrent rochers et arbres d'inscriptions — témoignage enflammé de leur amour — et y gravent leurs deux noms entrelacés. Pour son malheur voici qu'un jour passe, tout à fait par hasard, dans cette forêt le comte Roland qui lit ces inscriptions. Il n'en faut pas davantage pour qu'il devienne d'emblée fou furieux. Sa colère explose dont les effets sont aussi terribles que le déchaînement d'un cyclone. Cette colère aboutit enfin à la folie de Roland, amoureux éconduit, d'où le titre du poème épique : *Roland Furieux (Orlando Furioso)*.

VOYAGE DANS LA LUNE

Voici qu'une double surprise frappa Astolphe ; en effet, ce pays était bien vaste, qui pourtant nous apparaît comme une petite sphère, quand nous le regardons d'en bas ; aussi doit-il cligner des yeux, s'il veut distinguer de là-haut la terre et la mer qui l'environne.

Faute de lumière propre leur image n'est perçue qu'à une faible altitude.

Il y a là-haut d'autres campagnes, d'autres fleuves, d'autres lacs, inexistants ici-bas parmi nous, et d'autres plaines, d'autres vallées, d'autres montagnes avec des villes et des châteaux qui leur sont propres, avec des maisons telles que le Paladin n'en avait vues et n'en verra de plus grandes ; il est aussi d'amples forêts solitaires où les Nymphes traquent sans cesse les bêtes fauves.

Le duc Astolphe point ne resta à considérer tout cela ; il n'avait point aluni dans ce dessein.

Le Saint Apôtre le mena dans une combe encaissée entre deux montagnes où était miraculeusement rassemblé ce qu'on perd soit par sa propre faute soit par celle du Temps ou du Sort : c'est là-haut que se réunit ce que l'on perd ici-bas.

Je ne parle pas seulement de royaumes ou de richesses qu'emporte la roue de la Fortune ; mais je veux aussi faire allusion à ce que la Fortune ne saurait ravir ni donner.

On retrouve là-haut mainte réputation que mine ici-bas à la longue le temps, tel un ver rongeur ; là-haut gîtent une infinité de prières et de vœux que nous autres pécheurs adressons à Dieu.

Les larmes et les soupirs des amants, le temps inutile qu'on perd au jeu et les longs loisirs des hommes ignorants, les vains projets irréalisables, les vains désirs, tout cela foisonne et encombre ce lieu :
Bref tout ce qu'on a perdu ici-bas on pourra le retrouver là-haut, si on y monte...

Puis il arriva à ce que nous croyons tous posséder si abondamment que pour l'avoir nous n'adressons jamais de vœu à Dieu : j'ai nommé la raison.
Il y en avait là toute une montagne et qui dépassait tout ce que nous avons déjà raconté.

C'était comme une liqueur subtile et fluide. Ne la tient-on pas bien bouchée, elle s'évapore facilement ; on la voyait recueillie dans différentes fioles, de toutes contenances, propres à cet usage.
La plus grande de toutes était celle qui renfermait la puissante raison du comte d'Angers devenu fou ; on la reconnaissait parmi les autres, car elle portait ces mots : *raison de Roland.*

(Chant XXXI.)

Nota. Le paladin Astolphe, après maintes aventures époustouflantes, enfourche son hippogriffe — cheval ailé à tête d'oiseau rapace — et s'élève jusqu'au sommet d'une montagne où se trouve le paradis terrestre. C'est là que saint Jean l'Évangéliste lui annonce qu'il va le conduire dans la Lune où se trouve dans une grande fiole la raison de Roland sous la forme d'un liquide subtil et fluide. Ainsi pourra-t-il guérir, dès qu'il aura recouvré cette raison perdue sur Terre, mais conservée dans la Lune.

« La parodie devient satire, mais une satire sans fiel, proche du badinage. Dans une vallée lunaire s'est amassé tout ce qu'on perd sur terre... Pour saisir cette ironie, il faut se souvenir que la lune était assimilée à un château en Espagne dans l'imagerie populaire. Aujourd'hui ne dit-on pas d'un rêveur, d'un distrait qu'il est dans la lune ?... » (De Sanctis).

LA GUÉRISON DE ROLAND

Roland s'ébroue et envoie bouler à dix pas Astolphe qui tombe à la renverse ; mais Brandimars ne laissa pas de le ceinturer avec plus de vigueur.

Et voilà qu'il assène à Olivier qui s'était trop avancé un coup de poing si violent et si méchant qu'il s'écroule tout blême et vide de son sang, giclant de son nez et de ses yeux.

N'eût été son heaume de bonne trempe, Olivier aurait été tué sur le coup ; il n'en chut pas moins que s'il eût rendu son âme au Ciel.

Dudon, le visage tout bouffi, se remet quand même debout, ainsi qu'Astolphe et Sansonnet, auteur d'un coup de maître ; et tous de sauter sur Roland.

Dudon le saisit par-derrière avec vigueur, tout en essayant de lui faire un croc-en-jambe : Astolphe et les autres lui ligotent les bras ; néanmoins Roland se démène —

Tel on voit un taureau qu'on poursuit, courir et beugler, les oreilles, sauvagement déchirées par les crocs des chiens qui ne le lâchent pas et dont il ne peut se défaire.

Imaginez Roland dans la même posture, car il traîne tous ces guerriers cramponnés à lui : et voici qu'Olivier se relève du sol où l'avait étalé le coup de poing terrible.

Voyant qu'on s'y prenait mal pour exécuter le dessein d'Astolphe, il imagina un moyen, aussitôt mis en effet, de faire tomber Roland ; et il y parvint.

Il se fit apporter plusieurs câbles ; il en fit aussitôt autant de lassos dont chaque nœud coulant garrotta les jambes, les bras et même le corps entier du Comte.

Après quoi chacun reçut le bout de chaque lasso ; et voici Roland terrassé, comme le maréchal-ferrant fait d'un cheval ou d'un bœuf.

À peine eut-il mordu le sol que tous lui tombent dessus et lui cordent mains et pieds de plus belle. Roland a beau se débattre ; tous ses efforts sont vains.

Astolphe donne l'ordre de le transporter, assurant qu'il entend bien le guérir. Ainsi Dudon, le plus gaillard, le prend sur son dos pour le porter au bord de la mer.

Astolphe le fait laver sept fois et le plonge sept fois dans l'eau tant et si bien qu'il décape du visage et du corps de cet homme fou la crasse et la rouille repoussante.

Puis avec une poignée d'herbes, cueillies à cet effet, il lui tamponne la bouche qui ne cesse de souffler et de renâcler ; car c'était bien son dessein que le Comte pût respirer seulement par le nez.

Astolphe avait déjà préparé la fiole contenant la raison de Roland ; il l'approche si près de son nez qu'il la vida entièrement au moment d'aspirer.

Ô miracle ! son esprit recouvra son premier usage ; son intelligence, lucide et nette plus que jamais, reprit le fil de ses belles pensées.

Tel le dormeur après un cauchemar croit voir d'abominables monstres qui n'existent et ne peuvent exister ou bien croit faire une chose étrange et énorme, s'étonne encore, même après son réveil et après qu'il est revenu maître de ses sens ; ainsi Roland, revenu de son erreur, demeura longtemps frappé de stupeur.

(Chant XXXIX.)

Nota. Astolphe ayant ramené de la Lune la fiole contenant la raison de Roland, il ne lui reste plus qu'à lui faire respirer la liqueur subtile. L'occasion se présente enfin. Astolphe s'est joint à une armée de secours qui se rassemble du côté de Bizerte, ville de Tunisie. Un jour, une rumeur s'élève dans le camp : les soldats fuient devant un homme nu qui fait tournoyer un bâton noueux. Or cet homme n'est autre que Roland.

Michelangelo

DEUX QUATRAINS

EN L'HONNEUR DE « LA NUIT », STATUE DE MICHEL-ANGE

I

La femme que tu vois dans cette jolie pose
Dormir, fut, dans ce bloc, par un Ange sculptée ;
Elle dort, et pourtant elle vit. Tu en doutes ?
Éveille la dormeuse : elle te parlera.

GIAMBATTISTA STROZZI.

II

Douceur de mon sommeil, d'autant qu'il est de pierre,
Tant que la honte et les dégâts perdurent ;
Ne rien voir ni entendre est un bonheur pour moi !
Ne m'éveille donc pas : veux-tu parler tout bas ?

MICHELANGELO.

À LA NUIT

Ô Nuit, heure si douce, encor que ténébreuse,
Où tout travail s'achève et nous donne la paix.
Tes louangeurs voient clair, ont de l'entendement ;

Quiconque t'honore a l'esprit sans défaut.

Toute lasse pensée, tu l'émousses, la brises,
Qui s'absorbe dans l'ombre humide et le repos ;
Et souvent dans le rêve, arrachés de l'abîme,
Tu nous ravis au plus haut où j'espère aller.

Image de la mort grâce à qui prennent fin
Nos malheurs harcelant notre âme et notre cœur,
Ô Toi des affligés ultime et bon remède !

Toi qui sèches les pleurs, fais cesser tout labeur,
Guéris la chair infirme et viens subtiliser
À tout homme de bien tout dégoût et colère.

DEUX FRAGMENTS

I

Plus le vent la tourmente et plus flambe la flamme :
Ainsi toute vertu, par le ciel exaltée,
Resplendit d'autant plus qu'elle est persécutée...

II

Mes pensées infinies que l'erreur a remplies,
Dans ces toutes dernières années de ma vie
Ne devraient être plus hantées que d'une seule

Qui le mènerait vers l'éternité sereine.
Mais que puis-je, ô Seigneur, si tu ne viens à moi
Avec ta coutumière, ineffable bonté ?...

DANTE

Il descendit du ciel, âme et corps uniment ;
Et après qu'il eut vu l'Enfer de la justice [1]
Et celui du pardon, il retourna, vivant,
À neuf contempler Dieu pour nous faire connaître

L'entière vérité. Son vif éclat d'étoile
A su donner du lustre à ma ville natale [2],
Bien indigne pourtant ! Notre monde pervers
Ne saurait le combler ; mais Toi, son Créateur,

Toi seul, tu le pourrais. Oui, j'ai bien nommé Dante
Dont l'œuvre par ce peuple ingrat fut méconnue,
Ce peuple qui ne fut qu'injuste pour les justes.

Je voudrais être Lui ! Né pour un sort si noble,
Contre son dur exil, quitte à avoir ses dons,
J'irais jusqu'à donner le plus grand des bonheurs.

Nota. [1] L'Enfer de la justice c'est l'Enfer proprement dit, le Purgatoire étant l'Enfer du pardon.
[2] Ma ville natale : Florence. Michel-Ange se considérait florentin, bien que né à Caprese, village près d'Arezzo.

DERNIER HAVRE

Me voilà désormais au terme de ma vie
Sur une mer houleuse avec ma frêle barque ;
Je touche au port commun et rends compte et raison
De tout ce que j'ai fait de bien et de mal.

Aussi vois-je à présent combien m'avaient leurré
Ce que l'homme convoite irrésistiblement
Et ma brûlante et folle imagination
Qui fit alors de l'art mon idole et mon roi.

Ces doux pensers d'amour au bonheur décevant,
Que vont-ils devenir en cette double mort
Dont l'une est assurée et l'autre me menace ?

Sculpter ni peindre ne pourront plus apaiser
Mon âme se vouant à cet amour divin
Qui sur la Croix ouvrit de grands bras accueillants.

Gaspara Stampa

PRIÈRE

Triste, je me repens de mes fautes trop lourdes,
D'avoir été volage aussi longtemps, d'avoir
Follement gaspillé dans de vaines amours
Les heures de ma vie au rapide décours :

Aussi je viens à Vous, Seigneur, qui fléchissez
Les cœurs trop endurcis et transmutez en feu
La neige et qui rendez suaves tous les jougs
Aux âmes embrasées par votre sainte ardeur.

Tendez-moi, je Vous prie, une main secourable
Afin de me tirer de la fureur des flots
Auxquels je ne peux pas échapper par mes forces,

Vous qui pour nous, Seigneur, avez voulu mourir
Vous avez racheté toute la plante humaine,
Non, ne me laissez pas périr, mon doux Seigneur.

Galeazzo di Tarsia

HEUREUX QUI COMME ULYSSE...

J'ai naguère franchi les Alpes enneigées,
Rempart insuffisant pour tes rives chéries ;
Je hume maintenant tes brises parfumées
Et ton air bienfaisant, Italie, ma patrie.

Las ! Amour m'a navré de nombreuses blessures,
Tandis que j'évoquais votre charme fatal,
Ô vallées, ô coteaux, agréables ombrages,
Que tes enfants aveugles connaissent si mal !

Heureux celui-là qui possède parmi vous
Un lopin qu'il cultive et qui jouit encore
D'un ruisseau, d'un verger, d'un bonheur enfin sûr !

J'ai toujours méprisé la paix et ses loisirs
Dans mes folles années de trompeuse jeunesse,
Moi que voilà pleurant ces vrais biens dont je manque.

Jacopo Sannazaro

ICARE

Icare chut ici : ces flots le savent bien
Qui pourront recevoir ses ailes audacieuses ;
Ici l'essor prit fin, ici la chute eut lieu
Dont seront envieux les hommes du futur.

Échec assurément heureux et agréable,
Dès lors que par sa mort il eut gloire éternelle.
Bienheureux celui-là dont la fatale issue
Compense le dommage et lui donne l'éclat !

Il peut se réjouir de sa chute, cet homme
Qui volant dans les airs, pareil à la colombe,
Fut frappé par la mort pour avoir trop osé.

Voilà que désormais toute une mer immense
Retentit de son nom ; fût-il jamais un homme
Qui méritât au monde une tombe aussi grande ?

INVOCATION AU SOMMEIL

Ô Sommeil, toi l'enfant paisible de la Nuit
Calme, fraîche et obscure, ô toi le réconfort
Des mortels accablés, doux oubli de ces maux
Qui nous rendent la vie éprouvante et morose ;

Viens-t'en, de grâce, aider mon cœur qui se tourmente
Sans cesse et qui s'étiole et soulager mon corps
Trop faible et harassé. Sommeil, vole vers moi,
Étends pour m'abriter tes ailes tutélaires.

Mais le silence a fui, qui fuit pourtant le jour !
Je ne vois pas, non plus, l'essaim léger des songes,
Compagnons coutumiers, qui vaguement te suivent.

Mais hélas ! vainement je t'appelle et je tente
D'apprivoiser en vain ton ombre glaciale.
Ô ma couche si dure, ô nuits si torturantes !

Torquato Tasso

LE JARDIN D'ARMIDE

Après avoir laissé le dédale des sentes,
Ils voient joyeusement s'ouvrir un beau verger :
Des ruisseaux cristallins et des eaux immobiles,
La gamme variée de fleurs, d'herbes et de plantes,
Coteaux ensoleillés et ombreuses vallées
Et grottes et forêts se déploient sous leurs yeux ;
Nulle trace en ce lieu de l'art — *ce sortilège* —
Qui nous fait chérir l'œuvre et lui donne son prix.

Artifice et Nature, intimement fondus,
Font sembler naturel même ce site orné,
Comme si la nature en jouant s'était plu
À copier ainsi l'art — *son imitateur.*
Même la brise est l'œuvre aussi bien que le reste
De la Magicienne [1] ; et grâce à cette brise
Les arbres ont des fleurs et des fruits éternels,
Ces derniers mûrissant, quand les autres éclosent.

C'est sur le même tronc et le même feuillage
Qu'une figue se ride auprès d'une naissante ;
La pomme vieille et la jeune à la même branche
Se balancent, et l'une est verte et l'autre ambrée ;
La treille grimpe haut en serpentant, bourgeonne
Et dore au soleil ses grappes par mille pampres ;
Ou de rubis, déjà gorgés d'une douce liqueur.

Des oiseaux si charmants parmi le vert feuillage

Fredonnent à l'envi d'amoureux gazouillis,
La brise qui murmure et qui frappe ou caresse
Les feuilles et les eaux, éveille leurs échos ;
Selon que les oiseaux chantent ou bien se taisent,
La brise enfle sa voix ou bien elle soupire.
Est-ce effet du hasard ou de l'art ? elle alterne
Ou mêle tour à tour son murmure à leurs trilles.

Un oiseau dont le bec est pourpre et le plumage
Est tout bariolé vole parmi les autres ;
Il parle sans tarir d'une voix qui ressemble
De manière admirable au langage de l'homme.
Et voici qu'il parla tellement et si bien
Qu'afin de l'écouter tous les autres se turent ;
Et le vent qui passait cessa de chuchoter :

« *Regarde,* chanta-t-il, *éclore cette rose :*
Elle est modeste et vierge et du vert qui la gaine,
Regarde-la qui point mi-cachée et mi-close,
Mais belle d'autant plus qu'elle parade moins.
Et après peu déjà son sein nu se pavane,
Impudiquement beau, mais pour languir ensuite ;
Elle que mille amants et mille jeunes filles
Naguère ont convoitée, elle apparaît tout autre.

Ainsi la jeune fleur de notre vie humaine
Passe au déclin du jour ; mais que revienne avril
Elle aura néanmoins à tout jamais perdu
Ses feuilles et ses fleurs. Aussi cueillons la rose
Au matin de ce jour dont l'éclat va ternir
Bientôt : Cueillons la rose, aimons aujourd'hui même
Et tant que nous pourrons aimer et être aimés. »

Il se tait ; et son chant aussitôt repris
Par le chœur des oiseaux chantant à l'unisson
Comme s'ils l'approuvaient. Les baisers des colombes
Redoublent ; le laurier chaste et le chêne dur
Et toute la famille immense des bocages,

Tous jurent d'aimer, tous, et l'arbre et l'animal :
On dirait que la terre et l'eau sentent l'amour,
Les doux élans des sens et les soupirs de l'âme.

(La Jérusalem libérée.)

Nota. [1] La magicienne n'est autre qu'Armide, la séductrice et
l'amante de Renaud.

MADRIGAL

Je voudrais être abeille,
Femme belle et cruelle,
Pour butiner en toi, en bourdonnant le miel.
Et puissé-je du moins piquer ton sein de neige,
Faute de piquer ton cœur !
Et me vengeant, ainsi
Dans cette blessure mourrai-je.

LES SUPPLICATIONS D'ARMIDE

Puis elle commença : « N'attends pas, ô cruel,
Que je te supplie comme on le doit entre amants.
Nous le fûmes naguère, amants, mais tu refuses
De l'admettre ; il t'est dur de t'en souvenir même.
Du moins en ennemi pourras-tu m'écouter :
Entre ennemis parfois la prière a sa place.
Tu peux bien m'accorder ce que je te demande,
Non sans garder intact ton mépris envers moi.

Je ne viens pas du tout te priver du plaisir
Que te donne ta haine ; eh bien, profites-en.
Tu le crois juste ? Soit. J'ai haï les Chrétiens,
Je l'avoue : qui plus est, je t'ai haï aussi.
Je suis née Sarrasine et j'ai mis tout en œuvre

Afin que grâce à moi l'on écrase vos forces.
C'est toi que j'ai traqué, toi que j'ai entraîné
En ces lieux inconnus et loin de la mêlée.

Ajoute à ces forfaits celui que tu réputes
Le plus déshonorant et le plus dommageable.
Je t'ai trompé, séduit : voilà bien notre amour !
Ô traquenard inique, embûches sacrilèges
Que de se laisser prendre sa virginité
Et de rendre quelqu'un le maître de ses charmes !
Ces charmes refusés à ceux qui les briguèrent,
Tu n'as eu qu'à paraître et tu les as reçus.

Que l'on mette ce don au nombre de mes ruses ;
Que mes torts trop nombreux aient sur toi cet empire
De hâter ton départ, sans que tu te soucies
De ces lieux si chéris qui furent ta demeure !
Va-t'en, franchis la mer, au mépris des souffrances
Mène ton dur combat afin d'anéantir
Notre religion. Que dis-je ? Elle n'est plus
La mienne. Ô cruel, je n'adore que toi.

Je ne veux que te suivre et je serais comblée :
C'est demander bien peu, fût-ce à votre ennemi.
Le ravisseur, non plus, ne lâche son butin
Et le captif s'attache aux pas de son vainqueur.
Que tes soldats me voient parmi tous tes trophées,
Que l'on t'exalte aussi pour m'avoir bafouée,
Moi qui t'ai bafoué, lorsqu'on me montrera
Du doigt, moi, ta servante humiliée, méprisée !

Servante méprisée, ah ! pour qui garderai-je
Mes cheveux qui n'ont plus pour toi le moindre prix ?
Je m'en vais les couper ; n'étant plus que servante,
Jusque dans ma tenue, je le suis, je veux l'être.
Je te suivrai partout au plus fort des combats,
Lorsque tu te rueras sur les rangs ennemis.
J'ai bien assez de cœur et assez de vigueur

Pour mener tes chevaux et pour porter tes armes.

À ton gré je serai l'écuyer ou l'écu ;
Et pour te protéger point de ménagements,
Car je mettrai ma gorge entre toi et les armes
Qui devront pour t'atteindre à travers moi passer !
Pour ne pas me blesser il n'y aura peut-être
Nul homme si cruel qui te veuille frapper,
Renonçant au plaisir de se venger pour plaire
À mes attraits, puissants ou faibles, dont tu ris.

Malheureuse ! Mais quoi ? Je présume de moi ?
Et puis-je me targuer de ma beauté qu'on raille,
Sans qu'elle obtienne rien ? » *Armide allait poursuivre,*
Elle s'arrête court ; ses pleurs coulaient ainsi
Que l'eau sourd d'un rocher. D'un geste suppliant
Elle cherche à saisir sa main ou son manteau ;
Il recule, résiste et vainc ; l'amour en lui
Ne trouve nul accès, les larmes nulle issue.

Non, l'Amour n'entre pas pour attiser encore
La flamme d'autrefois que la raison glaça ;
Du moins en cet instant pitié se glisse-t-elle
Compagne de l'amour, encore que pudibonde :
On le voit s'émouvoir alors à telle enseigne
Qu'il a vraiment du mal à retenir ses larmes.
Ainsi refoule-t-il ce tendre sentiment
Et autant que possible il pose et en impose.

Et Renaud de répondre : « Armide, tu m'accables !
Ah, si je le pouvais, comme je bannirais
De ton âme irritée une ardeur si coupable !
Non, non, je ne te hais ni je ne te méprise ;
Je ne veux me venger ni te blâmer, non plus,
Tu n'es pas mon esclave et pas mon ennemie.
Tu t'es trompée, au vrai, passant toute mesure,
Recourant tour à tour à la haine, à l'amour !

Mais au fond ce sont là des fautes très humaines
Que j'impute à ton sexe, à ton âge, à ta foi,
Et que je te pardonne, étant coupable aussi :
Comment te condamner puisque je te pardonne ?
Tu seras le fleuron d'entre mes souvenirs,
Tu seras le plus cher, toi, mon tourment, ma joie !
Je suis ton chevalier, le serai pour autant
Que la guerre, ma foi, l'honneur me le permettent.

De grâce mettons fin à cette liaison,
À nos erreurs passées ; de nos amours honteuses
Repens-toi désormais ; qu'au fin fond de ces terres
Même leur souvenir en reste enseveli,
Qu'en Europe et ailleurs on taise cette page
De ma vie ! Ah, je t'en supplie, ne souille pas
Ta beauté, ta vertu, ta naissance royale !

Je vais partir ; sois sage et garde tout ton calme.
Tu ne peux pas me suivre et ceux-ci qui m'emmènent
Te l'interdisent même. Oh, reste, je t'en prie,
Ou pars pour être heureuse ailleurs, si tu le peux ;
Sois sage pour brider tes desseins insensés ! »
Et cependant qu'il parle, elle s'agite et s'alarme,
Et, mutine, elle a pris un air buté, fâché ;
Son regard est farouche. Insultée, elle explose :

« Tu n'es pas homme sage et même tu forlignes !
Toi, tu fus engendré par les flots en folie
De la mer ou par les pics neigeux du Caucase
Tu dus sucer le lait d'un tigre d'Hyrcanie !
Pourquoi feindrais-je encor ? Cet homme sans pitié
N'a pas su se montrer le moindrement humain.
A-t-il rougi ? blêmi ? a-t-il sur ma douleur
Au moins versé des pleurs ou poussé des soupirs ?

Quels sont les griefs enfin que je tais ou répète ?
Il s'offre à me servir, il fuit, il m'abandonne ;
Il se pose en vainqueur généreux qui pardonne

Les griefs, les forfaits d'un coupable ennemi.
Écoutez ses conseils ! Écoutez-le, ce sage,
Disserter savamment sur l'amour platonique !
Ô ciel ! ô Dieux, pourquoi souffrez-vous que l'impie
Foudroie impunément vos temples et vos tours ?

Mais va-t'en donc, cruel, emportant cette paix,
Ce bon sens que tu veux me laisser ! Homme injuste,
Va-t'en, mais crains encor de me retrouver tôt,
Attachée à tes pas, te pourchassant sans trêve,
Quand je ne serai plus qu'une ombre et qu'un esprit !
Je te harcèlerai d'autant que je t'aimai.
Si tu peux échapper aux dangers de la mer,
Aux flots et aux écueils et si tu peux combattre,

Lorsque tu tomberas à même un sol jonché
De cadavres, cruel, tu expieras tes fautes,
Tu le répéteras plus d'une fois mon nom !
Dans tes derniers sursauts, oui, tu m'appelleras ;
Ce sera ma vengeance alors ton dernier cri... »
Soudain lui font défaut le souffle et la parole ;
Elle tombe, pâmée, et des frissons glacés,
La font toute transir ; elle ferme les yeux.

Tes yeux, tu les fermas, Armide ! et tes souffrances
N'eurent nul réconfort d'un ciel impitoyable.
Ouvre tes yeux, ma pauvre ! et regarde les yeux
De ton dur ennemi de larmes se remplir :
Il mêle ses soupirs à ses larmes amères.
Quelle douceur pour toi, si tu pouvais l'entendre !
Il donne ce qu'il peut ; il prend congé de toi,
S'apitoyant sur toi qui ne veux plus le croire.

Que va-t-il faire ? Est-ce qu'il doit sur le sable nu
L'abandonner ainsi mi-vivante et mi-morte ?
Courtoisie et Pitié l'enchaînent, le retiennent ;
Mais le devoir l'emporte et l'arrache à ces lieux.
Il part, et le voilà qui se livre à la brise,

Qui gonfle les cheveux de Celle qui gouverne [1] *;*
Sa nef aux voiles d'or cingle et gagne le large,
Il regarde la grève et la voit s'estomper...

(La Jérusalem libérée.)

Nota. [1] Celle qui gouverne : il s'agit de la Fortune (figure allégorique). Elle a pris le gouvernail du navire qui emporte Renaud, l'arrachant à Armide — nouvelle Ariane, abandonnée, elle aussi, par son amant sur la grève...

RETROUVAILLES

Armide se retourne, et inopinément
Renaud vient de surgir ; et elle le regarde,
Elle pousse un grand cri, détourne, courroucée,
Du visage chéri ses yeux. Elle défaille
Et tombe comme choit une fleur mi-coupée ;
Son col souple se ploie, et lui, il la soutient,
Passe autour de sa taille un bras — une colonne ! —
Tandis que sur sa gorge il dégrafe sa robe.

Il pleure, tout ému ; et ses larmes ruissellent
Sur cette belle gorge et ce charmant visage :
Une rose flétrie où pleure la rosée
Retrouve son éclat. La malheureuse Armide
Recouvrant ses esprits lève à son tour la tête
Qu'elle tenait baissée et que baignent des larmes
Qu'elle n'a pas versées ; elle l'a regardé,
Puis referme ses yeux qu'elle garde fermés.

Elle repousse à grand'peine ce bras puissant
Qui la soutient ; elle se cabre et tente
Plus d'une fois en vain de briser son étreinte
Qui ne l'étreint que plus, la ligote et l'enchaîne.
Enfin elle renonce et, blottie dans ce lien

Qu'elle a chéri peut-être, encor qu'elle le cache,
Et la voilà qui parle intarissablement,
Sans qu'elle ose jamais regarder son visage :

« *Toujours et tout autant, que tu partes ou bien*
Que tu sois de retour, comme tu me tortures !
Qui t'amène en ces lieux ? N'est-il pas étonnant
Que celui qui me tue m'empêche de mourir ?
À quoi bon me sauver ? Est-ce que tu me réserves
À des chagrins, à des outrages que j'ignore ?
Des félons je connais les ruses déguisées :
Qui ne peut pas mourir ne peut franchement rien !

Il manque assurément quelque chose à ta gloire
Si du doigt on ne montre, attachée à ton char,
Une femme, d'abord trahie et à présent
Captive et violentée : ah, voilà ton triomphe !
Moi, je t'ai demandé naguère paix et vie :
Maintenant je voudrais que la mort me délivre.
Non, cette mort, je ne te la demande pas,
Je ne peux qu'exécrer tout ce que tu me donnes.

Cruel, par mes moyens j'espère m'arracher
D'une façon ou d'une autre à ta cruauté :
Le poison, le poignard, la corde, les abîmes,
Quand même ils manqueraient à celle qu'on enchaîne,
Dieu merci ! je connais des chemins infaillibles
Pour aller à la mort, que tu ne peux barrer.
Cesse de me leurrer ! » Joue-t-il ses sentiments ?
Veut-il flatter, hélas ! mes espoirs chancelants ?

Ainsi se plaignait-elle ; et à ce flot de larmes
Que colère et amour font jaillir de ses yeux,
Il mêle aussi les pleurs de sa tendresse émue
Où brillent la pudeur et la compassion ;
Et Renaud va répondre avec un ton très doux :
« *Armide, apaise donc le trouble de ton cœur ;*
Je te réserve au trône et non pas aux huées :

Moi je suis ton féal et non pas ton rival.

Tu liras dans mes yeux qui ne savent mentir,
Si tu ne crois mes mots, l'ardeur de ma promesse ;
Je te replacerai sur le trône où régnèrent
Tes aïeux, je le jure ; et plût alors au Ciel
Qu'enfin désabusé ton esprit s'illumine,
Que n'obscurcira plus l'incroyance ! Et moi,
Je m'emploierai afin que dans tout l'Orient
Nulle reine ne pût égaler ta splendeur ! »

Sans relâche il supplie, et larmes et soupirs
Soutiennent sa prière qu'ils baignent et embrasent ;
Aussi, comme on voit fondre un gros flocon de neige
Aux rayons du soleil et aux souffles des brises,
Son courroux qui semblait en elle inentamable,
Fond-il, cédant la place à ses autres désirs :
« *Me voici : je ne suis que ton humble servante ;*
Un seul geste, dit-elle, *et je t'obéirai. »*

(La Jérusalem libérée.)

AMYNTAS

(Extraits de l'églogue bocagère)

TOUT AIME DANS LE MONDE

... Regarde ce pigeon
Qui bécote sa mie
Et roucoule tout doux !
Écoute-le chanter le rossignol qui vole
De branche en branche : *J'aime,*
Dit-il ; et le serpent *(sache, si tu l'ignores)*
Dégorge son venin, passionnément s'élance
Vers sa compagne aimante ;
Les tigres s'amourachent

Et le lion hautain aime de cet amour
Auquel seulement toi [1],
Féroce plus encor que les bêtes féroces,
Tu veux te dérober. Mais pourquoi donc parler
Des tigres, des serpents
Et des lions, quand même
Doués de sentiment ? Les arbres aussi aiment.
Avec quelle tendresse on voit à son tuteur
La treille s'enrouler
Redoublant ses étreintes ;
Le pin aime le pin,
L'ormeau et le sapin s'aiment l'un l'autre
Et le saule et le hêtre.
D'un amour réciproque ils brûlent et soupirent ;
Et ce chêne qu'on croit
Si rude et si sauvage
Sent les feux de l'amour l'embraser puissamment ;
Si ton esprit s'ouvrait au sentiment d'amour,
Tu l'entendrais aussi soupirer en silence.
Allons, veux-tu donc être
Bien au-dessous des plantes,
En n'étant pas amante ?
Change, change d'avis,
Ô fofolle Sylvie !

(Acte I, scène 1.)

Nota. [1] Sylvie, l'héroïne de l'églogue bocagère, jeune fille farouche
et garçonne sur les bords, ne s'adonnant qu'à la chasse et aux exer-
cices physiques, refuse l'amour du berger Amyntas, épris d'elle. C'est
son amie Daphné qui l'exhorte à se laisser aimer et à aimer de retour.

L'ÂGE D'OR

Ô le *bel Âge d'or* !
Non qu'un fleuve de lait
Ne coulât, que le miel ne gouttât des futaies,
Que le sol ne donnât,
Sans être charrué,
Ses fruits, que ne rampât sans courroux ni venin
Le serpent, non que sombre
Nuée en ce temps-là
N'étendît pas de voile,
Puisque le ciel versait,
Immuablement pur, l'éclatante lumière
D'un printemps éternel,
Et que vers d'autres bords la nef aventurière
Ne transportât jamais marchandises ou guerre,
Mais ce fut l'*Âge d'or*,
Puisque cette parole,
Vide de sens, idole
D'erreur et duperie,
Honneur (le peuple insane
Ainsi le nommait-il),
L'Honneur, cruel tyran de la nature humaine,
N'inoculait jamais
Son fiel dans les liesses
Des amants réunis ;
Sa loi ne fut pas dure,
Qui régentait les cœurs vivant en liberté ;
C'était une loi d'or que grava la Nature :

Fais ce qui te plaît !

(Acte I, scène 2.)

CHAGRIN ET RUSE D'AMOUR

Je n'étais qu'un enfant ; de ma petite main,
Fût-ce même en ployant des arbrisseaux les branches,
Je n'en cueillais les fruits qu'à peine, je devins,
Dès cet âge si tendre, ami le plus intime
De la plus enjôleuse et chère jeune fille
Qui jamais à la brise ait livré ses cheveux :
La fille de Cidippe et de Montanus, riche
Possesseur de troupeaux : c'est d'elle que je parle,
Qui se nomme *Sylvie* — honneur de nos bocages
Et flamme de nos cœurs, hélas ! la connais-tu ?
Nous avons, elle et moi, un certain temps vécu
D'un accord qu'aurait pu même nous envier
Un couple de ramiers,
Plus que de nos deux demeures,
Nos cœurs étaient unis ;
Nos âges s'épousaient,
Mais moins que nos pensées,
Je tendais avec elle filets et embûches,
Nous traquions ensemble et les daims et les biches.
Ainsi partagions-nous le plaisir et les proies :
Mais moi qui de gibier faisais force captures,
Je fus pris à mon tour sans bien savoir comment.
Et me voilà captif !
Il naquit dans mon cœur, comme une graminée
Qui pousse d'elle-même, un sentiment secret —
Qui me faisait toujours
Rechercher la présence
De ma belle Sylvie.
Dans mes yeux je puisais
Une douceur étrange,
Mais au fond j'y trouvais
Je ne sais quoi d'amer.

Je soupirais souvent sans connaître la cause
De mes soupirs fréquents :
Ainsi fus-je amoureux, alors que de l'*Amour*
Je n'avais connaissance.
Mais je l'appris enfin ; je te dirai comment :
Écoute-moi.

TIRCIS

Bien sûr que je t'écoute, ami.

AMYNTAS

À l'ombre d'un fayard un jour étaient assises
Phillis et Sylvie ; or, moi, j'étais avec elles.
Sur la joue de Phillis qu'on eût dit une rose,
Vint se poser soudain abeille butineuse :
D'un aiguillon avide elle pique ces joues,
Trop pareilles aux fleurs, qui donnèrent le change.
Et Phillis de se plaindre, impuissante à souffrir
La brûlante douleur par le dard infligée.
« *Tais-toi, Phillis, tais-toi,* lui dit alors Sylvie.
*Ne te lamente plus, puisque je sais un charme
Qui fera tôt cesser ta douleur anodine :
La sage Artémis m'en transmit la formule ;
Elle en reçut pour prix une corne d'ivoire,
Toute rehaussée d'or.* »   Ce disant, elle approche
Ses lèvres de la joue où brûle la piqûre,
Et prononce des vers avec un doux murmure.
Admirables effets ! La douleur aussitôt
Cesse : soit par vertu de cette incantation
Soit plutôt, selon moi, par vertu de ces lèvres,
Capables de guérir tout ce qu'elles effleurent.
Moi qui jusques alors n'avais rien désiré
Que l'éclat velouté de ses yeux, que sa voix
Plus charmante qu'un ru roulant sur les galets

Ou que le friselis du vent dans les feuillages,
Tout à coup je sentis naître un désir nouveau :
Le désir d'approcher ma bouche de la sienne.
Or, je ne sais comment, me voilà plus rusé
Que de coutume *(Amour aiguise notre esprit*
Vois-tu), je me souviens d'une charmante astuce
De mon désir complice et gentiment coquine :
Je feignis qu'une abeille avait laissé son dard
Dans ma lèvre inférieure ; et aussitôt de geindre :
Ma mine en dit plus long que toutes les paroles,
Réclamant à son tour le baume merveilleux.
La naïve Sylvie
Que mon mal apitoie,
Vient secourir, hélas !
Ma blessure trompeuse ; elle rend, ô malheur !
Plus noire et plus mortelle
Ma véritable plaie,
À l'instant où ses lèvres
Se sont jointes aux miennes.
L'abeille ne butine
Sur les fleurs nul nectar dont la douceur égale
Celle que je cueillis
Sur ses lèvres de rose...

(Acte I, scène 2.)

PETITE SCÈNE DE COQUETTERIE

DAPHNÉ

Je la [1] surpris hier dans un de ces grands prés
Environnant la ville : elle était au bord d'un lac
Paisible et cristallin au milieu d'un îlot ;
Elle se regardait dans ce miroir liquide,
Prenant des airs penchés, coquette et narcissique,
Minaudant et cherchant le style de coiffure

106

Le plus seyant pour elle et comment arranger
Sur ses cheveux son voile et par-dessus des fleurs
Qu'elle serrait contre elle. Et, à plusieurs reprises,
Approchant une rose ou la fleur d'un troène
Afin de comparer la blancheur de l'une
À celle de son cou et le teint écarlate
De l'autre à ses joues, un grand rire triomphant
L'illumina soudain qui semblait dire :

« Plus belle que vous, fleurs, je le suis, je le vois, je le sais :
Si je m'orne de vous, ce n'est pas pour m'orner
Mais bien pour vous narguer et pour qu'on voie combien
Je vous éclipse, ô fleurs. »
                                    Minaudant et s'ornant,
Elle m'aperçoit, laisse à terre choir ses fleurs
Et rougissant de honte, elle d'un bond se dresse.
Plus elle rougissait, je riais d'autant plus.
Ses cheveux d'un côté ramassés et de l'autre
Épars, une ou deux fois, dans le miroir du lac
Elle se regarda, mais à la dérobée,
Tout en craignant que son regard ne fût par moi
Surpris. Et, se voyant alors en négligé,
Elle en fut malgré tout ravie par le fait même
Qu'un pareil négligé rehaussait sa beauté…

(Acte II, scène 2.)

Nota. [1] *La* : il s'agit de Sylvie, la sauvageonne qui dans cette scène
se laisse aller à un petit accès de coquetterie, tout à fait féminine —
ce qui laisse présager sa future conversion : elle finira par avouer son
amour envers Amyntas, son soupirant obstiné, souvent éconduit,
enfin aimé sans restriction.

Giovambattista Marino

BERCEUSE PAÏENNE

Silence, ô Faunes,
Taisez-vous, Nymphes ;
Ne frappez pas
Le sol du pied
Ni de vos cris
Le ciel non plus ;
Que de vos gongs
Le bruit d'airain
Ne trouble point
Dorénavant
Le grand sommeil
De la Déesse !

Apaise-toi
Ô mer, et vous,
Ô vents, tombez ;`
Que nul n'éveille
Vénus la belle
Qui se repose !
Qui que tu sois,
Dors, allons, dors !
Puisque je veux
Qu'un doux oubli
Se coule en toi
Grâce à mes pleurs
Qui pleurent tout bas.

Silence, ô Faunes,
Taisez-vous, Nymphes !

LYDIA

MADRIGAL

Lydia trayant d'une brebis
Laineuse le gros pis
Fécond dans une coupe agreste,
Je regarde *(et fort ébahi j'en reste)*
Cette double blancheur d'amour et de nature,
Ne pouvant distinguer
Le flot blanc d'avec ses mains sans bavure,
Car ce n'était que du lait dans du lait.

AU SOMMEIL

Toi, enfant du Silence et de la Mort,
Père de visions, fictives et charmantes,
C'est sur tes pas sans bruit, *Sommeil* aimable,
Qu'au Ciel d'Amour souvent montent nos âmes ;

Lorsque chacun, sauf moi, au sein des ombres,
Légères et clairsemées, se repose et dort,
Laisse, je t'en prie, les grottes cimmériennes
Et l'Érèbe, aussi noir que mes pensées,

Et viens consoler mon désir inassouvi
Avec ton oubli, doux et tranquille, et avec
Son beau visage qui me ravit et m'apaise.

Mais, faute de jouir en toi de son image
Dont je suis fort épris, je jouirai du moins
De celle de la *Mort*, objet de mon désir.

LE TASSE

(TORQUATO TASSO)

Né près du Sébéthos [1], j'ai sur les bords du Pô
Planté les tout premiers lauriers de ma couronne ;
J'ai, prisonnier du Prince, éprouvé son courroux
Et les coups bas du Sort au cours de mon errance.

En mes vertes années j'ai chanté sur ma flûte
Du charmant *Amyntas* les amours bocagères ;
Et puis, pour célébrer, mes soupirs et ma flamme,
J'ai modulé l'accord sur mon luth, jadis tendre.

Et enfin, embouchant les trompettes épiques,
J'ai exalté les chefs, leurs combats et leurs armes,
Me modelant ainsi sur l'auteur du *Furieux.*

Terrible destinée ! En voulant imiter
De l'*Arioste* l'art subtil, ingénieux,
J'ai connu la folie de *Roland,* son héros.

Nota. [1] Sébéthos : petit fleuve à l'est de Naples, non loin de Sorrente, ville natale du Tasse.

POLYPHÈME ET GALATÉE

« Je suis laid, mais qu'importe ! Et même si ma barbe
N'est qu'un roncier piquant qui couvre mon visage,
Si ma poitrine et mon dos sont noirs et toisonnent,
Si mes cheveux ne sont qu'une épaisse broussaille,

Ne me méprise point, mon enfant, ma mignonne !
Sous ma laideur se cache un amour si brûlant ;
Car la mer enfouit dans une dure enveloppe
L'inestimable chair de bien des coquillages.

Non, ne te gausse pas de mon immense torse,
Puissant et musculeux ; il sied, ô ma petite,
Que tu sois tout le charme et que je sois la force. »

En proie à la douleur le farouche Cyclope,
Foulant le sable chaud courait éperdument,
Se livrant au pourchas de Galatée en fuite.

CIEL ET MER

Craton, songe à la mer maintenant que son flot
S'assoupit sur la grève et que le vent se tait ;
Vois la nuit dans le ciel déployer son manteau
Noir et bleu, fastueux, éclaboussé de gemmes.

Contemple toute nue et sans la moindre nue
Nager dans l'océan de l'espace étoilé
Et mêler la blancheur splendide de leurs corps
La Lune et tout autour les Nymphes du ciel.

Regarde brasiller sur ces plages distinctes
Et s'abattre, fondant une même splendeur :
Les étoiles-poissons et les poissons-étoiles.

Et la mer à nos yeux jusque dans ses abîmes
S'embrase et brille toute et apparaît si pure
Qu'on s'exclame : *« La mer en ciel s'est transmuée. »*

LA LÉGENDE DU ROSSIGNOL

Dominant chaque oiseau petit, mignon et doux,
Dont le vol et le chant s'éploient et les [1] enchantent,
Sirène des forêts, le rossignol prélude
De son souffle ténu qui tremble, mais s'épanche ;
D'un art si consommé il module ses trilles

111

Rares qu'on le croirait le chef du chœur ailé ;
Dans son chant on retrouve l'écho de mille autres
Ce sont mille gosiers qu'on croirait entendre alors.

Ô prodige vocal, étonnant virtuose,
C'est merveille l'entendre et l'entrevoir à peine ;
Il brise tour à tour sa voix et la reprend,
La module, la ploie et l'enfle et puis l'étouffe,
Passant du grave au doux, de l'aigu au ténu ;
Un chapelet de sons, des trilles, des roulades
Qu'il égrène en sourdine ou qu'il sème à la ronde :
Son chant mélodieux s'égoutte ou bien ruisselle.

Ô ce mièvre chanteur, comme il peut à son gré
Émouvoir et charmer par le chant qui l'exprime !
C'est d'abord une plainte à mi-voix qui se brise
Aussitôt et se meurt en un soupir flûté ;
Sublime et alangui tour à tour, il compose
Fugues, variations, en rythmes lents ou vifs,
Imitant à lui seul un admirable ensemble
De cithares, de luths, de cors, d'orgue et de lyre.

Son gosier file alors une gamme de notes
Qui s'étirent longtemps et dont la douceur flatte
L'oreille ; et puis le chant s'essore dans la brise,
Monte toujours plus haut par vagues ascendantes.
Il plane un bref instant, puis soudain tombe à pic,
D'une chute rapide et enfin il se brise ;
Mais aussitôt après, à plein gosier, il lance
Des trilles éclatants dont le contrepoint fuse.

Est-ce donc qu'une roue ou bien un tourbillon
Se cachent d'aventure au fond de son gosier ?
Sa langue, qu'il enroule et qui vibre, rappelle
L'épée d'un escrimeur et adroit et brutal.
Assouplit-il sa voix et la module-t-il
Ou bien se permet-il de lentes vocalises,
Ce n'est pas un oiseau, mais un ange à coup sûr

Qui dessine et qui brode un tissu musical.

Ce malheureux oiseau qui s'était réveillé
Pour appeler le jour de la cime d'un hêtre,
Invoquant d'une voix, ineffablement douce,
Le retour de l'Aurore, entendait à la ronde
Le bois silencieux, solitaire et sauvage
Retentir tout à coup, répercutant les plaintes
Que ce blessé d'Amour lançait à tous échos
Et qui livrait au vent les cris de sa douleur.

Cette musique alors qui l'invite et l'appelle,
Le ravit, le provoque en même temps aussi.
Le voilà qui descend du plus haut de son arbre
Tout doux, tout doucement, jusqu'aux plus basses branches,
Brûlant de l'écouter et de se mesurer
Avec ce musicien dont il reprend même
La fin de son phrasé. Tellement il s'approche
Du jeune homme qu'enfin sur sa tête il se juche.

Notre musicien qui fait vibrer son luth
Ne cesse de jouer malgré l'oiseau perché,
Dont le poids est léger : il redouble ses plaintes,
Se pique de monter au plus haut de la gamme.
Le pauvre rossignol s'efforce et s'évertue
De suivre au mieux le rythme, imitant son rival,
Dont la plainte et le chant intimement se mêlent
Et que l'oiseau reprend en un écho fidèle.

Lors l'un s'accompagnant sur sa lyre dolente
Ne fait que renforcer ses accents douloureux ;
Et l'autre cependant le suit note par note,
Comme pour partager cette douleur humaine.
Et l'étonnant concert de leurs voix alternées
Attirait les regards de tout le firmament,
Invitait au sommeil, si doux et enjôleur,
Les heures de la Nuit muettes, indolentes.

L'homme tout au début méprise ce défi
Et voulut se gausser de l'oiseau téméraire,
Se bornant à pincer du bout des doigts les cordes ;
Puis soudain s'arrêta de jouer. Son rival
L'attend pour attaquer à l'endroit qui s'impose,
Puis il reprend haleine aussitôt qu'il faiblit.
Et ce que font les doigts est refait par le bec.
De ce prodigieux, inlassable virtuose.

Et presque courroucé de voir qu'on lui résiste
Et que rivalisant avec lui sans merci,
Le petit rossignol, si frêle, si chétif,
Se veuille mesurer, et, qui plus est, prétende
Le vaincre, dès alors, ce grand joueur de luth
Commence à rechercher sur les cordes qu'il pince
La note la plus haute et la plus difficile,
Que son rival têtu attrape et continue.

Ce musicien habile en rougit et s'afflige
D'être ridiculisé, voire même battu
Par plus petit que soi. Et pour tendre les cordes,
Il tourne les chevilles, parcourt toute la gamme.
Son rival pour autant ne s'avoue pas vaincu,
Lui donne la réplique avec plus de vigueur,
Le suit de note en note et passe de l'aiguë
À la grave et sa voix dessine des volutes.

Sidéré de stupeur et blême de colère,
Le jeune homme lui dit : « *Je t'ai trop supporté.*
Si tu peux arriver à ce que je vais faire,
Je m'avouerai vaincu, je briserai mon luth ! »
Et du coup il saisit son instrument à cordes,
Se livre à des accords dont il a le secret,
Avec zèle il parcourt la gamme chromatique,
En rythmes syncopés, variations et fugues.

Sans le moindre répit ses doigts glissent rapides
Sur le manche du luth, du bas jusques en haut

Et au gré de sa verve, il descend au plus grave
Pour s'élever soudain au sommet de l'arpège.
Et de son doigt majeur pinçant la chanterelle,
Il fait jaillir un vol de trilles suraigus
Pour ensuite tomber au plus bas de l'octave
Où le grave se traîne en basse continue.

Plus encor que l'oiseau sa main se fait ailée,
Sur les cordes du luth elle vole, elle grimpe,
Elle plonge, elle saute et bondit derechef
À l'envol de ses doigts, légers, éblouissants.
D'une mêlée confuse et d'un rude combat
Il imite les chocs inimitablement
Et les sons de son luth rendent parfaitement
Les rumeurs de la lutte où les armes se heurtent.

Cette musique exprime avec un art savant
Le fracas des clairons, des buccins, des cymbales
Que Mars fait éclater pour rassembler les troupes
Dans un tohu-bohu qui monte et tourbillonne.
Sa musique harcelante et qui n'arrête pas,
De tous côtés suscite un orage vocal.
Malgré ce concert fou qu'il mêle et échevelle,
Son rival se tient coi, ne voulant pas répondre.

Lui, il se tait et veut voir si le rossignol
Va moduler son chant pour enfin l'égaler.
Et prenant tout son souffle au creux de sa poitrine,
Hautain, l'oiseau répond, relevant le défi.
Mais se peut-il qu'un être et chétif et petit
Reprenne le dessin de cette mélodie ?
Son chant simple et naïf ne saurait contenir
Une virtuosité, mêlée de rouerie.

Les deux musiciens hardiment, franchement
Avaient rivalisé pendant de longues heures
Par les sons et la voix. Le pauvre rossignol
À la fin épuisé, faiblit, défaille et meurt ;

Telle une torche dont tremble et s'éteint la flamme,
Non sans avoir lancé sa plus vive lumière,
C'est ainsi que voulant résister jusqu'au bout,
Au beau milieu du chant se détache son âme,

Délicate. Et là-haut les étoiles éprises
De ce chant si suave et si charmant, en pleurs,
S'évanouirent ; l'Aube apparut au balcon
Du ciel qui se dorait ; le soleil se leva.
Le gentil musicien de ses pleurs arrosa
Le corps inanimé du faible rossignol,
Accusant par ses cris, ses plaintes et ses larmes
L'implacable destin tout autant que lui-même.

Accordant sa louange au talent généreux
Qui lutta sans quartier, refusant la défaite,
Jusqu'à son dernier souffle, au creux du luth sonore
Il voulut déposer ce cadavre si frêle.
Le Sort pouvait-il donc donner au Rossignol
Plus noble sépulture et plus noble tombeau ?
Puis avec les plumes mêmes de cet oiseau
Le jeune homme y grava de sa main cette histoire.

Nota. [1] *Les* : il s'agit d'Adonis et de Mercure. Dans la mythologie grecque, Adonis est un jeune homme dont s'éprit Vénus elle-même. Mis en pièces par un sanglier, il fut pleuré par la déesse de l'Amour. Mercure, messager de Jupiter, dieu du Commerce, des Voleurs et des Voyageurs, est représenté avec des ailes aux pieds et d'autres à son chapeau. Il passe pour avoir inventé la lyre ou luth.

Adonis, poème épique de Giovambattista Marino ou Marini, en vingt chants qui a pour sujet les amours de Vénus et d'Adonis (1623). Ce poème eut une vogue immense, non seulement en Italie, mais en France. Le poète l'avait dédié à Louis XIII.

Marino (1569-1625) jouit de son temps d'une réputation considérable. Il avait de l'esprit, une imagination facile, mais se complaisait dans les jeux de pensées et les jeux de mots, dans les métamorphoses extravagantes. On a donné le nom de marinisme à son style précieux et recherché. La scène se déroule au palais de Vénus où tout est luxe, calme et volupté. Adonis, accompagné de Mercure, écoute la symphonie des oiseaux.

BACCHUS EN TOSCANE

Quels étranges vertiges !
J'en suis tout chaviré,
Tout sens dessus dessous ;
La terre sous mes pieds
Semble se renverser ;
Notre planète a le tournis,
Ça va être un désastre :
Sauve qui peut, laissons la terre.

Une gondole à la mer !
Et vogue ma gondole !
De quoi me gondoler :
« Gondole ma chérie,
Bien lestée et pansue,
À ravir pour la gaudriole ;
Rien ne vaut cette gondole !
C'est ma nef de cristal,
Elle est crâne, bien qu'en verre ;
La mer et toute sa colère
Ne l'effraient même pas,
Je veux donc m'en aller ;
Levons l'ancre, larguons les voiles !

Oh la belle croisière
Qui m'est si coutumière
Qu'à l'avance je m'en pourlèche
Les babines.

Cap sur le port de Brindisi [1] !
L'essentiel c'est que mon esquif
Soit plein de brinde
Pour être brindezingue ;
Voyons, filons,
Faisons les dingues,
Buvons cul sec
Et que l'on trinque !
Et cap sur Brindisi…

Ariane, ma sœur, brin… brindisi.
Oh, qu'il est beau de voguer
Et se laisser bercer
Au fil de l'eau, le soir,
Et au printemps !
Les brises fraîches,
Déployant leurs ailes d'argent,
Entrelacent des danses
Éperdues, amoureuses,
Et tandis que les verres tintent,
Elles invitent les matelots
À danser sur les flots.
Allons, voguons
Jusqu'à Brindisi !
Ariane, Brin… brindisi…
Souque et vogue tout
Au vol des avirons ;
L'équipage est en forme
Et loin d'être épuisé
En est ragaillardi.
Si je te porte un brinde
C'est pour moi que je trinque.
Buvons à ma santé,
Vidons force pichets,
Ma petite Ariane,
Ma chatte, ma mignonne,
Jouant sur ta mandore,

Pour moi, je fredonne
L'air du *cocorico.*
Fredonne-moi cet air,
Ô toi que j'adore ;
Chantons *cocorico,*
Cocorico sur ta mandore,
Cocorico,
Souque, vog… vo…
Souque, vogue tout :
L'équipage est en forme
Et loin d'être épuisé,
En est ragaillardi,
Il en est requinqué,
Voguant vers Brindisi.

Ariane, brin… brinde…
Et si pour toi,
Si pour toi moi je trinque,
C'est pour ma…
Mais oui, pour ma santé.
À la tienne, à la mienne,
Mon Ariane,
Ma chérichatte
Ma moumoute mignonne ;
Allons, fredonne
Un tout petit fredon,
Des trombes d'eau s'écroulent ;
Conjuguant leurs efforts
L'ouragan et la houle
Redoublent leurs assauts :
Les chevaux de la mer
Se livrent à des joutes
Dans la lice océane
D'un bleu d'émail…

Misère de misère !
Voilà que j'ai le mal de mer.

Pas de doute c'est clair,
Ça crève les yeux, je suis mort
Et bel et bien fichu.
Je fous par-dessus bord,
Hélas ! à mon très grand regret
Toute ma cargaison
De vins spiritueux…
Combien tout ça m'est précieux
Plus que la prunelle de mes yeux :
Hélas, trois fois hélas !
Mais plus je me déleste
De ma cargaison précieuse,
Vineuse et alcoolique
Et plus je me sens lourd,
J'ai le cafard, je suis tout chose
Et si mélancolique.

Ô joie, ô allégresse,
Iô, Bacchus, évohé !
Sur la vergue de proue
Je vois des feux de Saint-Elme
Étoilés, chevelus,
Voler au secours de ma nef
Qui n'en peut mais, qui n'en peut plus.

Ce ne sont fichtre pas
Des étoiles que voilà,
Mais deux belles bonbonnes,
Oui, deux superbes dames-jeannes,
Toutes pleines de vin,
Toutes remplies d'un fameux cru,
De ces vins, de ces crus
Qui sont les seuls à même
D'apaiser mes orages,
Les tempêtes rebelles,
Noires, pleines de rage,
Ce sont vins et crus

Qui agitent, inquiètent
Les cœurs jusqu'au délire,
Vos cœurs, petits Satyres ;
Allons, gentils Satyres,
Si mignons et si beaux,
Sous vos frisettes, Satyreaux,
De grâce offrez-moi vite
À boire une rasade,
À siffler un grand verre,
Énorme et bien ventru !

Il sera mon mignon, mon chouchou, celui-là
D'entre vous qui me l'offrira
Ce grand verre, cette coupe,
Et qu'elle soit d'or ou d'ivoire
Ou qu'elle soit en bois,
Je m'en moque et m'en contrefous
Éperdument au fond... »

Nota. [1] Brindisi : ville d'Italie, dans la Pouille, sur l'Adriatique, port de voyageurs pour la Grèce et le Moyen-Orient. Brindisi ou, en français, Brindes. *Brindare* (faire un Brindisi) signifie porter un toast, boire à la santé de quelqu'un. D'où ces variations et jeux de mots sur un Brindisi et ses dérivés.

Ces vers sont extraits d'un long poème, *Bacchus en Toscane* — titre du dithyrambe (ou chant en l'honneur de Bacchus, dieu du vin) le plus connu de la littérature italienne.

Retour des Indes qu'il vient de conquérir, Bacchus (en grec : Dionysos) arrive en Toscane. Assis sur la pelouse de la ville médicéenne de Poggio Imperiale, il trinque, tout en célébrant les crus toscans (il y en a, paraît-il, cinq cents). C'est au vin de Montepulciano qu'il donne la palme du meilleur cru. Mais, à force de boire force rasades, Bacchus et les Satyres, ses compagnons de beuverie, finissent par être tous saouls, tandis que les Bacchantes organisent une bacchanale endiablée autour de Bacchus qui invite toute la bande de ces gais lurons et luronnes à s'embarquer pour Cythère, magnifiquement évoqué par une toile de Watteau, un siècle plus tard.

Giovambattista Zappi

LE BAISER

À l'âge où, par coutume, à celle de mon bouc
Je mesurais ma taille, inférieure à l'autre,
J'aimais alors Chloris : elle m'apparaissait
Une femme non pas, mais une merveille.

« *Je t'aime* », un jour lui dis-je, et, au lieu de ma langue
Muette, c'est mon cœur que je laissai parler.
Me donnant un baiser, « *Enfant*, me disait-elle,
Ah, mon mignon, ce qu'est l'amour tu l'ignores ! »

Mais elle s'embrasa pour un autre, et pour elle
L'autre. Moi, je parvins à l'âge où l'on s'éprend,
L'âge du désarroi, des tourments amoureux ;
Chloris n'a que dédain pour moi qui depuis lors
L'aime. Son baiser, celle-là l'a oublié
Qui pour moi à jamais demeure inoubliable.

Carlo Innocenzo Frugoni

HANNIBAL SUR LES ALPES

Farouchement, sur les Alpes il releva
La visière de son casque noir,
Le Guerrier africain aux traits, plein de morgue,
À qui superbement souriait la victoire.

Contemplant l'Italie, il eut un méchant rire,
Lui qui avait juré tout jeune cette haine
Qui gonflait sa poitrine, en croyant aux abois
Les forces ennemies. Ensuite, intensément,

Songeant à ses exploits futurs et mémorables,
Silencieusement plongé dans sa pensée,
Il descendit, suivant pas à pas son Génie

Tutélaire, dans sa marche sur Rome,
Son visage ne respirant rien d'autre
Que colère, menaces et vengeance.

Francesco di Lemene

LE ROSSIGNOL

Un rossignol
Se plaint à présent
Du trop cruel Amour.
Il invite sa compagne
Par de douces plaintes
À voler ;
Mais en vain pleure-t-il, soupire-t-il toujours.
Ainsi fait quiconque tombe amoureux.

Son chant plaintif
Entrecoupe les heures
De midi ;
Ensuite à minuit
Il revient à ses pleurs harmonieux
Et il pleure le soir et à l'aurore aussi :
Comme fait quiconque tombe amoureux.

LA ROSE

D'elle-même éprise et de sa beauté,
Se mirait une rose
Dans un ruisseau vif et limpide,
Quand une brise brusquement
Déshabille la belle rose

De tous ses pétales.
Ces pétales dans le ru churent
Qui, fuyant, les emporta à toute allure ;
Et c'est ainsi que la beauté
S'en va, mon Dieu, avec rapidité.

Vincenzo da Filicaia

À L'ITALIE

Italie, Italie, toi à qui de la beauté
Le sort pour ton malheur a fait le triste don :
Aussi de ton grand deuil tu portes sur le front,
Profondément gravés, les signes douloureux.

Oh, fusses-tu moins belle ou, tout au moins, plus forte,
Afin que l'on te craigne ou que l'on t'aime moins,
Dès lors que sous couleur de se pâmer, ravi
Par ton rayonnement, on te meurtrit quand même !

Car je ne verrais pas les armées à présent
Des Alpes dévaler ni les troupeaux gaulois [1]
Boire du fleuve *Pô* les eaux souillées de sang.

Je ne te verrais pas lutter pour l'étranger
Avec un bras armé d'un glaive mercenaire,
Peuple toujours esclave, ou vainqueur ou vaincu

Nota. [1] L'Italie du Nord fut plusieurs fois théâtre d'opérations mili-
taires sous Louis XIV, pendant la guerre de la Ligue d'Augsbourg
et pendant celle de la succession d'Espagne.

126

UN RÊVE

Femme infidèle, écoute :
Rêvant, la nuit passée,
Je croyais voir les grottes
Du mage *Alphésibée*

Qui d'un coup de baguette
La lune fait pâlir
Et soulève la mer
En horrible tempête.

— *D'une blessure atroce,*
M'écriai-je en émoi,
Je souffre ! Guéris-moi
Par un philtre, de grâce ! —

Le bon vieillard de rire :
— *Fuis celle que tu aimes ;*
C'est la guérison même,
Sinon ton mal empire.

Aurelio Bertola

Regarde mer et ciel,
Tous deux d'un même bleu,
Celui-là de tes yeux,
L'azur de tes prunelles !

Ton regard m'est si cher,
Quand pour moi il s'émeut !
Mais le ciel et la mer
Ne sont pas toujours bleus...

Giuseppe Parini

LE MATIN

LE RÉVEIL DU JEUNE SEIGNEUR

Jeune Seigneur, soit que d'une longue lignée
Tes veines véhiculent un sang bleu sans mélange
Soit que d'un sang impur un blason redoré
La tache ait effacé — ton titre qu'acheta
Par sa frugalité ton père en quelques lustres,
Grand amasseur sur terre et sur mer de richesses,
Écoute-moi qui suis maître ès belles manières.
Je m'en vais t'enseigner comment tromper l'ennui,
Le long, l'insupportable ennui des jours lents et mornes
De ta vie ennuyeuse où tu bâilles sans cesse.
Je t'apprendrai les soins, les tâches, les devoirs
De tes après-midi, de chacun de tes soirs.
Daigne du moins mes vers écouter à loisir,
Si parmi tes loisirs ce seul loisir te reste !

Ta pieuse visite aux autels de Vénus
Et à ces tapis verts que Mercure chérit,
Tu l'as faite déjà ; au demeurant, les marques
De ton zèle dévot tu les portes encore.
C'est pour toi le moment de la bonne détente ;
Désormais tu es sourd à tout appel des armes,
Car c'est pure folie que de gagner l'honneur
Au risque de sa vie. Après tout, tu détestes
Le sang : c'est naturel. Les études moroses
De Pallas Athéna, tu ne les hais pas moins,

Dont tu fus dégoûté par l'école-prison,
Car le meilleur des Arts, des Lettres, des Sciences
Se changent en ces lieux en monstres, en phantasmes,
Terrifiants et vains ; les jeunes de leurs cris
Font toujours retentir l'écho des vastes salles.
Écoute tout d'abord quelles tâches suaves
Doit apprêter pour toi sans peine le Matin.

Le matin s'est levé de conserve avec l'aube,
Puis le soleil paraît et monte et se déploie
Au fond de l'horizon : les bêtes et les plantes,
Et les champs et les flots exultent, tous, en chœur,
Le brave paysan quitte alors son cher lit
Qu'ont tiédi sa fidèle épouse et ses enfants ;
Puis, avec ces outils dont Cérès et Palès
Furent les inventeurs, il gagne ses guérets
Au pas lent de son bœuf, et le long des sentiers
Il s'amuse à frôler les branches incurvées
Où perle la rosée, et ses éclaboussures
Qu'allume le soleil, fusent en pierreries.

Le forgeron reprend l'ouvrage inachevé
Dans sa forge bruyante ; il fignole les clefs,
Les complique à souhait pour que soient à l'abri
Les coffres-forts, tout bardés de ferrures,
Qui donnent au riche un sommeil sans soucis ;
Ou bien d'or et d'argent il burine et cisèle
Tour à tour des bijoux et des coupes sans prix,

Parure de la table ou cadeau de mariage.

Eh quoi ? Vous frémissez à l'appel de ma voix
Et je vois se dresser vos cheveux en broussailles
Et vous m'avez tout l'air d'un hérisson.
                                          Oh non,
Le matin que voilà ce n'est pas, Monseigneur,
Le vôtre.
            Puisque, dès le soleil couchant,

Vous n'avez pas dîné de ce repas frugal
Que le commun avale et dans la clarté floue
Du soir ce n'est pas vous qui vous êtes couché
Dans ce méchant grabat — lot de tout roturier.

Pour Vous, issu des Dieux, Jupiter bienveillant
Eut tout autres égards ; vous êtes l'assemblée
Des Demi-Dieux terrestres : aussi bien me faut-il
Par une autre méthode et par des lois diverses
Sur un chemin nouveau vous mener pas à pas.

Vous avez prolongé jusqu'à tard votre nuit
Dans des raouts mondains, dans des salles de jeu,
En quête d'émotions fortes, à l'Opéra.
Rompu par la fatigue, en carrosse doré,
Vous vous êtes fait ramener chez vous,
Ébranlant le silence au cœur de la nuit même,
Au vacarme des roues, surchauffées par la course,
Au galop éperdu de vos chevaux piaffants,
Tandis que vos flambeaux hautains vous précédaient,
Déchirant alentour les ténèbres épaisses.
Pluton sur son quadrige où flamboyaient les torches
Des Furies aux cheveux hérissés de serpents,
Fit gronder comme vous les pavés de la ville,
Le sol sicilien de l'une à l'autre mer.

Mais, sitôt de retour à votre hôtel, la table
Vous attendait alors à de nouvelles tâches :
Table déjà dressée, abondamment couverte
De mets affriolants, de crus émoustillants
Des coteaux de Toscane ou d'Espagne ou de France
Ou du tokay hongrois, que Bacchus couronna
De lierre, en l'élisant souverain des banquets.

Et le Sommeil enfin a voulu de lui-même
Battre le matelas molletonné, border
Pour vous ce lit où vous vous êtes coulé.
Un valet bien stylé tout de suite est venu

Tirer les lourds rideaux de soie et c'est le coq,
Alors même qu'il ouvre aux autres les paupières,
Qui a fermé vos yeux voluptueusement.
Aussi est-ce à bon droit que votre lassitude
Des tenaces pavots de Morphée se dégage
Seulement après que le plein jour a tenté
De glisser sa clarté au travers des persiennes,
Les rayons du soleil au zénith se plaquant
À peine au bas d'un mur de la chambre à coucher.

Désormais il est temps que commence le rite
De ces longs soins charmants que la toilette exige.

À mon tour de cingler, toutes voiles larguées !
Mes vers et les leçons devront vous façonner,
Vous, mon jeune Seigneur, pour de nobles exploits.

Mais, dès que vous avez agité la sonnette
À portée de la main, et dont les tintements
Retentissent au loin, vos valets si charmants
Accourent aussitôt afin d'ouvrir tout grands
Persiennes, rideaux qui tamisent le jour ;
Étant aux petits soins pour vous, ils veillent bien
Que Phébus n'ose point, violant votre chambre,
Dardant droit dans vos yeux ses rayons, vous blesser.

Maintenant levez-vous à peine, étayez-vous,
Mollement appuyé, contre la pente douce
De tous vos oreillers.
                Et lentement ensuite
Faites glisser l'index entre cils et paupières :
Ce léger frôlement dissipera la brume
Cimmérienne — ou ce qui en demeure encore ;
Enfin bâillez sans bruit, votre bouche en ovale,
Joliment arrondie en une moue mignarde,
Oh, si dans ton attitude au charme souverain
Le rude capitaine au milieu de ses troupes
Te surprenait, alors que, bouche large ouverte

Et grimaçante, il lance un de ces cris stridents
Qui met à la torture une oreille, si bien
Chantournée, structurée, afin de manœuvrer
Ses escadrons en mille et une évolutions,
S'il te voyait alors, pour sûr qu'il rougirait,
Plus que Minerve un jour où, jouant de la flûte,
Elle vit au miroir d'une source ses joues
S'arrondir et s'enfler, en la rendant trop laide.

Mais voici, derechef, entrer déjà ton page,
Parfaitement coiffé.
                                    Tout bas, il te demande
Quel breuvage aujourd'hui tu voudrais déguster,
Comme à l'accoutumée, dans une riche tasse :
Tasse et breuvage, tous deux, importés des Indes.
Pèse aujourd'hui ton choix, si par hasard tu veux
De préférence offrir, pour qu'il digère mieux,
À ton estomac une boisson douce et chaude.
Choisis le chocolat : c'est le tribut versé
Par le Guatémaltèque et par le Caraïbe,
Au chef agrémenté de plumes exotiques.
Mais si tu es par une hypocondrie morose
Accablé ou si ton corps, divinement beau,
Commence à s'épaissir d'une rondeur obèse,
Daigne alors honorer, le savourant des lèvres,
Un café — ce nectar brûlant, fumant, bronzé,
Qu'Alep et que Moka t'envoient par leurs navires
Dont ils sont orgueilleux.
                                    Nécessité fatale
À coup sûr qu'un royaume, hors de ses frontières
Lançât sur l'Océan sa flotte audacieuse,
Bravant peurs et dangers, de nouveaux phénomènes,
Des orages inconnus et la faim inhumaine,
Passant enfin des bornes, longtemps inviolées ;
Et c'est forts de leurs droits que Pizarre et Cortès
Firent outre Océan couler du sang humain
Qu'ils jugeaient comme un sang aucunement humain,

Et déchaînant ainsi la foudre et le tonnerre
Des armes, sans pitié ils firent s'écrouler
De leur trône ancestral les Incas généreux
Et les rois mexicains : ainsi tu peux goûter,
Ô joyau des Héros, de nouvelles délices,
Propres à flatter tes papilles délicates.

Plaise au Ciel, cependant que, juste au même instant
Où tu vas sirotant ton breuvage divin,
Un valet indiscret n'annonce tout à trac
Qu'un tailleur malotru, pas assez satisfait
De t'avoir richement habillé, te présente
Sa note très salée avec un toupet monstre
À donner le cafard ; ou le robin bavard,
Dans son costume noir, qui gère et qui protège
Ton riche patrimoine ; ou ce peut être aussi
Ton fermier qui, dès l'aube, à la ville est venu,
Ses cheveux blancs de givre.
                                        Ainsi, au temps jadis,
La pompe paysanne, entourant tes ancêtres,
Dès la pointe du jour n'était point différente.
Mais toi, grand descendant dont les sens toujours plus
Se sont affinés, assouplis à la fois,
Garde-toi de choquer par de si laids spectacles
Ta sensibilité que le réveil stimule !
Comment peux-tu souffrir ces paroles grossières,
Ce parler bégayant qu'intimide et égare
Ta présence ? Comment peux-tu permettre ainsi
Que par des croquenots crottés de tes croquants
Tes tapis soient foulés ?
                                        Hélas, dans tes entrailles,
Ton café tournerait à l'aigre, à l'indigeste ;
C'est alors que du coup, chez toi comme au théâtre
Et sur les boulevards et toute la journée
On t'entendrait lâcher les rots les plus vulgaires.

Mais, sans faire antichambre et sans être annoncé,

Il est le bienvenu, le doux maître de danse
Qui à son gré conduit et rythme la cadence
De tes pieds mignons.
                              Tu l'accueilles toujours
À quelque heure qu'il vienne. Il entre, et, dès le seuil,
Le voici qui se fige et hausse ses épaules
Et contracte son cou, pareil à la tortue,
Et, tout en se penchant, voici qu'il porte aux lèvres,
Pour en frôler les bords, son couvre-chef à plumes.
Avec la même aisance et sans la moindre peine,
Avance jusqu'au lit de ton maître et seigneur,
Ô toi qui lui apprends à moduler sa voix

Et à filer sa note en trilles et roulades.

Et à ton tour approche, ô maître de musique,
Toi grâce à qui l'on peut avec *maestria*
Faire courir l'archet sur les cordes vibrantes.

Mais peut-il être absent, le maître de français ?
Car c'est lui qui sera l'âme exquise du cercle
Qui t'environnera, Seigneur.
                              L'éclat de sa présence
Rehaussera ta cour, puisqu'il vient de la Seine,
Nourricière des Grâces, afin de prodiguer
En terre d'Italie aux lèvres écœurées
La céleste ambroisie de son charmant idiome.
À peine apparaît-il que la langue italienne
À son maître et tyran cède aussitôt la place
Et se parle tronquée.
                              Et devant la nouvelle,
Ineffable harmonie de cette surhumaine
Langue, ô Jeune Seigneur, en toi croisse la haine
À l'égard de tous ceux dont les lèvres impures
Ne craignent pas encor se souiller au contact
De cette langue qui louangea et pleura
Une belle Française à Vaucluse autrefois
Et qui chanta de même à l'oreille des Rois

Et dans Fontainebleau la culture des champs.
Oh, combien malheureuses ces lèvres qui ne savent
Par la beauté française adoucir notre langue
De manière qu'un son, moins rugueux et barbare,
Puisse froisser l'oreille de nos beaux esprits !
Seigneur, c'est le moment où ce cercle charmeur
S'entretient avec toi en cette matinée
Et par des mots d'esprit, chacun à tour de rôle,
Remplira le grand vide de tes désirs volages,
Tandis qu'en sirotant ton breuvage brûlant,
Tu leur demanderas quel chanteur sur la scène
Sera le plus fêté à la saison prochaine ;
Ou si pour tout de bon s'annonce le retour
De cette Phryné qui grugea par ses ruses,
Les renvoyant nus sur les bords de la Tamise,
Des milords, épris d'elle : ils étaient plus de cent ;
Ou bien si ce danseur étoile qu'est Narcisse
Va faire sa rentrée que redoutent déjà
Maris et soupirants, jaloux et tout tremblants.
Après avoir ainsi avec toi plaisanté,
Dès le petit matin et tout un long moment,
Non sans avoir d'abord banni de votre cercle
L'hypocrite Pudeur et cette Modestie
Pleine de retenue dont parlent les frigides
Dames d'un certain âge en fronçant leurs sourcils,
Ils pourront te quitter soit de leur propre gré
Soit congédiés par toi.   Demain, un autre jour,
Peut-être tu pourras écouter leurs conseils,
Si de moindres soucis t'en laissent le loisir.
C'est que le Ciel vous a bienveillamment donné
À vous, race divine, un cerveau, souple au point

Que, sans trop de travail, vous pouvez acquérir
Tout un nouveau savoir : mais nous, pauvres mortels,
Nous n'avons pas ce don. Et, en plus, votre esprit,
Si mobile et si bien structuré de si fines

Nervures, est sensible et peut en même temps
Pénétrer et saisir bien des choses qu'ensuite
Il triera, conservant au fond de la mémoire
Clairement, nettement tout ce nouvel acquis.

Voici pour t'accueillir tes valets humblement
Font la haie : et de courir, l'un d'eux, en toute hâte
Pour annoncer aux gens ta prochaine arrivée
Pour leur ravissement ; un autre te soutient
Non sans timidité par les bras, quand tu montes
Sur ton carrosse plein de dorures et que
Tu te rencognes sans broncher et renfrogné.
Laissez passer, racaille, et cédez tout de suite
Le pas à ce trône roulant où siège Monseigneur !

> Gare à toi, pauvre hère, si par ta faute il perd
> Un seul de ses instants qui sont si précieux !
> Crains les roues du cocher qui roule impunément
> En bafouant la loi — ce cocher indomptable.
> Plus d'une fois déjà ces roues t'ont écharpé
> Et de ton sang impur, répandu sur le sol
> En un long ruisselet, courant sur leur lancée,
> Elles se sont souillées — ô spectacle affligeant !

LE REPAS DIVIN

À L'HEURE DU DESSERT ET DU CAFÉ

Verse de ton giron parfumé ton offrande,
Ô Pomone, afin que soient débordants de fruits
Les compotiers en porcelaine de Saxe,
Toute bariolée et avec des dorures,
À l'heure du dessert de ce repas divin.

Ô rustique Palès, laisse tes pâturages
Et viens dans ce palais, la tête couronnée

De mélisse embaumée et de genièvre ; approche,
En rougissant de honte, et offre tes fromages
À quiconque en demande. Offre-les à la ronde,
Mais garde-toi de les déposer sur la table :
Leur puanteur pourrait donner un haut-le-cœur
À tous ces commensaux et froisser leurs narines.

Puis, sur des napperons en lin devrait trôner
Ton lait, devenu glace et durci par le sel.
À ce soudain contact, suscité par le froid,
Ces lèvres raffinées en seraient délectées.

Que feras-tu, Seigneur, lorsqu'on desservira,
Et que ta Dame aimable aura d'un léger signe
Fait comprendre qu'il est temps de quitter la table ?
Tu devras te lever d'un bond, devançant tous,
La prendre par la main et déplacer la chaise.
Ensuite emmène-la dans une autre pièce.
Ainsi le remugle stagnant des victuailles
Ne la dérangera plus. C'est dans cette autre chambre
Qu'elle et les invités seront affriolés
Par l'arôme épandu d'un bon café fumant
Qu'on a posé sur un guéridon, juponné
De toile indienne.
                    Alors l'encens brûle et embaume
Pour chasser les relents des reliefs du repas.

À vous les miséreux, qui, venus à midi,
Vous présenter avec confiance à ces portes
En foule déferlante, écœurante, étalez
Par votre nudité vos moignons, vos mufles répugnants ;
À vous les béquillards, à vous les grabataires,
Il ne vous reste plus qu'à vous réconforter
À présent et de loin, vos narines gourmandes
S'ouvrant pour aspirer de ce repas divin
Le nectar apporté par un vent favorable.
N'ayez pas cependant l'audace d'assiéger
Tous ces illustres seuils ; n'offrez pas aux puissants

Le spectacle agaçant de vos maux et malheurs.
Maintenant il te faut, ô Seigneur, préparer
La tasse de café qu'à ses lèvres ta Dame
Portera pour la boire à petites gorgées.

LE MIDI

LE TOUTOU ET LE VIEUX LARBIN

        ... Voici qu'elle rappelle
Le jour, ah, jour cruel ! où sa petite chienne,
Pucelette et mignonne, un amour de caniche !
Dans ses ébats mignards, de sa dent ivoirine
Légèrement marqua la cheville pataude
De son valet ; d'un pied sacrilège il osa,
Ce rustre, la botter ; elle roula trois fois,
Et trois fois ébroua son pelage froissé ;
De ses naseaux mouillés crachant l'âcre poussière,
Elle glapit, geignit : « Au secours, au secours ! »,
Semblait-elle clamer.
                Écho, apitoyée,
Lui répondit du haut de ses lambris mordorés.
Et valets de monter des chambres du sous-sol,
Tous ensemble, navrés, et soubrettes aussi
De se précipiter du haut de leurs mansardes,
Tremblantes et blêmes, et chacun d'accourir.
D'essences il fallut asperger le visage
De ta maîtresse.
          Enfin elle revint à elle,
Se trémoussant encor de rage et de douleur
Et foudroyant des yeux son ignoble larbin.
D'une voix languissante elle appela trois fois
Son toutou qui courut se blottir dans son sein
Et semblait demander vengeance en son jargon ;
Madame le comprit.

                    Ta vengeance, tu l'eus,
Ô chienne pucelle, ô nourrisson des Grâces !
Le vil larbin trembla ; les yeux rivés au sol,
Il entendit le verdict qui le condamnait.
Rien ne plaida pour lui, ni son ancienneté
Ni le zèle apporté à de secrets offices.
On intervint pour lui, on lui fit des promesses,
Mais tout en pure perte.
                        Il quitta sa livrée
Dont il se rehaussait aux yeux de la racaille,
Partit nu comme Job.
                        Nul ne voulut de lui.
En vain espéra-t-il un maître ; il horrifiait
Ces dames au grand cœur qui haïrent en lui
L'auteur de ce forfait. Et lui, le malheureux,
Finit sur le pavé, poussant sa plainte vaine
Aux passants de la rue ; à ses côtés sa femme,
Ses minables enfants partageant sa misère.
Va ! Tu pus être fière, ô caniche pucelle,
Idole qui réclame une victime humaine.

LE SOIR

Mais le jour va finir avec le soir qui tombe :
C'est le jour des oiseaux, des poissons écailleux,
Celui des animaux et c'est le jour des plantes
De même que celui des classes roturières.
Un hémisphère échappe au regard de l'immense
Soleil, cependant que de ses vivants rayons
Il abreuve aussitôt le Mexique, Cuba
Et la Californie, productrice de perles.
C'est ce même soleil qui du haut des collines
Et des pics élevés adresse son adieu
À l'Italie qui se dérobe ; et l'on dirait
Qu'il désire surtout te revoir, Mon Seigneur,

Avant de disparaître, happé à tes regards
Par la mer incurvée, l'Apennin ou les Alpes.
Ce qu'il a vu jusqu'à l'heure de son coucher,
Ce n'étaient que des gens, voûtés et harassés,
En train de moissonner tes champs, et des soldats,
Bardés de fer, qui manœuvraient sur des remparts,
Et des maçons aux mains basanées et rugueuses
Sur les plus hauts chevrons de leurs échafaudages
Et devant tes chariots, chargés de ta récolte,
De nombreux paysans, tout couverts de poussière,
Des mariniers velus, ramant pour transporter
Sur des lacs, des canaux, pour ton luxe et confort,
Des marchandises, variant au gré des saisons :
Tous des gens du commun.
                                        Est-ce qu'il te verra, toi
Que tout le monde sert, qui ne sers à personne ?

LA NUIT

Mais la Nuit est soumise à ses lois inviolables :
Et sur notre hémisphère son ombre descend,
Silencieusement. Son pied avec lenteur
Se déplace, trempé de rosée ; entre-temps,
La gamme des couleurs se brouille à son passage.
Son immense manteau cache, l'une après l'autre,
Chaque chose, et voilà qu'elle escamote tout.

La Nuit, sœur de la Mort, a tout nivelé,
Équitablement donne un aspect indistinct,
Un unique visage au sol, aux animaux,
Aux végétaux, aux Grands et aux gens de roture ;
Les belles femmes aux frimousses maquillées
Et les autres sans fard : tout se confond, se mêle ;
Dans la Nuit tout se vaut : pauvres nippes et parures.
Impossible de voir dans son obscurité

Le carrosse qui part et celui-là qui reste,
Tapi dans l'ombre et seul.   De ma main le pinceau
Tombe, et la Nuit vient d'envelopper mon Seigneur
Dans les plis de son voile, humide et ténébreux.

LA NUIT

NUITS D'AUTREFOIS, NUITS D'AUJOURD'HUI

Ô bienveillante Nuit, ne me conteste pas
Le bon droit de chercher au fond de ton royaume
D'utiles leçons pour mon illustre Jeune Homme.
Jadis tu t'installais sur la terre apeurée,
Te drapant de dangers, de profondes ténèbres,
Dans une solitude, morne et désolée.
Et la pâle clarté des planètes lointaines,
Des étoiles roulant en silence montrait
De ton horreur juste ce qu'il fallait
Pour la rendre bien plus horrible. Et l'on voyait
Grandir de plus en plus tes ténèbres terribles,
Envahir les maisons, coiffer les hautes tours
Avec un sol jonché d'ossements et de crânes.
Chevêches [1] et hiboux, tous les monstres, hostiles
Au soleil, dont le vol lourd traversait ton espace,
Lançaient des cris macabres de mauvais augure.
De ternes feux follets glissaient à ras de terre
Ou voletaient dans l'air, horriblement épais
Et silencieux ; s'emmitouflant dans sa cape,
À pas de loup, aux aguets et cachant son arme,
Le chapeau rabattu sur ses yeux, l'adultère
À ces cris paniquait, cœur battant la chamade.
Des fantômes hantant (c'est ce qu'on racontait)
Des toits abandonnés poussaient de longues plaintes
Sur un ton suraigu que reprenaient au loin

Des chiens hurleurs au fond d'une obscurité vaste.

Telle étais-tu, ô Nuit !
                              Ses ancêtres fameux
Dont ce Jeune se targue, étaient, en ce temps-là,
De rudes montagnards qui allaient se coucher,
Après dîner, en même temps que le soleil,
S'écroulant de sommeil ; dès la pointe du jour,
Reprenant leurs travaux, ils creusaient des rigoles
Pour irriguer leurs champs. C'est grâce à eux qu'ensuite
Leurs descendants bâtirent des villes et des royaumes.

Mais voici que Vénus et qu'Amour, son enfant,
Voici les Génies du jeu et du faste, qu'à présent,
Triomphant de la nuit, ils la parcourent, elle
Qui est pour Monseigneur une chose sacrée.
Sur leurs pas tout rayonne et de clarté ruisselle,
Une clarté nouvelle où l'on voit en déroute
Les ténèbres s'enfuir, s'attardant seulement
Au-dessus de ces tristes tanières où dorment
Hommes et animaux, condamnés à trimer.

La Nuit s'étonne, en voyant miroiter autour d'elle,
Beaucoup plus qu'au soleil, des corniches dorées,
Des murs tout tapissés de cristaux et de glaces,
Des parures, des bras blancs, tout un jeu de prunelles,
Des broches, des bagues, mille choses rutilantes,
Des tabatières précieuses.
                              Lorsqu'Amour,
Posé sur l'éternel Chaos, le réchauffa
Sous ses ailes, ce fut alors que celui-ci
Sentit le mouvement créateur se produire
Et la lumière éclore ; et il se vit lui-même
Dans l'émerveillement, tandis que la nature

Étalait dans son sein ses trésors innombrables.

Nota. [1] Le texte original porte le mot *upupa* : huppe et non pas che-vêche. Or chacun sait que la huppe n'est pas un oiseau nocturne. Mais vraisemblablement le poète a choisi ce mot pour son harmonie imitative, le *u* italien se prononçant *ou*.

AUTOPORTRAIT

Sonnet, miroir sublime et jamais mensonger,
Reflète-moi tel quel dans mon corps et mon âme ;
Cheveux franchement roux, clairsemés sur le front,
Taille haute et pourtant j'ai la tête penchée.

Ma silhouette est mince et mes jambes racées ;
Peau blanche, des yeux bleus, une mine avenante,
Belles lèvres, un nez sans défaut, dents parfaites ;
Sur son trône un monarque est moins pâle que moi.

Tantôt dur et mordant et tantôt souple et doux ;
Colère tout le temps sans être jamais mufle :
Mon cœur et mon esprit en éternel conflit

Triste le plus souvent, parfois de bonne humeur,
Me prenant tour à tour pour Achille ou Thersite :
Suis-je pleutre ou héros ? Meurs, et tu le sauras.

À LA MORT

Farouchement, ô Mort, tu menaces ? D'un geste
Affreux ta faulx crochue tu brandis devant toi ?
Allons, frappe-moi ; non, je ne tremblerai pas
Ni ne te supplierai de ne point me frapper.

Pour moi ce qui est dur c'est de naître et non pas
De mourir ; car la mort me délivrerait bien
De si nombreux tourments ; il suffit d'un instant
Pour m'acquitter du crime d'être né esclave.

J'ai horreur d'être esclave. Ô Mort, que tardes-tu
À briser cette vie honteuse que m'infligent
Les chaînes où je vis ? Ne tarde pas, j'enrage.

Viens me soustraire aux rois dont les masses trop lâches
Consolident le trône et à temps leur permettent
De mater le courroux tardif de quelques-uns.

LE CHANT DU RETOUR

Belle Italie, rivages bien-aimés,
Enfin je vous revois !
Mon âme de plaisir accablée
Frémit toute en émoi.

Ta beauté fut toujours
Pour toi source amère de pleurs
Et t'a rendue esclave
De cruels amants étrangers.

Mais les rois ne sont qu'imposture ;
Ils te voueront au désespoir ;
Le jardin de la nature,
Non, n'est pas pour ces barbares.

Bonaparte vole à ton secours,
Quittant la mer de Libye ;
Voyant tes yeux en larmes,
Il brandit la foudre de ses armes.

Les Alpes de stupeur tremblèrent,
Répercutant des cris humains ;
Et les neiges éternelles et pures
D'armes et d'armées flamboyèrent.

On ne l'entendit pas descendre,
Ce Puissant rapide comme l'éclair,
Qui de la Renommée

Devança le vol et le cri.

Les vastes champs de Marengo
Du sang de l'ennemi se tiédirent ;
Quand le canon tonna, les flots
Étonnés s'enfuirent.

Cette plaine de Marengo
Fut des ennemis le tombeau ;
Le jardin de la nature,
Non, n'est pas pour les barbares.

Belle Italie, rivages bien-aimés,
Enfin je vous revois !
Mon âme de plaisir accablée
Frémit toute en émoi.

À LUI-MÊME

Une lâche pensée me dit : « *Voilà tout ce beau fruit*
De ta quête assidue, de tes doctes lectures !
Ta vue, près de s'éteindre, est désormais si faible
Que pour elle le soir est arrivé déjà. »

« *Si les yeux de mon corps,* je réplique, à mon tour,
Ne sont plus perçants, c'est qu'au plus profond de moi
Plus vivant que jamais est l'œil de mon esprit,
Embrassant ciel et terre et maîtrisant le tout.

Ainsi je plane libre et hors de toute atteinte
De l'humaine folie ; ainsi, roi du futur,
Je gouverne le monde au gré de ma raison.

Je m'assieds au-dessus du gouffre de l'oubli
Et, tandis que s'efface dans le néant éternel
Tout le faste mortel, je regarde et souris. »

À MON ÉPOUSE, THÉRÈSE PIKLER

À L'OCCASION DE LA FÊTE DE SAINTE THÉRÈSE,
LE 15 OCTOBRE.

Ô toi qui de mon âme es la part la plus chère,
Toi ma femme, pourquoi
Sans mot dire et songeuse me regardes-tu ?
Pourquoi de pleurs cachés tes yeux se perlent-ils ?
Bien-aimée, je comprends
La cause de tes pleurs, celle de ton silence.
L'excès de mon malheur
T'empêche de parler, fait fondre ta douleur
En des larmes furtives.
Apaise-moi quand même ;
Ton cœur, élève-le
À des pensées plus dignes
En même temps de moi et de ton âme forte.
Proche de son déclin est l'astre de ma vie.
Mais l'espoir que je ne *mourrai pas tout entier*
Puisse-t-il t'exalter !
Le nom que je te laisse
N'est pas obscur, non, songes-y ; si bien qu'un jour
Tu pourras te targuer
De proclamer parmi les femmes d'Italie :
« *C'est moi qui fus aimée par celui qui chanta*
Bassville et par le chantre
Qui le courroux d'Achille en vers italiens
Noblement habilla [1]. »
Et qu'en outre il te soit doux de te souvenir
Que tous les nobles cœurs
Sur mes malheurs pleurèrent
(Or parmi les Lombards est-il des cœurs ignobles ?)
Sois sûre néanmoins
Que quiconque recherche une trop longue vie
En même temps recherche une longue souffrance.

Ô Thérèse ma femme,
Et toi, ma chère fille, aussi infortunée,
Ô vous deux grâce à qui seulement la si grande
Amertume de mon existence pénible
S'adoucit malgré tout,
Bientôt tout éplorées
Vous fermerez mes yeux pour l'éternel sommeil !
Mais à cause de moi ne pleurez pas longtemps ;
Car hormis votre douleur rien ne m'affligera,
En quittant ce séjour trop funeste à ceux-là
Qui sont la bonté même ; où les joies sont si brèves
Et si longs les chagrins ;
Où il n'est pas du tout bon d'y demeurer, fût-ce
Pour subir des épreuves ;
En revanche il est beau
D'en sortir pour se rendre au plus vite au séjour
Des hommes de bien, après quoi je soupire.
C'est là que sans jamais t'oublier, moi *(dès lors*
Qu'au ciel la poésie est élection
Et non pas un péché), en un cygne immortel
Je serai transformé. C'est là fidèlement,
Ô ma femme adorée,
Que moi je t'attendrai, entonnant tes louanges
Jusqu'à ce que tu viennes.
Et avec les Élus je parlerai beaucoup
De ta manière de vivre si charmante
Et leur dirai combien ta pitié fut grande
Pour ton malheureux mari ; et les Bienheureux,
Épris de ta vertu, supplieront Dieu afin
Que tes jours ici-bas
S'écoulent tout au long dans la paix et la joie ;
Et qu'il en soit de même
Pour notre charmant entourage d'amis ;
Et que tes jours surtout soient sereins et joyeux,
Ô mon hôte aimé dans la générosité [2]
Rends si vraie et croyable

Cette vieille maxime :
« Qui retrouve un ami
Retrouve un grand trésor. »

Nota. Le 9 avril 1826, V. Monti avait eu une attaque d'hémiplégie qui avait paralysé tout le côté gauche de son corps.

[1] Le chantre de Bassville et du courroux d'Achille : son poème la *Bassvilliana* lui fut inspiré par la mort du révolutionnaire français Bassville, assassiné à Rome par la populace en 1793. Monti traduisit en vers italiens l'*Iliade* en 1810.

[2] Monti était alors l'hôte de Luigi Aureggi à Caverio (Lombardie) ; c'est à la générosité de celui-ci qu'il fait allusion à la fin de la poésie.

UNE HARANGUE TRIBUNICIENNE [1]

CAIUS GRACCHUS
(s'adresse au peuple, rassemblé sur le Forum)

C'est la dernière fois que je vous parle.

Vos ennemis et les miens ont décidé ma mort.

Je vous suis reconnaissant de me permettre de vous parler librement ; ainsi pourrai-je me disculper devant vous tous.

Est-il pour un Romain rien de plus infamant que d'être taxé de tyrannie ?

Non, je ne suis pas un tyran ; j'ai horreur du pouvoir personnel, absolu.

Mon frère [2], même dans l'au-delà, me le reprocherait.

Mais ce même frère, quand il me verra dans l'outre-tombe, tout couvert des mêmes blessures que les siennes, m'interrogera.

Et que lui répondrai-je alors ?

« Frère, c'est ce même peuple ingrat qui t'a abandonné, c'est lui qui est le responsable de ma mort.

Comme toi, livré à la fureur de mes ennemis, lâché par mes fidèles, j'ai de mon sang arrosé le pavé où l'on a traîné mon cadavre ; et puis ce même cadavre, encore chaud mais encombrant déjà, comme ils ont fait du tien, ils l'ont jeté dans le Tibre ; pas plus que toi, moi non plus je n'ai été protégé par mon inviolabilité tribunicienne ; non, tu vois, je n'ai pas été traité mieux que toi.

J'ai été, moi aussi, accusé de tyrannie, comme toi, j'ai été assassiné par les Patriciens, alors que j'avais consacré suivant ton exemple toute ma vie, toutes mes pensées à la Patrie, à elle seule.

Frère, j'ai voulu à mon tour délivrer la Plèbe afin que les nantis cessent de la gruger, les puissants de s'en servir et de l'asservir.

Je me suis battu pour qu'on lui rende les droits dont on l'avait frustrée et les terres qu'on lui avait volées.

J'ai vécu pauvre, je me suis voulu peuple pour vivre avec et pour le peuple.

J'ai honni toute tyrannie et l'on m'a accusé de n'être qu'un tyran.

Servir le peuple c'est s'exposer à la plus amère des déceptions, à la plus effrayante des ingratitudes... »

... Je n'ai pas peur.

Suis-je un exploiteur, un despote pour avoir peur du peuple ?

Je n'appartiens pas, non plus, à la classe patricienne.

Est-ce que j'ai eu peur, le jour où j'ai risqué ma propre vie pour protéger votre liberté derrière un rempart de lois que j'ai moi-même maçonné ?

Je suis toujours le même *Gracchus* ; je n'ai pas changé, moi, je n'ai pas tourné casaque.

Non.

Rome, regarde-moi, reconnais-moi : je suis cet homme qui veut rendre au peuple tout son pouvoir, faire de lui le seul maître légitime, museler enfin le Sénat.

Si, ce faisant, j'ai commis un crime : à toi, Peuple, d'en décider.

Est-ce que je me suis rendu coupable de ce crime ?

Peuple, mon peuple, réponds...

Quiconque me reproche de te rendre libre est ton ennemi, n'est-ce pas, ô Peuple ?

Qu'est-ce que ton Sénat ? Une assemblée de trois cents vendus.

Tous des lâches.

La loi, elle est brisée par la force ou achetée par l'argent.

Le seul crime c'est d'être pauvre.

Moi, j'ai mis fin à cette justice, vendue à l'encan

J'ai fait élire trois cents juges intègres afin de les opposer aux trois cents autres, offerts aux plus offrants.

J'ai appelé la Plèbe à siéger dans nos tribunaux à part entière. Mais qui donc ose maintenant devant vous m'accuser d'avoir agi aussi légitimement ?

Mes actions sont pures, ma conduite sans reproche.

Je n'ai de comptes à rendre à personne d'autre qu'à toi, peuple de Rome.

Qui est-ce qui m'accuse ? C'est un *Opimius*, rien que lui avec toute cette clique de magistrats véreux, de financiers-pieuvres qui enragent de ne pouvoir plus vous gruger impunément et s'engraisser de votre travail, de vos sueurs, de vos larmes.

La vertu n'est plus qu'un nom, un hochet pour amuser les fripouilles…

… Moi, que les Dieux bienveillants ont fait naître dans cette *Italie*, si belle, j'ai appelé tous les Italiens à bénéficier de la citoyenneté romaine.

Vous, Romains, qui êtes le fleuron de notre race, allez-vous maintenant récuser comme criminelle cette liberté que se doivent partager tous les Italiens ?

UN CITOYEN

Non. Nous sommes tous italiens, nous ne formons qu'un seul peuple, une seule famille.

LA FOULE (elle clame)

Tous italiens ! tous frères !

CAIUS

J'entends votre cri sublime, ô Romains !

153

Il est temps d'écouter le dernier de mes crimes.

Écoute-moi, peuple trahi.

Ta colère va exploser et non pas ta joie.

Écoute-moi, de toutes tes oreilles.

L'avidité insatiable des nantis et de la classe au pouvoir, tablant sur ta misère, t'avait tout arraché sans pitié, avilissant ton corps pour mieux asservir ton âme.

S'ils te faisaient vivre, c'est pour mieux se repaître de tes larmes, pour mieux t'écraser et, qui pis est ! ils te méprisaient dans la mesure où ils t'humiliaient.

Mon crime, ma faute inexpiable, les voici : écoute bien.

Je peux les résumer en quelques mots.

Moi, j'ai voulu que vous possédiez assez de terre où reposer vos corps exténués et meurtris.

Ô misérables frères !

Les bêtes sauvages ont leurs terriers, tandis que toi, peuple de Rome, toi, maître du monde, qui t'es battu sous toutes les latitudes pour conquérir un Empire, tu n'as que les chaînes de ton esclavage, tu ne possèdes que l'air et le soleil, puisqu'on ne peut pas te les ravir ; tu n'as qu'un seul droit, un seul devoir : *mourir pour la Patrie.*

Que de fois vous ai-je vus, paysans mes frères, errer dans vos campagnes avec vos femmes et vos enfants, mendiant votre pain, hâves et demi-nus !

Pendant ce temps, les riches (ces sangsues qui se drapent dans leurs toges) se saoulent, ripaillent à longueur de journée et se livrent à la débauche.

Ils se nourrissent de ton sang, peuple de Rome.

C'est ton sang qui leur a permis de se bâtir leurs palais d'un luxe, aussi tapageur que révoltant ;

C'est encore ton sang — celui de ton labeur — qui leur a servi à s'acheter des tapis d'Orient, des coupes ciselées, tous les parfums d'Arabie, la pourpre de Sidon ;

Sans votre sang ils ne posséderaient pas leurs villas à Tibur, leurs domaines à Tusculum où ils gobergent et se prélassent dans les délices du repos et des loisirs.

Leurs statues, leurs tableaux, bref tout leur faste, c'est toi qui les leur as payés au prix de ton sang versé sur tous les champs de bataille, où tu t'es battu pour eux, où ils t'ont envoyé crever pour leurs beaux yeux et pour des prunes.

Et ils osent, ces nantis, après ça, t'accuser de lâcheté et de sédition, alors qu'eux, ils n'ont fait qu'abâtardir l'austérité latine, en l'accouplant avec la mollesse orientale ; eux qui ont fait de l'armée un vaste bordel, eux qui n'ont cessé de dévorer jusqu'à plus faim les trésors de l'Empire, vider les finances des peuples soumis, tout en laissant mourir de faim les soldats qui n'avaient d'autres ressources que la maraude, le pillage ou le désespoir.

Et maintenant les voilà qui regrettent avec des larmes de crocodiles le bon vieux temps, l'ancienne discipline dans nos armées ;

À l'heure de la bataille, ils te crient, ô peuple dupé :

« *Combattez pour vos Dieux et vos foyers.* »

Mais qui de vous possède un foyer ? Je vous le demande.

Possédez-vous seulement la pierre de votre tombe ?

LA FOULE (à grands cris répond)

Non, non, nous n'avons rien.

CAIUS

Je vois vos cicatrices... Ce sont vos seules décorations, vos seuls trophées.

Pour qui donc vous faites-vous tuer ?

Ah, colère et douleur me saisissent à la vue de vos cicatrices que je voudrais baiser comme des reliques I....

... Citoyens mes frères, vous avez entendu la liste de mes crimes.

À vous de les punir : frappez-moi de vos poignards.

Mon corps — minable défroque — je vous l'abandonne.

Vous pouvez le traîner ensanglanté, dans vos rues.

Que ma mort réjouisse Opimius, qu'elle serve à apaiser sa rage !

Le Tibre peut bien engloutir mon cadavre après celui de mon frère Tiberius ;
Ma mère saura chercher sur ses berges ma dépouille déchiquetée.
Ô ma patrie ! Je mourrai heureux, si jamais…

CITOYEN

Non. Tu dois vivre. À mort Opimius !

OPIMIUS

Licteurs, levez vos faisceaux et frappez de vos haches cette meute d'enragés.

(Antilius, le chef des licteurs, s'avance à la tête de sa troupe et marche contre le peuple, en brandissant sa hache.)

FULVIUS

Abject larbin d'un tyran plus abject, meurs le premier.

(Antilius tombe sous les coups de poignards des conjurés.)

CAIUS (remonte en toute hâte à la tribune)

Malheur ! Qu'avez-vous fait ?

FULVIUS (à ses conjurés)

Courage ! En avant, marche ! à mort Opimius !

LA FOULE (elle hurle)

À mort, à mort Opimius !

CAIUS (s'interposant)

Halte-là ! ou bien tuez-moi aussi.
Eh quoi ? Vous n'avez pas d'autres moyens que l'assassinat

et la vengeance ; nulle autre issue, nulle autre voie que celle frayée par vos poignards ?

Ah, au nom des Dieux, laissez au Sénat et à Opimius leur rôle de bourreaux.

Romains, c'est des lois et non du sang qu'il vous faut.

À bas le fanatisme sanglant ! À bas ! Rengainez vos poignards, vous n'avez pas honte de cette fureur aveugle qui vous pousse à imiter les assassins de mon frère ?

CITOYEN

Nous voulons nous venger.

CAIUS

Nous nous vengerons.

Consul, écoute-moi.

Ne cache pas ton visage grimaçant de frayeur.

Tu as tenté de violer la loi.

Je te déclare traître à la patrie et je t'accuse d'atteinte à la sûreté de l'État.

Sitôt que ton mandat consulaire par lequel tu es intouchable viendra à expiration, moi, *Caius Gracchus*, je te cite à comparaître devant le *Peuple souverain* qui te jugera.

C'est lui qui te condamnera.

Romains, que chacun de vous garde son calme, que personne n'élève la voix pour lancer des injures, personne !

Sachez que le morne silence du Peuple est la plus terrible leçon qu'il puisse infliger aux tyrans.

Regagnez vos maisons et laissez cet homme orgueilleux macérer dans ses remords.

(Caius Gracchus quitte la tribune et le Forum. La foule à son tour se retire en ordre et en silence.)

Nota. [1] Extrait de *Caius Gracchus*, tragédie en cinq actes, 1800.

[2] Mon frère : il s'agit de Tiberius Gracchus (162-133 avant J.-C.), frère aîné de Caius, petit-fils de Scipion l'Africain par leur mère, la célèbre Cornélie (« Voici mes deux joyaux », avait-elle répondu, en montrant ses deux enfants à une matrone qui étalait ses bijoux).

Tribun de la plèbe, Tiberius se battit pour imposer la loi agraire, farouchement combattue par les Patriciens et le Sénat. Il fut assassiné lors d'une échauffourée, provoquée par les Patriciens. Son cadavre fut jeté dans le Tibre. Son jeune frère Caius, le héros de la tragédie de V. Monti, reprit le flambeau de la lutte qui devait, elle aussi, se solder par un cuisant échec. Caius subira le même sort que son frère, douze années plus tard (121 av. J.-C.).

Ugo Foscolo

AU SOIR

(1re version)

Peut-être parce que de la fatale paix
Tu es l'image, ô Soir, m'est-il si cher qu'à moi
Tu viennes ! Et lorsqu'en escorte joyeuse
Les nuages d'été, les brises pacifiantes

T'accompagnent et que du haut de l'air glacé
Tu fais se déployer l'ombre longue et troublante
Sur l'univers, toujours tu viens à mon appel
Et des chemins secrets de mon cœur tu t'empares

Doucement. Mes pensers rôdent au long des routes
Qui mènent au néant, cependant que s'efface
Le temps injurieux, et s'envolent aussi

Les meutes des soucis qui rongent l'homme et l'heure,
Et tandis que mes yeux contemplent ta quiétude,
Mon esprit batailleur plus ne gronde et s'apaise.

AU SOIR

(2e version)

Sans doute parce que toi du repos fatal
Tu es l'image, ô Soir, je chéris ton approche !

Et lorsque tour à tour de leur joyeuse escorte
Les nuages d'été, les brises apaisantes

Te suivent et lorsque de l'air neigeux s'allongent,
Inquiétantes, sur l'univers, les ténèbres,
Je t'invoque toujours ! Tu viens avec douceur
Occuper de mon cœur tous les chemins secrets.

Vers l'éternel néant s'égarent mes pensées,
Là où tu les conduis, et cependant s'enfuit
Ce temps de turpitude et dans sa fuite entraîne

Mes angoisses en foule et notre destruction ;
Je regarde ta paix et voici que s'endort
Mon esprit batailleur qui gronde au fond de moi.

À SON ÎLE NATALE

(2ᵉ version)

Je n'aborderai plus aux rivages sacrés
Où goûta son repos mon enfance, ô Zacynthe,
Qui te mires dans l'onde de la mer hellène
D'où Vénus, jaillissant en sa virginité,

De son premier sourire a fécondé ces îles ;
Aussi tes frondaisons et tes nuages clairs
Furent-ils célébrés par le vers prestigieux
De celui qui chanta l'inéluctable errance

Et l'exil hasardeux au bout duquel Ulysse,
Auréolé de gloire et de mésaventures,
Revint baiser le sol de la rocheuse Ithaque.

De ton fils tu n'auras rien d'autre que son chant,
Ô terre maternelle : à nous la destinée
Nous impose un tombeau d'aucuns pleurs arrosé.

À SON ÎLE NATALE

(3ᵉ version)

Non, je n'aborderai jamais plus tes rivages
Sacrés où tout enfant j'ai reposé mon corps,
Ô ma Zanthe, qui te mires dans la mer grecque,
D'où Vénus, en naissant dans sa virginité,

De son premier sourire a fécondé les îles.
Aussi tes frondaisons, tes limpides nuages
N'a-t-il pu les taire, le célèbre poème
De celui qui chanta l'inéluctable errance

Et l'exil hasardeux après lequel Ulysse,
Grandi par le malheur et par la renommée,
Enfin baisa le sol de sa rocheuse Ithaque.

De ton fils tu n'auras rien d'autre que son chant,
Ma terre maternelle ; à nous la destinée
Forcément nous assigne une tombe impleurée.

À SA DAME

Au long du jour ainsi je me plains et délire
Sans trêve ! Mais ensuite, à l'appel de la nuit,
Quand paraissent au ciel la lune et les étoiles
Et que l'air s'épaissit d'ombres et de silence,

Moi lentement je rôde à l'endroit où la plaine
Se couvre de sous-bois et devient plus déserte
Et je tâte les plaies que le destin contraire
Et l'amour et le monde en mon cœur ont ouvertes.

Je m'appuie, harassé, contre un moignon de pin
Ou je parle et divague avec mes espérances,
Effondré sur la berge où gronde la rivière.

Mais souvent grâce à vous oubliant, ô Madame,
Mon sort et ma colère, après *vous* je soupire :
Lumière de mes yeux, qui veut me la ravir ?

APRÈS L'ADIEU

Oui, dès lors que j'ai pu t'abandonner, je crie
— Et c'est justice — aux flots qui grondent et déferlent
Sur la haute falaise et mes pleurs sont livrés
Aux souffles sans merci de la Tyrrhénienne.

En vain ai-je espéré (les hommes et les Dieux
Me forçant à l'exil parmi des gens parjures
Et loin du beau pays où la fleur de ton âge,
Jour après jour, se fane et tu languis de moi).

En vain ai-je espéré que le temps, mes malheurs,
Ces monts que je franchis à grand'peine et ces bois
Sombres, éternels où, bête traquée, je gîte,

Soulageraient mon cœur qui saigne ; mais hélas,
Vain espoir ! Puisqu'Amour immortel, tout-puissant,
Me poursuivra parmi les ombres infernales.

À SA DAME

Ainsi des jours entiers, dans un demi-sommeil
Qui dure, je gémis ! Mais, lorsqu'après, au ciel,
Les étoiles et la lune à l'appel de la nuit
Se rassemblent, que tout se glace et s'assombrit,

Moi, j'erre lentement dans la plaine boisée
Et déserte, et mon cœur saigne, où l'adversité
Cruelle qui m'accable et l'amour et le monde
Ouvrirent des blessures que je palpe une à une.

162

Je m'appuie, épuisé, tour à tour contre un pin
Et face aux déferlants je parle et je délire,
Accablé, sans espoir. Mais vers vous, ô ma Dame,

Je soupire, oubliant mon sort et mon courroux :
Vous êtes ma lumière et mes yeux vous recherchent :
Qui vous dérobe à moi ? pourquoi vous cachez-vous ?

À LA MUSE

Divine Muse, ô toi qui versais sur mes lèvres
Abondance de chants, au temps où ma jeunesse
S'envolait, cependant que mon âge présent
Descendant avec moi, tout en pleurs, affligé,

Vers le fleuve Léthé aux rivages muets
La talonnait de près : voici que je t'invoque,
Bien qu'inécouté ; c'est qu'une seule étincelle
De mon esprit, hélas ! survit et brille encore.

Muse divine, après t'être enfuie aussi,
Pendant que s'enfuyait le temps, tu m'abandonnes
Aux mornes souvenirs, à ma peur du futur.

Ainsi je m'aperçois (Amour me le répète)
Que, si mes vers se font rares et non sans mal,
La douleur que j'héberge est, dès lors, sans issue.

LE SYLVAIN

(Fragment)

Du haut de mon coteau, quand les vents font silence
Au-dessus des clochers de la belle Florence,
Moi, j'entends un Sylvain : il est l'hôte inconnu

D'un monastère proche, car c'est là qu'il élut
Sa demeure ; il s'y niche au creux des frondaisons.
À la source, à midi, vient boire son troupeau
De brebis qu'il appelle aux accords d'un pipeau ;
Il appelle, le soir, deux brunes jouvencelles
Qui dansent avec lui, effleurant le gazon.

NÉRÉIDES

(Extrait des « Grâces »)

Elle resplendissait entièrement, la mer,
Les Grâces se berçant au creux d'un coquillage,
Tandis que leur souriait l'enjôleuse Vénus :
Tout comme aux premiers souffles du Zéphyr, au ras
Des vagues les essaims de charmantes abeilles
Se ruent, en bourdonnant de plus en plus nombreuses,
Se suivant à l'envi par grappes aériennes
Pour aller voleter, butiner le nectar
En vue du miel futur qui réjouit leurs cœurs ;
C'est en nombre aussi grand qu'à fleur du flot immense
Et rayonnant, les Néréides océanes
Montrent, énamourées, leurs gorges nues avec
Hardiesse, escortant en bandes bondissantes
La Joie ailée par qui s'annoncent les Dieux,
Et chaque Néréide avec ardeur soupire
Après les doux baisers des Grâces ingénues.

À SON FRÈRE SUICIDÉ

Un jour tu me verras, si mon errance cesse
De pays en pays, m'asseoir, ô mon cher frère,
Sur ta pierre tombale afin d'y lamenter
De ton âge charmant la fleur, trop tôt fauchée.

Mère, traînant encor ses jours à leur déclin,
Est seule à deviser de moi avec tes cendres ;
Mais moi je tends vers vous, hélas, et c'est en vain !
Mes bras. Et si de loin je salue ma demeure,

Je sens le sort hostile et les secrets tourments
Dont ma vie orageuse est harcelée sans cesse.
Et moi j'aspire aussi au repos de ton havre.

Voilà le faible espoir qui me reste aujourd'hui ;
Oh, veuillez, étrangers, rendre au moins ma dépouille
À ma mère éplorée afin qu'elle l'étreigne !

MARATHON

(Extrait des « Tombeaux »)

Oui, c'est un Dieu qui parle au cœur de cette église [1]
Où le silence règne, et c'est ce même Dieu
Qui dans la plaine de Marathon où Athènes
À ses preux consacra des tombes, ce jour-là,
Contre les Perses fit attiser le courroux.
De son voilier croisant sur cette mer Égée
En face de l'Eubée, tout matelot voyait
Des éclairs sillonner les ténèbres sans bornes
Sous le choc des épées et brasiller des casques
Et les bûchers fumer de vapeurs embrasées
Et des spectres armés, rutilants et farouches,
Rechercher le combat ; une longue rumeur
De phalanges parmi le fracas des buccins,
De chevaux se ruant par vagues incessantes,
Broyant sous leurs sabots les casques des mourants,
Des thrènes, des poeans mêlés au chant des Parques
Résonnaient dans la nuit horrible et silencieuse.

Nota. [1] Au cœur de cette église : le poète évoque l'église de Santa Croce à Florence, qui est à ses yeux un Panthéon pour l'Italie. Dans son poème *Les Tombeaux (I Sepolcri)*, Foscolo a exalté cette église en tant que haut lieu patriotique, puisqu'elle abrite les tombes et les cénotaphes d'illustres Italiens (Dante, Pétrarque, Machiavel, Galilée, Michel-Ange, Alfieri). La dépouille mortelle de Foscolo, mort en Angleterre, repose dans cette église florentine en raison précisément du poème *Les Tombeaux (I Sepolcri)* qu'il lui a consacré.

DANSEUSE

(Extrait des « Grâces »)

De grâce reviens, ô femme, au son des harpes !
Regarde s'avancer, dernière prêtresse,
Ta compagne, prête à danser devant l'autel…
Je m'efforce à saisir dans mes vers la danseuse
Sacrée.
        Elle est moins belle, assise, oh ! moins que toi,
Noble musicienne. Et toi, lorsque tu parles,
Es plus charmante qu'elle, ô gardeuse d'abeilles.

Mais danse-t-elle, alors la musique ruisselle
De sa bouche rieuse et de tout son beau corps.
Du moindre mouvement, d'un geste qu'elle ébauche
Sourd la grâce et nos yeux en captent les éclairs.
Qui saurait la peindre ? Ah, voici qu'elle m'échappe,
À l'instant où mes yeux en épousaient les formes !
Faisant tournoyer les volutes de sa danse,
Elle s'efface et vole au ras des fleurs ; à peine
Vois-je son voile blanc qui fuit parmi les myrtes…

Nota. Dans la villa florentine de Bellosguardo se dresse un autel, consacré aux trois Grâces dont les prêtresses sont trois dames de l'aristocratie italienne — toutes trois aimées par le poète. La danseuse, Maddalena Marliani Bignami de Milan ; la joueuse de harpe, symbole de la musique, la Florentine Nencini, et Rossi Martinetti

166

de Bologne, gardeuse ou éleveuse d'abeilles *(Nutrice dell'api)*, symbole de la poésie.

LE CYGNE

(Extrait des « Grâces », chant II)

Jouvenceaux, accueillez et déposez l'Oiseau
Sur le miroir des eaux alentour du bocage
Et de l'autel ; qu'il règne en maître sur la source !
La grâce et sa blancheur puissent-elles dans l'onde
Se réfléchir et que de lui-même il jouisse,
Proclamant à tous ceux qui le vont admirant :
Je suis de la beauté le symbole ! Effeuillez,
Filles vierges encor, dans vos rondes joyeuses,
Myrtes et rosiers tout au long des méandres
Du ruisseau ; laissez-en choir feuilles et pétales
Au fil de ce ruisseau ; gênez avec des fleurs
De ce nageur la fuite à voiles déployées,
Dont l'aile a de la neige éclat et pureté,
Et sur votre corsage épinglez, jeunes filles,
La plus charmante fleur que de son bec pourpré
Il choisirait. Parmi toute la gent ailée
Hantant les airs, les lacs et de même les prés
L'aimable souverain en est le cygne auquel
Sont soumis ses vassaux ; modeste et gracieux,
Il règne et il sourit à tout ce qui vole ;
Il admire avec joie les aigles arrogants.
Les poissons argentés bondissent, confiants,
Sur son épaule, aimant à folâtrer avec
Leur hôte loyal qui dès l'aube en visiteur
Rôde en quête d'une eau profonde et de bains frais
Afin que son plumage au soleil resplendisse.

Fleurissez-le de lys…

Nota. *Les Grâces,* poème inachevé, est dédié au sculpteur Canova, au ciseau duquel on doit le groupe des *Trois Grâces*. Ce poème se compose de trois hymnes, le premier à Vénus, le deuxième à Vesta et le troisième à Pallas.

L'action du deuxième hymne se déroule dans la villa florentine de Bellosguardo où a été dressé un autel, consacré aux Trois Grâces dont les prêtresses sont trois dames de l'aristocratie italienne, aimées par le poète.

C'est la vice-reine d'Italie, femme d'Eugène de Beauharnais, qui offre ces cygnes aux Grâces afin de les remercier pour le retour de son mari, après les sanglantes campagnes de Russie (1812) et d'Allemagne (1813). La description de ce cygne n'est en grande partie que la transcription poétique de celle de Buffon à laquelle Foscolo ajoute une valeur allégorique.

Giacomo Leopardi

L'INFINI

(Version en alexandrins)

Je l'ai toujours chéri, ce coteau solitaire,
Et aussi cette haie qui dérobe au regard
Tout un immense pan du lointain horizon.
Mais lorsqu'assis, je reste en contemplation,
Je me forme en pensée, par-delà cette haie,
Des espaces sans fin, de surhumains silences,
Une paix insondable où il s'en faut de peu
Que mon cœur ne s'effraie. Et quand parmi les plantes
J'entends bruire le vent, à ce faible murmure,
Moi, je vais comparant ce silence infini.
Alors il me souvient et de l'éternité
Et des âges défunts et de l'âge présent,
Encore vivant, et de toute sa rumeur.
En cette immensité s'abîme ma pensée ;
Et naufrager m'est doux au fond de cette mer.

L'INFINI

(Version en décasyllabes)

De tout temps j'ai chéri cette colline
Solitaire tout comme cette haie
Qui dérobe au regard une partie

Si grande du fin fond de l'horizon.
Mais, par-delà, lorsqu'assis, je contemple,
J'imagine en pensée d'illimités
Espaces, de surnaturels silences,
Une paix insondable, où mon cœur frôle
La peur. Le vent murmurant dans ces plantes,
Je compare à ce bruit cet infini
Silence : il me souvient de l'éternel
Et des âges défunts et du présent
Qui vit, de sa rumeur. Ainsi dans cette
Immensité s'abîme ma pensée
Et naufrager m'est doux dans cette mer.

LE DERNIER CHANT DE SAPPHO

Paisible nuit et toi, de la lune au déclin
Pudibonde clarté, toi, messager du jour,
Qu'on voit poindre au milieu des bois silencieux,
Au-dessus des rochers ; ô chères et charmantes
Visions, tout le temps que je n'ai pas connu
Les cruautés du sort. Le plus doux des spectacles
N'a pas un seul sourire aux cœurs désespérés.
Une insolite joie me fait revivre, alors
Que roulent dans les airs et les champs effarés
Les souffles des vents chauds, houleux et poudroyants,
Et que le char, le lourd char de Jupiter gronde,
Déchirant la ténèbre au-dessus de ma tête.
Nous [1], nous aimons rôder par les versants abrupts
Et au fond des vallées et parmi les orages ;
De troupeaux apeurés, nous, c'est la fuite immense
Que nous aimons ou bien le fracas et courroux
D'un fleuve menaçant aux flots irrésistibles.

Divine beauté du ciel ! Et tu es belle aussi
Dans tes matins, ô terre. Hélas ! le sort injuste

Et les divinités n'ont de cette infinie
Beauté fait nul don à l'infortunée Sappho.
Hôte abject, importun, soumis à ta puissance,
Nature souveraine, moi, ton amante honnie,
Tout mon cœur et mes yeux, vainement suppliante,
Ainsi je les consacre aux charmes de tes formes.
Les lieux ensoleillés et les blancheurs de l'aube
N'ont pour moi nul sourire ; et, pour me saluer,
Pas un seul gazouillis d'oiseaux bariolés
Ni des hêtres, non plus, le murmure ; et le ru
Dans toute sa blancheur déployant son sein pur
Sous les saules pleureurs qui l'ombragent sinue
Et fuit avec mépris devant mes pieds glissants.

Quel forfait exécrable, quelle faute ont pu
Me souiller, dès avant ma naissance, pour que
La Fortune et le Ciel se montrent si farouches ?
Peut-être ai-je péché, quand j'étais une enfant,
À cet âge où la vie ignore tout méfait,
Pour qu'au fil de mes jours mornes se dévidant
Du fuseau de la Parque indomptée, la jeunesse
Jour à jour se fanant, ensuite me manquât ?

Inconsidérément tu parles : le destin
Au mystère est soumis. Car tout n'est que mystère,
Hormis notre douleur. Nous, race abandonnée,
Nous sommes nés pour les pleurs, seulement les Dieux
En savent la raison. Ô désirs, espérances
De mes vertes années ! Dans toute nation,
Par un décret divin règne éternellement
La beauté ; l'héroïsme est vain, la poésie
De même, la vertu dans un corps sans beauté
Est tout à fait éteinte.

Nous mourrons. Enfouie mon indigne dépouille
Sous terre, l'âme nue fuira dans les Enfers
Pour ainsi mettre fin à la cruelle erreur
De l'aveugle destin. Et toi à qui je fus liée

D'un amour long et vain, à qui je fus longtemps
Fidèle, toi pour qui d'un désir implacable
Vainement je brûlai [2],
Vis heureux, si tant est qu'un mortel ait vécu
Sur cette terre heureux. Zeus n'a pas sur moi versé
La suave liqueur de son amphore avare,
Dès lors que leurres et rêves de mon enfance
Ont péri. Les beaux jours de notre premier âge
S'envolent les premiers pour être remplacés
Par la maladie, par le vieil âge et par l'ombre
De la mort glaciale. Et de tous ces charmants
Mensonges, de toutes ces palmes espérées
Il ne reste plus rien
Que les Enfers, et ce qui fut mon beau génie
Est désormais la proie et d'Hécate et des fleuves
Silencieux et de la ténébreuse Nuit.

Nota. [1] *Nous* : c'est un pluriel de majesté ; outre Sappho, il entend
associer toute l'humanité souffrante à sa cruelle destinée.
 [2] Allusion à Phaon, un beau jeune homme que Sappho aima sans
être payée de retour. Désespérée, elle se suicida, en se jetant du haut
du rocher de Leucade, se noyant dans la mer, selon la légende.

LE SOIR DU JOUR DE FÊTE

Douce et claire la nuit et sans le moindre souffle,
Et par-dessus les toits et les jardins la lune
Plane, nous dévoilant chaque cime de loin
Dans sa sérénité. Le silence est déjà
Dans chaque rue, tandis qu'à travers les persiennes
Une veilleuse luit faiblement çà et là.
Mais toi, ma bien-aimée, tu dors, puisqu'un sommeil
Facile te reçut dans tes chambres tranquilles.
Par nul souci mordue, tu ne sais ni ne songes
Qu'une plaie en mon cœur fut ouverte par toi.
Tu dors. Mais moi, ce ciel si doux en apparence

Et la toute-puissante et éternelle Nature
Qui pour me tourmenter me créa, je salue.
« Pas d'espérance, non ; je te refuse même
L'espérance, dit-elle ; *rien que de pleurs*
Devront briller tes yeux. » Après ce jour de fête
Et tes joyeux ébats, c'est pour toi le repos.
Et peut-être qu'en rêve il te souvient encore
De ceux que tu charmas, de ceux qui te charmèrent ;
Je ne suis pas du nombre et n'espère pas même
Hanter ton souvenir. Cependant, je demande
Ce qui me reste à vivre. Et à même le sol
Étendu de mon long, je crie et je frémis.
De mes vertes années oh, les horribles jours !
Proche dans rue, ah ! j'entends de l'artisan
La chanson esseulée : à la nuit close, il rentre
À son pauvre logis, ayant pris du bon temps.
Mon cœur farouchement se serre à la pensée
Que tout ici-bas passe et sans laisser de trace
— Ou presque. Voilà le jour de fête enfui
Et à leur tour voici les autres jours ouvrables
Et chaque événement dans la fuite du temps
Se perd. Et à présent, qu'en est-il de ce bruit
Des peuples d'autrefois ? Qu'en est-il du renom
De nos fameux aïeux, de l'Empire de Rome,
Des guerres, du fracas qui par tout l'univers,
Sur tous les océans au loin se propagea ?
Tout est paix et silence, et le monde repose.
Mais de ces peuples-là plus personne ne parle.
Enfant insomnieux, angoissé, dans mon lit
Je gisais, une fois passé le jour de fête
Que j'avais attendu pourtant avec ardeur.
Et un chant, dans la nuit tard, qui de rue en rue
S'éloignait et mourait au fur et à mesure,
Serrait alors déjà pareillement mon cœur.

LE MOINEAU SOLITAIRE

Du haut du vieux beffroi
Tu chantes sans arrêt jusqu'à la mort du jour,
Tourné vers la campagne, *ô moineau solitaire* ;
Ton chant harmonieux se répand dans la combe.
Le printemps alentour
Resplendit dans le ciel, jubile dans les champs :
Aussi bien s'émeut-il tout cœur qui le contemple.
Bêlements de brebis, mugissements de bœufs !
Les oiseaux à l'envi
Virevoltent ensemble à travers le ciel libre
Et fêtent de leur vie
Le moment le plus beau ;
Tandis que toi, songeur, tu regardes le tout
À l'écart, sans amis, sans te mêler aux vols ;
Peu t'importe la joie ! Et tu fuis les ébats.
Tu chantes : voilà tout.
Et la fleur de la vie et de l'année ainsi
Sans retour elle passe.

Comme ma vie, hélas,
Ressemble à la tienne !
Moi non plus, je n'ai cure
(Oh, je ne sais pourquoi)
Des rires, des ébats
— Ces compagnons charmants de la fleur de notre âge ;
Amour, je te néglige,
Toi, frère de jeunesse,
Amour qui nous fais tant gémir dans la vieillesse.
Bien plus, amour et joie,
Je les fuis quasiment
Et je vis solitaire
En étrange pays dans mon pays lui-même,
Et je vois de ma vie s'envoler le printemps.

En ce jour qui finit par un beau soir qui tombe

C'est la fête au village.
Un tintement de cloche
Sous un ciel sans nuages
Et des coups de fusils
Retentissent, au loin, de hameau en hameau

La jeunesse du lieu
Sort tout endimanchée,
Se répand dans les rues ;
Complaisante et complue,
Admirée, elle admire
Tour à tour et chacun en son cœur est ravi.

Je rôde *solitaire*,
Gagnant à travers champs le coin le plus caché ;
Je remets à plus tard
Les jeux et les plaisirs ;
Je laisse cependant promener mes regards,
Tout gorgé de lumière
Dans cet air qui brasille,
Tandis que le soleil
Parmi les monts au loin,
Après ce jour serein,
Se couche et disparaît et il semble nous dire
Que l'heureuse jeunesse à son tour va finir.

Oisillon esseulé,
Au soir de cette vie
Fixée par le destin,
Tu n'auras, à coup sûr, nullement à te plaindre
D'avoir ainsi vécu,
Dès lors que vos désirs
Nature les engendre.

Si je peux éviter la vieillesse abhorrée,
Quand mes yeux ne pourront parler au cœur d'autrui,
Quand le monde pour eux perdra tous ses attraits,
Que l'avenir sera plus que le jour présent

Sombre et chargé d'ennui,
Comment regarderai-je
Cette façon de vivre ?
Comment juger moi-même et ces années perdues ?
Un cruel regret sera mon seul tourment ;
Sans espoir et sans cesse
Hélas ! j'évoquerai le temps de ma jeunesse.

À SYLVIA

As-tu ressouvenance,
Sylvia, de ce temps de ta vie éphémère,
Lorsqu'en tes yeux rieurs et craintifs tout ensemble
Rayonnait ta beauté
Et que, songeuse et gaie,
Tu franchissais le seuil de ton adolescence ?

De ton chant incessant
Ta paisible demeure et les rues alentour
Résonnaient, cependant
Qu'assise à tes travaux, tu étais appliquée
Et ne rêvais pas moins à ton bel avenir.
Mai fleurait bon : ainsi
Selon ton habitude
S'écoulaient tes journées.

Je délaissais parfois
Mes charmantes études,
Mes feuillets sur lesquels je peinais durement,
Épuisant jour à jour
Le meilleur de moi-même et toute ma jeunesse
Pour prêter une oreille attentive à ta voix
Et au bruit de ta main
Courant sur le métier au prix d'un rude effort.
J'aimais à t'écouter du haut de mes balcons,
Mais tout en contemplant les rues ensoleillées,

Les vergers, le ciel pur
Et d'un côté la mer et de l'autre les monts.
Mais ce que je sentais au plus profond de moi
On ne saurait le dire.

Oh, les douces pensées,
Nos espoirs conçus, nos élans, ma *Sylvia* !
Sous quel aimable aspect se présentaient alors
La vie humaine ainsi que notre destinée !
Et lorsqu'il me souvient d'une telle espérance,`
Je me sens accablé,
Amer et désolé
Me plaignant derechef de mon âpre souffrance.
Ô Nature, ô Nature,
Que ne tiens-tu après
Ce que tu nous promets ?
Et pourquoi tellement
Leurres-tu tes enfants ?

Mais avant que l'hiver eût flétri le gazon,
Le mal qui te minait
En secret eut raison
De toi, ma toute frêle.
Ainsi tu n'as pu voir la fleur de tes années
Et nul n'a pu flatter ton cœur et tes oreilles
En louant tes regards pleins d'amour et pudeur
Ou tes cheveux noirs ;
Tes compagnes n'ont pu
Deviser avec toi d'amour, les jours de fête.

Même mon espérance,
Pour moi toute douceur,
Devait bientôt mourir :
Le destin ennemi
M'a refusé aussi
La jeunesse. Hélas ! comme,
Comme tu es passée,
Ô toi, compagne aimée

De mes vertes années,
Mon espérance chère et tellement pleurée !
Est-ce bien là le monde ?
Sont-ce là les plaisirs, les travaux et l'amour
Dont nous parlâmes tant ensemble tous les jours ?
Est-ce bien là le sort
Qu'on réserve aux humains ?
Et dès lors qu'apparut
La dure vérité, tu tombas, malheureuse ;
Et tu montrais de loin
D'un geste de la main la glaciale mort

Nota. Ce poème évoque le souvenir de Teresa Fattorini, fille du cocher des Leopardi, morte dix ans plus tôt (1818), emportée par la phtisie *(chiuso morbo)*.

Sylvia (nom de l'héroïne de l'*Amyntas*, fable bocagère du Tasse) personnifie la jeunesse et l'espérance, mais avec le recul du temps, ce personnage poétique symbolise les illusions perdues du poète.

RECORDANCES

Étoiles de la Grande Ourse, aimables et belles,
Je ne pouvais songer qu'un jour je reviendrais
Vous contempler encore et comme de coutume,
Dès lors que vous brillez au-dessus du jardin
Paternel, et qu'avec vous je deviserais,
M'accoudant aux fenêtres de cette demeure
— Celle de mon enfance où sont mortes mes joies.
Quand vous apparaissiez dans votre éclat brillant,
Vous, étoiles de l'Ourse et les autres étoiles,
Vos compagnes du ciel, jadis, que de pensées
Et que de rêveries hantèrent mon esprit !
Je n'étais qu'un enfant alors et en silence,
Assis sur le gazon, j'avais accoutumé
De passer mes soirées, pendant de longues heures,
En contemplant le ciel, en écoutant chanter

La grenouille lointaine au fond de la campagne !
La luciole errait parmi les plates-bandes
Et auprès des buissons et le vent bruissait
Dans l'allée odorante et les cyprès du parc
Au loin et entre-temps sous le toit paternel
J'entendais résonner les paroles qu'échangent
Les serviteurs vaquant sans nul bruit et sans hâte
Aux travaux ménagers. M'ont-elles inspiré
De douces songeries et des pensées immenses,
Cette mer tout au loin et ces montagnes bleues
Que je vois d'ici même et qu'un jour je pensais
Franchir, me forgeant pour aider à ma vie
Des mondes inconnus, un inconnu bonheur,
Ne pouvant pressentir ce que serait mon sort
Et que je troquerais tant de fois de plein gré
Contre la mort ma vie meurtrie et désolée !

Nul présage en mon cœur que mes vertes années
Je serais condamné de les voir s'étioler
Dans ce village encor sauvage où je suis né
Et parmi ces croquants, ces gens sans qualité
Pour lesquels le savoir n'est qu'un mot inconnu
Et souvent un objet de leurs plaisanteries ;
Ce sont ces gens qui me fuient et me haïssent tous,
Mais non par envie ; je ne suis pas pour eux
Quelqu'un qui les dépasse ; ils pensent en revanche
Qu'en mon cœur je m'estime un être supérieur,
Encor que mes dehors ne le trahissent guère.
Je vis ici sans vivre, au fil de mes années,
Sans amour, ignoré, dans un noir abandon ;
À force de frayer avec des malveillants,
Je deviens, à mon tour et malgré moi, mordant ;
Je me décape ici de l'amour du prochain
Et de noblesse d'âme ; et mon vil entourage
M'a rendu contempteur de tout le genre humain :
Ma jeunesse, entre-temps, s'envole sans retour,
Jeunesse qui m'est chère, oh ! bien plus que la gloire,

Plus que la vie et plus que la pure lumière.
Jeunesse, tu t'en vas sans que j'aie pu cueillir
Un seul plaisir : ainsi vais-je te perdre en vain,
En proie à ma souffrance, en ce lieu inhumain,
Jeunesse, unique fleur de cette vie aride !

Mais voici que le vent porte l'heure qui sonne
Au beffroi du village. Alors *(il m'en souvient)*
Ce même tintement venait me consoler,
Quand mes frayeurs d'enfant m'infligeaient des nuits blanches
Et que je soupirais dans le noir de ma chambre
Après le clair matin. Ici, il n'est pas un objet
Que j'entende ou que je voie sans qu'il évoque en moi
Une image et sans qu'affleure un doux souvenir.
Doux souvenir en soi ! Mais aussitôt se glissent
La pensée du présent, la vaine nostalgie
Du passé, quoique triste et *« je fus »* — ce soupir —
Tout cela me tourmente. Je revois la loggia
Qu'inonde le soleil de ses derniers rayons,
Ces fresques sur les murs, retraçant des troupeaux,
Un lever de soleil sur les champs solitaires.
Je revois tout cela dont furent enchantées
Mes heures de loisir pendant mes tête-à-tête
Avec ma rêverie et ses leurres puissants
Qui m'ont suivi partout, toujours à mes côtés.
Ces salles surannées et la clarté des neiges,
Ainsi que tout autour ces immenses fenêtres
Ont vu mes jeux bruyants et mes grands cris de joie
Se sont mêlés jadis aux sifflements des vents,
À l'âge où le mystère exécrable et cruel
Des choses à nos yeux se pare de couleurs
Qui sont charme et douceur ; l'enfant rêve et désire,
Amant sans expérience, une vie mensongère
Dans son intégrité et sa virginité ;
La beauté qu'il admire est céleste et vit
Uniquement dans son imagination.
Qui peut vous rappeler sans plainte et sans regrets

Vous, ma jeunesse au seuil de la vie, à l'instant
Où vous êtes entrée, et vous, jours ineffables
Au charme sans pareil, lorsque les jeunes filles
Ravissent le mortel par leur premier sourire ?
Tout sourit à l'envi et l'envie elle-même
Se montre bienveillante et n'ose pas parler,
Puisqu'encore en sommeil ; le monde quasiment
(Incroyable prodige !) accueille le jeune homme
Qui entre dans la vie avec élan et joie,
Il vole à son secours, excuse ses erreurs
Et semble l'honorer à l'égal d'un seigneur,
S'incliner devant lui, l'appeler à grands cris.
Ô jours, vous avez fui comme fuit un éclair.
Est-il un seul mortel à l'abri du malheur,
Dès lors que le bon temps et la belle saison
S'effacent pour chacun à jamais sans retour
Et une fois, hélas ! que sa jeunesse est morte ?
Ô Nerina [1], ces lieux, ne me parlent-ils pas
De toi ? Peut-être ai-je pu t'oublier ?
Où donc es-tu allée, ô toi qui n'as laissé
Qu'un souvenir ici, Nerina, douce amie ?
La Terre qui t'a vue naître ne te voit plus :
Cette fenêtre d'où tu me parlais et où
Se brise tristement le rayon des étoiles,
Est maintenant déserte. Où donc es-tu ? Ta voix,
Je ne l'entends plus comme au temps où chaque mot,
La moindre inflexion qui tombait de tes lèvres
Et qui venait de loin, me faisait pâlir ? Las !
Ce temps est bien passé ; toi aussi, doux amour,
Tu n'es plus ; après toi sur cette terre d'autres
Que le sort appela passeront à leur tour
Après leur séjour sur ces coteaux fleurant bon.
Mais toi, ma Nerina, tu es passée trop vite,
Ta vie fut comme un rêve et comme un pas de danse :
Tu n'as fait que passer, le front brillant de joie,
Et lorsque tu suivais la pente de tes rêves,

Tes yeux resplendissaient d'un éclat juvénile
Qu'un destin trop cruel a tout à coup éteint.
Et tu es morte, hélas ! Il brûle dans mon cœur
Mon amour d'autrefois. M'arrive-t-il encore
De rencontrer du monde et d'aller à des fêtes,
Je me dis à part moi : « *Tout cela, Nerina,*
Est bien fini pour toi qui ne mets plus d'atours
Pour aller à la fête et à des réunions. »
Lorsque mai nous revient et que les fiancés
Offrent des rameaux verts feuillus et des aubades
À leurs promises : « *Non, ma chère Nerina,*
Me dis-je, *plus jamais le Printemps ni l'amour*
Ne reviendront pour toi. » M'est-il donné de voir
Une plaine fleurie, une calme journée,
Je m'écrie aussitôt : « *Nerina ne peut plus*
Jouir de ces beautés ni contempler ce ciel,
Non plus cette campagne. Hélas, tu es passée !
Ô toi, mon éternel regret, tu es passée !
Toutes mes rêveries qui pourront me charmer,
Les élans de mon cœur, à la fois chers et tristes,
Et toute ma tendresse auront pour compagnon,
Désormais et toujours, ce souvenir cruel. »

Nota. [1] Nerina (nom d'une héroïne du Tasse dans l'*Amyntas*) se
nommait dans la réalité Maria Belardinelli, jeune paysane, morte
prématurément. Mais dans ce poème, éminemment autobiographique, Nerina symbolise plutôt la jeunesse, arrachée à la vie.

En outre, elle représente non seulement les illusions perdues du
poète, mais encore la femme, telle qu'il l'a fantasmée, idéalisée —
cette femme qu'on ne trouve pas, disait-il *(la donna che non si trova).*

LE CALME APRÈS L'ORAGE

J'entends après l'orage
Les oiseaux exulter et la poule glousser
Qui revient sur la route.

Du côté du couchant et devers la montagne
La soudaine embellie !
La campagne est sans brume et le fleuve reluit
Au fond de la vallée.
Cœurs en liesse et partout
Le bruit renaît et fuse
Et derechef on vaque aux tâches routinières ;
L'artisan est venu sur le pas de la porte
Regarder, en chantant,
Le ciel encor mouillé ;
Et filles de sortir
Pour puiser à l'envi l'eau de cette pluie ;
Le maraîcher reprend
De venelle en venelle
Son cri de tous les jours.
Le soleil de retour, le voici tout riant
Sur coteaux et hameaux ;
Et les valets d'ouvrir balcons, loges, terrasses ;
Et des grelots au loin tintent de la grand'route
Et grince une voiture en train de repartir.
Liesse dans tous les cœurs.

Est-il heure où la vie
Soit plus douce et charmante ?
Où l'homme se consacre
Avec autant d'entrain et d'amour à sa tâche ?
Quand donc à ses travaux
Revient-il ou encore
S'attelle-t-il à d'autres ?
Et quand se souvient-il le moins de ses malheurs ?
Plaisir naît de douleur,
C'est une vaine joie
Que produit à son tour une frayeur passée ;
En proie à celle-ci
On a vu regimber
Et redouter la mort
Ceux-là mêmes pourtant qui détestaient la vie ;

Et voilà que des gens
Dans des tourments sans fin
Avaient des sueurs froides,
Blêmissaient, sidérés, cœurs battants, en émoi,
En voyant s'ébranler, tous ligués pour nous nuire,
Foudres, nuées et vents.

Généreuse *Nature*,
Voilà bien tes présents
Et voilà ces plaisirs
Offerts à nous, mortels ; car pour nous c'est plaisir
D'échapper à l'emprise
Du chagrin, ces chagrins
Qu'à foison tu répands ; douleur naît toute seule :
Ce soupçon de plaisir qui peut naître parfois
Par miracle et prodige
De la douleur, pour nous c'est là un grand profit.
Race humaine, chérie
Des Dieux ! Pour ton bonheur
Un répit te suffit
Après une douleur ;
Mais ta béatitude,
Tu l'auras, si la mort guérit toute douleur.

LE SAMEDI AU VILLAGE

La jouvencelle, à l'heure où le soleil décline,
Revient de la campagne
Avec de l'herbe en botte, à la main un bouquet
De roses et violettes
Dont elle s'apprête,
Comme à l'accoutumée,
À garnir ses cheveux et sa poitrine
Pour le lendemain jour de fête.

Sur le perron assise et filant sa quenouille

En face de ce ciel où la clarté défaille,
Une petite vieille
Raconte à ses voisines
Le temps de sa jeunesse,
Lorsqu'elle était pimpante et que, la taille fine,
Elle dansait légère au bras de ces garçons
À la fleur de leur âge
Qui furent ses amis.

Déjà tout s'assombrit,
Le ciel serein bleuit ; les ombres redescendent
Des toits et des collines,
S'allongent sur le sol
À la blanche clarté de la lune naissante.

Un tintement de cloche
Dit que la fête est proche :
Notre cœur se console.
Sur la placette en bande
Les enfants caracolent
Et font un gai tapage.

Un homme cependant sifflote, bêche au dos ;
La table qui l'attend est maigre, mais il songe
À son jour de repos.
Tout se tait, tout s'éteint,
Hormis un menuisier
Qui dans son atelier
Faiblement éclairé, toutes portes fermées,
À grands coups de marteau, faisant grincer sa scie,
Besogne et se démène
Pour finir son ouvrage avant le clair matin
Dimanche ne sera que tristesse et ennui,
Chacun par la pensée
Reprendra son travail pénible et routinier.

Cher garçon enjoué,
Ton âge qui fleuronne est vraiment comme un jour

Débordant d'allégresse, éclatant, sans nuages ;
C'est le jour qui devance
La fête de ta vie.
Ô saison de la joie,
État plein de douceur,
Qui te sont dévolus !
Jouis-en, mon enfant : pourquoi t'en dire plus ?
Dût ta fête tarder,
Non, n'en sois pas fâché.

BADINAGE

Lorsqu'enfant je me vins
Mettre de mon gré sous la férule des Muses,
L'une d'elles me prit
Par la main et me fit
Ce jour et les suivants
Visiter l'atelier où l'on forge la rime,
Me montrant un par un
Les différents outils
Par lesquels on cisèle et les vers et la prose.
J'admirais tout ravi
Mais ne pus m'empêcher
De demander : « *Ô Muse, où est-elle la lime ?* »
Elle de répliquer :
« *La lime est bien usée,*
On s'en passe à présent. »
Moi de dire aussitôt :
« *Cette lime qui s'use,*
Il faut bien la refaire,
Pardi ! » « *Certainement ;*
Mais le temps lui fait défaut »,
Me répondit la Muse.

À LA LUNE

Je me souviens, ô gracieuse lune,
Que, l'an passé, malgré mon désarroi
Sur ce coteau j'allais te contempler ;
Toi, tu planais alors comme aujourd'hui
Sur ce bocage où ta clarté s'épand.
Je te voyais, embuée et tremblante,
Puisque mes yeux de larmes étaient pleins.
Ma vie était vouée à la souffrance
— Rien depuis n'a changé —, lune chérie.
Ce souvenir ne laisse de me plaire,
J'aime compter le temps de ma douleur.
Quand l'on est jeune, on a des souvenirs
D'autant plus brefs que l'espérance est longue :
Aussi quel charme en nos jeunes années
Que d'évoquer le passé, fût-il triste,
Et encor que dure notre détresse !

À SOI-MÊME

Cesse de battre enfin, ô mon cœur harassé !
Il est mort, et bien mort,
Ce leurre tout dernier que j'avais cru sans fin :
Je ne le sens que trop. Je ne désire plus
Ni même je n'espère
Ces belles illusions qui me furent si chères.
Repose pour toujours : tu n'as que trop battu.
À quoi bon tes élans ?
La terre n'est pas digne d'être regrettée.
Amertume et ennui :
Rien que cela la vie.
Tout est fange et nausée.
Enfin repose-toi.
Ton dernier désespoir, cette fois ou jamais.

La mort : c'est le seul don qu'à notre genre humain
Sut faire le Destin.
Méprise désormais
Toi-même et la nature
Et cette force affreuse, œuvrant dans le secret,
À notre détriment. Méprise tout enfin,
Dès lors que tout est vain —
Et vain, infiniment.

CHANT NOCTURNE
D'UN BERGER NOMADE D'ASIE

Que fais-tu, lune, au ciel ? Que fais-tu ? Dis-le-moi,
Silencieuse lune ;
Tu te lèves le soir
Et tu vas, contemplant les déserts ; après quoi,
C'est le repos pour toi.
N'es-tu pas assouvie
De poursuivre toujours la même route ? Eh quoi !
Sans dégoût, mais toujours avec la même ardeur,
Aimes-tu contempler encore ces vallées ?
Le berger mène aussi
La même vie que toi.
Dès la pointe du jour
Il se lève et conduit
Son troupeau dans la plaine au loin et ne voit
Que des troupeaux, des sources,
Des herbages ; le soir,
Fourbu, il se couche,
Sans nul autre espoir.
Lune, dis-moi : sa vie
A-t-elle une valeur ?
Cette vie de berger aussi bien que la vôtre,
Lumières sidérales,
Qu'est-ce donc qu'elles valent ?

A-t-elle seulement un but ma brève errance ?
Vers où peut-elle tendre
Ton éternelle course ?
Vieux chétif et chenu,
Haillonneux et pieds nus,
Les épaules ployant sous un très lourd fardeau
Et par monts et par vaux
Sur des cailloux pointus le voilà qui s'enfonce
Dans le sable profond et à travers les ronces
Il quête son chemin
Sous le soleil brûlant
Ou qu'il vente, qu'il pleuve ou gèle à pierre fendre
Il marche, court, ahane,
Passe torrents et lacs,
Il tombe, se relève
Et sans nul bivouac
Se hâte de plus belle,
Déchiré, tout en sang
Jusqu'à ce qu'il arrive à l'endroit où s'achèvent
Sa route et son tourment :
Gouffre horrible et sans fond où il s'évanouit
Dans un oubli total.
Ô Lune virginale,
Voilà bien notre vie.

L'homme naît avec peine
Et risque de mourir dès après sa naissance ;
Il éprouve en premier le chagrin, la souffrance ;
Tout à fait au début
Père et mère ne font que consoler cet être
D'être au monde venu.
À peine grandit-il, l'un et l'autre n'arrêtent
De le soutenir et voilà qu'ils s'évertuent
Par gestes et paroles
De lui donner courage
Et de le consoler
De sa condition humaine :

Et les parents n'ont pas envers leur rejeton
D'autre devoir et rôle
Qui soient plus agréables.
Mais pourquoi faire naître
Et élever un être
Qu'il faudra consoler toute sa vie durant ?
Si la vie est un mal,
Pourquoi la prolonger ?
Ô lune sans souillure,
Être mortel c'est ça.
Toi qui n'es point mortelle
Peut-être n'as-tu cure
De tous ces beaux discours.

Mais c'est sans doute toi, solitaire, éternelle
Voyageuse, qui es
Si songeuse, c'est toi qui comprends tout le sens
De cette vie terrestre,
Le sens de nos soupirs et de notre souffrance
Et celui de la mort,
De ces traits blêmissants à notre heure dernière
Où nous quittons la terre,
Tous ceux que nous aimâmes
Et que nous fréquentions.
À coup sûr tu comprends
Le pourquoi de ces choses
Et tu vois à quoi servent
Le soir et le matin
En ce temps qui s'écoule en silence et sans fin.

Tu sais certainement à quel objet d'amour
S'adresse le sourire
Du printemps et tu sais
Qui jouit de l'été, ce que recherchent enfin
L'hiver et ses frimas.
Tu connais mille choses,
En découvre mille autres

Que le berger naïf jamais ne connaîtra.
Lorsque je te contemple
Planer dans ton silence au-dessus du désert
Dont l'horizon lointain avec le ciel se touche
Ou lorsque tu nous suis dans ton cheminement
Mes troupeaux et moi ; quand
Les astres dans le ciel ne sont qu'un flambeau,
Je me dis tout songeur :
Pourquoi ce firmament ?
Et l'éther infini
Que fait-il ? Et de même,
Cet infini profond, calme ? Que signifie
Cette solitude immense ? Et moi que suis-je ?
Voilà ma songerie.
Mais cette demeure orgueilleuse et sans borne
Et ces vivants sans nombre
Et tous ces mouvements sur terre et dans le ciel
Et tout ce branle-bas
Et ces cycles sans fin :
Je ne peux pas comprendre à quoi sert tout cela…
Mais toi certainement, toujours jeune, immortelle,
Tu connais l'univers, la clef de son mystère.
Quant à moi, je ne sais et ne sens qu'une chose :
De ce cycle éternel
Et de mon être frêle
Sans doute quelqu'un d'autre en tirera profit
Ou même du bonheur,
Cependant que pour moi la vie n'est que malheur.

Troupeau qui te reposes,
Ignorant ta misère :
C'est cela ton bonheur à mon sens ; oh, combien
Je t'envie du moment
Que tu n'éprouves presqu'aucun de mes tourments
Et que tes peines,
Tes craintes, tes revers, toi, ô mon doux troupeau,
Les oublies aussitôt.

Mais surtout je t'envie
De ne jamais sentir l'atteinte de l'ennui.
Couché dans l'herbe à l'ombre
Te voici joyeux, calme
Et c'est dans cet état que tu passes ta vie,
Sans jamais te morfondre.
Et pourtant moi aussi
À peine suis-je assis
Dans l'herbe et sous un arbre
Une gêne aussitôt assiège mon esprit
Et le trouble me gagne,
Un aiguillon me point ;
C'en est fait de ma paix,
J'ai perdu mon aplomb,
Je ne convoite rien, je n'ai nulle raison
De pleurer toutefois.
Pour moi tu es chanceux,
Lors même que j'ignore
Quel est ton bonheur et combien grand il peut être.
Moi, j'ai d'autres raisons de me plaindre, ô troupeau.
Si tu savais parler, je te demanderais :
Pourquoi tout animal
Qui se repose oisif et à loisir, pourquoi
Est-il satisfait ? Moi
Dans mon repos l'ennui
Aussitôt me saisit.

Si je pouvais voler au-dessus des nuages
Et compter une à une
Les étoiles ou bien
Si je pouvais gronder de sommet en sommet
Ainsi que le tonnerre,
Peut-être, ô mon troupeau, serais-je plus heureux.
Oui, je serais heureux peut-être, ô blanche lune ;
Ou peut-être du vrai s'écarte mon esprit,
Quand sur le sort d'autrui
Il s'interroge et pense :

Quelles que soient sa forme et sa condition,
Naît-on dans un berceau
Ou dans une tanière,
Peut-être est-il funeste à tous et à chacun
Le jour de la naissance.

Alessandro Manzoni

LE CINQ MAI

Il n'est plus [1]... Et son corps
Dans la mort est figé,
Que son puissant esprit
Abandonne à l'oubli.
Et la terre s'arrête,
Que frappe la nouvelle.

Elle songe, muette,
À l'heure dernière
De cet homme fatal,
Sans savoir quand viendra
Un autre pied fouler
Sa sanglante poussière.

Je l'ai vu sur son trône,
Auréolé de gloire.
Alors je me suis tu,
Ne mêlant pas ma voix
À celles qui chantèrent
Sa chute et ses victoires.

Pur de flagorneries
Et de lâches outrages,
Mon esprit s'est ému
À l'éclipse soudaine
D'un tel rayon et chante
Devant sa tombe une ode,

Immortelle peut-être.

Des Alpes à l'Égypte,
Du Rhin jusqu'en Espagne,
Après l'éclair sa foudre
Ne frappait qu'à coup sûr.
Du Don jusqu'en Sicile,
De l'une à l'autre mer [2],
On l'entendait tonner.

Était-ce une vraie gloire ?
L'avenir tranchera :
Moi, j'incline mon front
Devant le Créateur
Qui voulut imprimer
En cette créature
Sa marque la plus grande.

Il a tout éprouvé :
L'inquiète, orageuse
Joie d'un dessein immense ;
Obligé d'obéir,
Il regimbe, en songeant
À son futur empire
Qu'il conquiert : récompense
Inespérée et folle.

Il a tout éprouvé :
La gloire et les dangers,
La fuite et la victoire,
Le trône et l'exil triste,
Deux fois dans la poussière,
Deux fois sur les autels [3].

Il se nomme : et deux siècles,
Dressés l'un contre l'autre [4],
Attendent, subjugués,
Qu'il arrête leur sort ;

Leur imposant silence,
Il se pose en arbitre.

Il disparut. Une île
L'a vu finir ses jours
Dans le désœuvrement ;
Le voici tour à tour
Envié, détesté,
Aimé passionnément
Et plaint immensément.

Tel le flot qui écrase
Le naufragé, ce flot
Qui cache aux yeux quêteurs
Du malheureux qui sombre
Des rivages lointains
Qu'il ne peut entrevoir,

Ainsi ploya son âme
Sous ses lourds souvenirs !
Que de fois il tenta
De raconter soi-même
À la postérité [5] ;
Mais sa main lasse chut
Sur l'immortel feuillet !

Quand se mourait le jour
Dans un silence gourd,
Que de fois, bras croisés,
Immobile, il baissait
Ses regards traversés
D'éclairs, sous les assauts
De tant de souvenirs,
Revoyant en pensée
Les camps et les tranchées
Où pleuvait la mitraille,
Et les sabres au clair
Et le flot des chevaux

Et ses ordres éclairs,
Promptement obéis !

Ah, sans doute épuisé,
S'effondra son dépit
En proie au désespoir !
Mais le Ciel lui tendit
Une main secourable
Afin de l'emmener
Dans un monde meilleur ;

À travers les chemins
Fleuris de l'espérance,
Jusqu'aux champs éternels,
Jusqu'à la récompense
Qui comble tout désir,
Il parvint en ce lieu
Où la gloire éphémère
N'est que silence et nuit.

Ô toujours triomphante,
Foi, belle et bienfaisante,
Ajoute ce triomphe
Et jubile, immortelle !
Nulle grandeur humaine
Qui fût plus qu'elle hautaine
Ne s'est jamais soumise
Devant le Crucifié
De l'infâme Gibet.

De sa dépouille lasse
Éloigne l'anathème :
Ce Dieu toujours le même
Qui terrasse et relève,
Qui tourmente et console,
S'approcha de son lit,
De tous abandonné,
Pour veiller près de Lui.

Nota. [1] *Ei fu* : Il fut, il est mort. Ce pronom désigne Napoléon que le poète ne nomme pas, le titre de l'ode suffisant à éclairer le lecteur. 5 mai 1821, date de la mort de Napoléon à Sainte-Hélène.

[2] De l'une à l'autre mer : de la Méditerranée à la mer du Nord.

[3] Deux fois dans la poussière / Deux fois sur les autels : à l'île d'Elbe (1814) et à Sainte-Hélène (1815-1821) pendant l'Empire (1804-1814) et pendant les Cent-Jours (20 mars — 22 juin 1815).

[4] Deux siècles / Dressés l'un contre l'autre : le XVIIIe siècle, attaché aux anciens privilèges et le XIXe siècle, soucieux des Droits de l'Homme, du moins selon le point de vue de Manzoni, hostile à la Révolution française et surtout à la philosophie des Lumières.

[5] De raconter soi-même / À la postérité : allusion au *Mémorial de Sainte-Hélène*.

NAPOLÉON

Sur son triste rocher où mugissaient les vents,
Entendais-tu, dis-moi, la plainte sans répit
Des milliers d'inconnus, pour ta cause mourant ?

Parmi les cauchemars de tes nuits d'insomnie
Entendais-tu, dis-moi, l'appel de l'Italie,
T'appelant au secours, tel quelqu'un qui se meurt ?

Tes forfaits, tes exploits hors de toute mesure,
Tu les as accomplis toujours inconsciemment :
Et Dieu de tout ce sang qui ne put te repaître

Écrivit une langue aux mystérieuses lettres.

EXHORTATION

Frère, ne pleure plus ;
Lève ton âme à Dieu,
Humblement courageux,
Va, poursuis ton chemin,
Car parmi tant de pleurs
Qu'est-ce que ta douleur ?

Dans le noir angoissant,
Au réveil le matin
Songe à la mère veuve,

À l'enfant orphelin,
Songe à ceux des prisons,
À tous les exilés ;
Prie pour le condamné
À l'heure de sa mort.

Tu es homme ; l'angoisse
De tous tes frères humains
En toi accueille-la ;
Unis-toi aux vivants
Et à ceux qui vont naître ;
Que toutes ces douleurs
Ne soient qu'un chant d'amour
Qui vers Dieu montera !

MA LAMPE

Ma faible lampe, non,
N'a point l'éclat solaire,
Ne fume pas non plus,
Ne réduit rien en cendre,
Mais toujours en silence
S'élève vers le ciel
Qui l'alluma pour moi.

Elle vivra, quand mort
Je serai dans ma tombe ;
Vent ni pluie ne pourront
Ni les âges l'éteindre.
Et ceux qui passeront
Dans leur obscure errance
À ma faible lumière
Allumeront leur lampe.

À UNE FEUILLE

Ô feuille, qui légère à mes pieds viens de choir,
Par la brise arrachée, avec un doux appel
Sans doute te plains-tu d'être par moi foulée.

Souvent je suis passé mais sans songer à toi,
Pourtant pleine de vie au sommet de ta branche.
Je t'aime, feuille morte, et même tu me hantes.

Une amitié commune au creuset de mon âme
M'unissait à vous tous — feuille, brise, soleil —
D'un amour indistinct je vous ai tous chéris.

Tu n'es plus que poussière et boue, ô feuille douce ;
Tu naîtras à nouveau pour que ton harmonie
Se poursuive à mi-voix comme avant et toujours.

À mon tour, moi aussi, qui te sens vivre en moi,
Je tomberai sous peu, livrant mon cœur si frêle
À la fleur et à l'onde, au vent et à l'éther.

Mais au plus haut des cieux mon esprit dans son vol
T'emportera ravi, plein de reconnaissance ;
Et, pure idée enfin, d'un sourire immortel

Tu souriras au gré du sourire de Dieu.

Giuseppe Giusti

LE ROI SOLIVEAU

Au roi Soliveau
Dans la mare aux grenouilles
Chu, mon coup de chapeau
Et je m'agenouille,
Cornant bien haut
Que le Ciel l'envoie :
Que c'est chic, que c'est beau
Un roi Soliveau !

Dans son royaume
Il dégringola
À grand fracas :
Les têtes de bois
Ça fait du raffut ;
Mais vite il se tut
Et à fleur d'eau
Il se tint bête et coi,
Le roi Soliveau.

Dans tout le marécage
Où flotte ce machin :
« *C'est ça le souverain*
Qui fait tout ce tapage. »
Grenouilles de hucher :
« *Fait-il tout ce bourdeau*
Pour se faire huer,
Ce roi Soliveau ? »

« *Quoi ? un tronc raboté,*
Faut-il qu'on le couronne ?
Ou Jupin s'est gouré
Ou bien il nous couillonne :
Qu'on vide dare-dare
Ce roi sans cervelle !
Qu'il apparaisse à la barre,
Le roi Soliveau !

Chut ! ne pipez mot !
Laissez donc sur le trône
Ce bon roi de bois,
Ô vous deux fois bêtes !
Il ne vous gruge pas
Et vous laisse jaser
Sans vous couper la tête.
Un roi Soliveau. »

Dans son royaume humide
Flotter au gré du vent
Il se laisse çà et là
En paix, royalement ;
Les affaires d'État,
Ça n'est pas son affaire :
Ah quel savoir-faire !
Oh, quel roi de talent
Un roi Soliveau !

Par hasard s'il s'entête
À piquer une tête
Le voilà qui revient
Flotter à la surface
En bon soliveau !
Et le titre d'Altesse,
Ah, ce qu'il sied bien
Au roi Soliveau !

Voulez-vous le serpent

Qui vos sommes dérange ?
Dormez béatement
Au fond de votre fange,
Impuissants, triples sots !
Pour qui n'a pas de dents
Il va comme un gant,
Un roi Soliveau.

Ce peuple a de la veine :
Du bon sens, pas la peine.
Quel peuple bon enfant !
Quel modèle édifiant
Un roi dur comme bois !
C'est tout de même beau
Un roi Soliveau !

Nota. Dans les versiculets de ce badinage, écrit en 1842, Giusti s'inspire d'une fable connue d'Ésope, reprise par Phèdre et par La Fontaine, pour tourner en ridicule avec une certaine malice, mais sans malveillance, Léopold II, grand-duc de Toscane, qu'on avait affublé du sobriquet Canapone (gros chanvre) ou bien encore Toscano Morfeo (le Morphée toscan), pour sa nonchalance et bonhomie.

L'ESCARGOT

Vive l'escargot,
Bête du reste
Vertueuse tout comme
Elle est modeste.
Peut-être le maçon
Et l'astronome
Se sont inspirés d'elle,
La prenant comme modèle
Pour la lunette
Et l'escalier qu'on nomme
À colimaçon.

Vive l'escargot,
La brave bête !

Content du bien-être,
Cadeau du bon Dieu,
Il est le Diogène
De tous les animaux,
Notre escargot.
Il ne se promène
Pas plus loin que chez lui,
Puis il se recoquille ;
Peinard et routinier,
Il n'attrape jamais
La moindre roupie.
 Vive l'escargot,
 Ce casanier !

Que de mets étrangers
Vous émoustillent
D'autres papilles,
D'autres estomacs
Sans appétit ;
Mais se portant bien, lui,
Il aime à brouter
Tout doux, sans se presser,
L'herbe qui pousse
Dans son terroir, chez lui.
 Vive l'escargot,
 Sobre et dispos !

Nul ne sait avoir
Politesse et raison ;
Il est plus d'un âne
Qui se pose en lion :
Mais lui, l'escargot,
Une bête au fond,
À bon escient vous cache
Ses cornes, quand il faut.

Il n'est pas bravache,
Mais crachouille et se tait.
    Vive l'escargot,
    Bête aimant la paix !

Nature sans relâche
Produit des prodiges :
Aussi lui donna-t-elle
Ce joli privilège
Parmi tous les êtres
(Écoutez ça, bourreaux)
De lui faire renaître,
Sitôt tranchée, la tête.
C'est incroyable
Mais indéniable.
    Vive l'escargot,
    Bête enviable !

Cuistres, vieux hiboux,
Tous vos prêchis-prêchas
N'apprennent trois fois rien
À votre prochain,
Et vous, rouleurs de bosse,
Vous, goinfres et noceurs,
Vous, les patrons féroces,
Vous, les larbins fourbus,
Allons ! Tous en chœur
Reprenons ce refrain
Que je vous chante :
    Vive l'escargot,
    Bête édifiante !

DEUX ÉPIGRAMMES

I

Le bon sens qui jadis régnait en roi
Est aujourd'hui mort tout à fait ;
C'est la science qui le tua
Pour voir comment il était fait.

II

Faire un livre ça ne vaut pas tripette en somme,
Si le livre qu'on fait ne refait pas les hommes.

Mario Rapisardi

À L'ETNA

Maintenant que les champs au mois de mai fleurissent
Et qu'au soleil parfums et chansons se réveillent,
Dans toute ta splendeur, caressé par les brises
Salutaires, joyeuses, ton sommet, tu le dresses.

À tes pieds vont danser et Sirènes et Sylphes,
Tandis qu'au fond de toi Géants et philosophes
Grondent, toi, de guérets et de bois tu te couvres
Et de sables vermeil avec tranquillité.

De ma retraite, à l'art et aux chers souvenirs
Propice, Etna, je te regarde et je me tais ;
La mer immense au loin est toute bleuissante.

Si je songe à vos sordides rivalités,
À vos haines, hommes querelleurs et petits,
Je souris de pitié plutôt que de dépit.

LA SAINT-BASTIEN

À l'âge des ébats qu'on regrette à jamais
Et vers qui vole encor toute pensée morose,
À la *Saint-Bastien* je séchais l'école, où
Je gribouillais de latin mes pauvres cahiers.

Désirant les accents d'une langue plus belle,
Ce jour-là, fouillant les haies du champ paternel,
Je m'en allais quêtant la craintive violette
— Celle qui m'annonçait le déclin de l'hiver.

Ce qu'à présent je cueille en mes bouquins arides
Où longtemps je me plonge, y polissant des mots,
C'est une fleur plus noble et non moins convoitée ;

Une fleur, elle aussi, blottie au cœur des ronces ;
Mais plus elle se cache et la pluie la harcèle,
Plus s'enivre mon cœur du parfum qu'elle exhale.

Nota. On fête la Saint-Bastien (ou Saint-Sébastien) le 20 janvier,
jour où apparaissent les premières violettes ; d'où le dicton : *San
Bastian, dalla viola in man* (Saint-Bastien, violette en main).

PLUIE D'ÉTÉ

La cigale a cessé son strident hourvari
D'un vol oblique à ras de terre l'hirondelle

Passe et s'évanouit. Une blanche colombe
Se pose sur un toit et se lisse les ailes.

De canards bigarrés une bande joyeuse
Évite avec des cris les gouttes crépitantes ;
Une légère odeur de poussière mouillée
Monte depuis le sol. Et le soleil se joue

Au travers de la pluie qui tambourine et brille
Comme des fils d'argent. Autour de ma villa
Le ruisseau retentit à l'égal d'un torrent.

J'aperçois sur ses bords un enfant qui sautille
Et s'avance pieds nus : il laisse au fil de l'eau
Flotter et s'en aller ses barques en papier.

LE COQ ET LE FAUCON

Tout là-haut, un faucon sous les nuages,
Avec lenteur, plane et fait de grands cercles ;
Une poule, perçant l'intention
Du prédateur, a mis ses poussins

À l'abri d'une haie. Mais, se carrant,
Bouffi d'orgueil et de courroux, un coq,
Le cou dressé, regarde sans ciller
Le rapace, assoiffé de sang. Voilà

Qu'il fond comme l'éclair ; mais, d'un bond,
De ses griffes crochues et de son bec,
S'opposant à des assauts répétés,

Le coq repousse et fait fuir le rapace.
Ses deux ergots encore ensanglantés,
Lui, il entonne un poean triomphal.

NUAGES

Ô nuages légers, qu'il est beau, votre aspect,
Ondoyant et divers dans vos métamorphoses !
Le vent vous chasse comme un troupeau fuyard
Qui s'effare à travers les célestes pâquis.

Nuages chatoyants mi-topaze mi-pourpre,
L'un liséré d'argent et l'autre d'un feu vif ;
Celui-ci me rappelle un farouche Centaure
Et tel autre m'évoque un gros monstre marin.

Comme dans le désert passent les caravanes,
Vous traversez les airs par foules successives ;
La couleur et la forme en vous changent sans cesse,

Vous vous renouvelez, tout en restant les mêmes.
Les races des humains mêmement ici-bas
Passent pour ne laisser comme vous nulle trace.

LE GRILLON DU FOYER

Aussi doux qu'un ruisseau sur des galets moussus,
Que le grêle grelot d'une montre-réveil,
J'aime entendre ton cri qui flatte mon oreille,
Ami grillon, tapi dans le creux du foyer.

Au fond de ton abri, grillon, tu te tiens coi,
Chantant sans te lasser et comme par routine ;
Calé dans mon fauteuil, je paresse, écoutant
Ton appel et j'oublie mon lit chaud qui m'attend.

Ma veilleuse dérobe à mes yeux alourdis
Que ferme le sommeil, les sursauts de la flamme
Mourante ; ta chanson avec ma songerie

Se mêle et se confond et, pareil au navire

Léger que le vent pousse à la merci de l'onde,
Je flotte et je m'endors, glissant au fil du songe.

LE SOMMEIL

D'abeilles butineuses
Confus bourdonnement ;
Le murmure du vent,
Captif dans un sous-bois.

Mon âme nage et s'enivre ;
Ma vue se brouille et je vois
Les lettres devenir floues
Sur la page de mon livre.

Je vois des campagnes sombres
De solitaires endroits ;
Montagnes et bergers passent,
Lacs et montagnes sans nombre.

Un fleuve souterrain
Suit doucement sa pente,
Au fil de son eau lente
Qui dans l'oubli m'entraîne.

PROMENADE MATINALE

Je quitte ma demeure, alors que la montagne
S'empourpre à son sommet, quand apparaît l'aurore,
Et qu'au ciel l'alouette éperdument grisolle
Au-dessus d'un bœuf et de son halo de brume.

À mesure qu'il monte au long des pentes roides,
Le soleil de biais me frappe, et mon ombre immense
Accompagne mes pas et au loin se projette

Sur les haies, par-delà les deux berges du fleuve.

Je regarde et souris, lorsque je vois mes jambes
Bouger et s'allonger si démesurément.
Je cherche en vain ma tête : elle se perd au loin.

Toute floue, au milieu des branches et de l'herbe ;
C'est ainsi que se perd l'esprit de l'être humain,
Croyant par sa pensée prendre un essor sans bornes.

RUTH

Midi brûle. Les champs tout esseulés se taisent
Où les blés déjà mûrs dans la plaine sans fin
Déroulent l'ondoiement léger de leurs épis,
À peine soutenus par leurs tiges, trop grêles.

Ce n'est ni le Sylvain ni les Faunes cornus,
Hantant cette heure chaude et répandant l'effroi
Chez les gens d'autrefois ; mais c'est Ruth que je vois,
Ruth la belle glaneuse, au milieu des moissons,

Passer, la taille haute. Et ses cheveux se mêlent
À tous les épis blonds et l'azur des bleuets
Étincelle et fleurit dans ses prunelles bleues,

Tandis que sur ses joues qu'elle veut me cacher,
En marchant tête basse, une flamme de pourpre
Flambe de l'éclat même du coquelicot.

LE MENDIANT

Il est midi. Dessous l'ombrage d'un noyer
Qui dispute son fût hautain et fort aux ans
Un mendiant s'assied pour moudre sa rengaine
De sa geignarde voix. Le chien de ferme aboie

Toute sa haine aux gueux. Mais la bonne fermière,
Sortant de sa masure où mitonne la soupe
Pour son mari qui trime, apporte au mendiant
Qui lentement se signe, une miche de pain.

Sur ses genoux tremblants il dépose ce don
Modeste par lequel il va tromper sa faim.
Autour de lui la poule en quête gratte et glousse,

Tandis qu'un jeune coq vous lorgne chaque miette
Et, dès qu'il en tombe une, il la guette, il s'arrête
Et la picore, cou tendu comme un ressort.

MON DOMAINE

Contre tous les arpents qu'un épervier pourrait,
Un jour d'été, couvrir de son vol à grands cercles,
Je ne troquerais pas mon humble coin de terre
Où je laisse à son gré flâner ma rêverie.

Ô mon lopin de terre, assurément petit !
Le rossignol a-t-il un domaine plus grand ?
Une branche suffit pour qu'au bois tout entier
Il puisse confier sa joie et son douloir.

Je ne souhaite pas pour mon coin de campagne
Le fracas d'un torrent qui gronde et qui se brise,
Hautain, sur le rocher qui insulte ses berges ;

Je ne veux après tout qu'un filet d'eau jasarde,
Tapi dans les roseaux et dans les aubépines
Et qui cerne à l'entour mon tout petit royaume.

CLAIR DE LUNE

Nuit chaude. Dans les prés des essaims de lucioles
Font gicler en tous sens des gerbes d'étincelles
Comme d'un fer rougi sous les coups de marteau.
Et dans l'*Astichello* [1], mon fleuve familier,

Aux flots calmes et clairs, la lune vient flotter ;
Des fermes d'alentour montent des aboiements
Qui troublent par à-coups le feuillage et la brise,
Alourdis de repos. De son vol lent et lourd

Que jalonnent les toits, la chouette est en chasse
Et jette la panique aux nids des hirondelles
Par ses sinistres cris. Et cependant la paix

Du ciel et de la terre en nappes se déverse,
Accable un rossignol qui par intermittence
Égrène sa roulade entre deux longs silences.

> **Nota.** [1] L'Astichello, affluent de l'Astico, petit cours d'eau de la province de Vérone. C'est sur sa rive gauche, à Cavazzale, que le poète se fit bâtir une villa en 1878 où il mourut.
> L'abbé Zanella était professeur à l'université de Padoue.

LA VILLA DU POÈTE

Je me suis fait bâtir une villa petite,
Qui a une façade d'à peine quinze mètres ;
Plutôt que de sol, elle est riche d'air serein
Et d'un large horizon, propre à la poésie.

D'un côté la dorsale enneigée de mes Alpes,
S'étageant peu à peu de montagne en montagne,
Et de l'autre, le paisible Astichello argenté
Dont le pont, peint en rouge, enjambe l'eau courante.

Datur hora quieti [1] : c'est sur la plaque en bronze
Du fronton qu'est gravé ce vers de l'*Énéide*
Dans lequel Virgile évoque Palinure,

Sombrant dans le sommeil et aussi dans la mer.
Naufragé de moi-même et du monde, je peux
Ici boire l'oubli de l'univers entier.

Nota. [1] *Datur hora quieti* (Cette heure est consacrée au repos), Virgile, *Énéide,* ch. V, vers 844.

LE SOMMEIL

De butineuses abeilles
Un vague bruissement
Et les brises étouffées
Au cœur feuillu des feuillées
Murmurent à mes oreilles ;
Et mon âme s'en enivre,
Mes yeux clignent et se brouillent
Sur les pages de mon livre.

Des chaumines solitaires,
Des campagnes ombragées,
Des troupeaux et leurs bergers,
Des montagnes, des rivières
Défilent sous mes paupières,
Alourdies par le sommeil.

Un fleuve suivant sa pente
Insensiblement déclive,
Glisse et disparaît sous terre
Et m'entraîne avec lui
Sur les vagues de l'oubli.

LE CHANT DU CYGNE

Le rivage du lac assombri de mélèzes
S'arrondit mollement, tandis qu'un cygne nage,
Éclatant de blancheur, sur l'eau claire et dormante.
Le cygne qui se meurt glisse, tout doucement,

Dans toute sa blancheur sur le noir de l'onde.
Tourné vers le soleil, il chante ; et sa chanson
Est la plainte qu'exhale un être agonisant
Et qui monte jusqu'où l'astre s'évanouit.

Ce chant résonne au loin, suave et caressant ;
Tout l'air en est rempli, sur les champs esseulés
Plane une tristesse éperdue et diffuse.

À l'heure du couchant voici que le doux chantre
Cache son col ployé sous son aile éclatante
Et son âme s'envole avec son dernier cri.

LA ROSE MOURANTE

Dans un vase irisé dont des pierres précieuses
Rehaussent le cristal, parure du salon
D'une noble demeure, une rose écarlate
Se meurt, en exhalant son âme parfumée.

Le salon autour d'elle, éclatant, fastueux,
Rutile de miroirs, de tentures et d'ors,
Tandis que de soleil un rayon, chu du ciel,
Brûle, chatoie et dort sur la tapisserie.

Mais la rose épuisée où glisse et va s'éteindre
Le rayon du soleil qui jadis l'empourprait,
Ignore cette pompe et tout ce faste vain.

Et dans son agonie elle rêve et supplie
Le sauvage jardin, ses plates-bandes folles,
La ronce échevelée et son buisson natal.

LES SOLITAIRES

C'est solitairement que le lion s'avance
Et l'aigle plane aussi en toute solitude :
Est-ce par noble ennui ou par amour de puissance,
Toujours est-il qu'un fort vit dans la solitude.

La savane pour l'un et pour l'autre le ciel
De gloire et de mystère embellissent la voie
Que se fraient ces deux forts, mais qui est interdite
Aux autres animaux, dépourvus de pensée,

Qui marchent en troupeaux, aiment leur râtelier
Et leur servitude. Mais pour ces deux puissants
Rien n'est plus indigne qu'un abject esclavage.

Même lorsque parfois dans des cages en fer
Ils se meurent en proie au chagrin, à la rage,
Sur ces deux moribonds souffle un air de grandeur.

ÉROS

À l'heure où tout objet
De ténèbres se voile,
L'Amour et les étoiles
Devisent dans le ciel.

À l'heure où l'hirondelle
Frôle les toits, alors
La rosée et les fleurs
Dialoguent entre elles.

À l'heure où il n'est plus
De bals mondains, alors
Les coraux et les perles
Se parlent dans la mer.

Et nous, ma douce enfant,
Frémissants et mêlés
Au Tout ou au Néant,
Embrassons-nous encor.

LE GRILLON

Petit, noir et bien cornu,
Parmi les fleurs et le gazon
Sous la ronce et sous le jonc
J'habite un logis cossu.

Or et argent, point du tout ;
De haut en bas de la terre ;
Ronde et profonde, un vrai trou,
Mais c'est ma gentilhommière.

Si le fétu d'un gamin
M'extirpe hors de mon trou,
Voilà que je deviens
Son plus cher et beau joujou.

Je chante à l'aube et le soir,
Je mange et chante où que je loge ;
Moinillon en bure noire,
Du printemps je fais l'éloge.

Le chant d'un grillon, qu'est-ce ?
Presque rien ou si peu !
Si je me tais, quelle tristesse !
C'est chanter que je veux.

Puisqu'il faut bien que je meure
Pour moi pas d'enterrement ;
Personne à ma dernière heure,
Ni frère ni parent.

Mais tout cela, que m'importe !
Si je meurs dans la nature,
Quand de ma dépouille morte
Personne n'aurait cure,

Je mourrai comme un monarque,
Puisque fleurs, gazon et ciel
Du grand deuil auront la marque ;
Et c'est cela *l'essentiel.*

Olindo Guerrini

RIZ AMER

Sur la digue boueuse et désolée
      Et sous le ciel qui s'assombrit,
Selon l'ordre reçu, un soldat monte
      La garde et regarde la plaine.
Au loin pas un chant, pas même un murmure,
      Car tout se tait dans les masures ;
Ni la fumée en volutes bleuâtres
      Ne s'étire hors des pauvres âtres,
On n'entend rien qu'une plainte qui traîne
      Et que se meurt au loin :
Ce sont des enfants qui crèvent de faim…

La faim, la misère et la peur écrasent
      La plaine, la morne plaine !
Et le soldat pense : « *Frères humains,*
      Vos pleurs, nous les refoulons par nos armes,
Hélas ! Aujourd'hui, si chez moi le pain
      Manque, il y aura des gendarmes ! »

CONTRASTE

Au fond d'une cour, dans une cabane
Le houblon s'entortille autour des roseaux ;
Dans l'air frais flotte une odeur agréable
— Celle de la vanille et du jasmin.

Une Hébé, grande et mince, et presque nue,
Sourit, tout en lorgnant, sans sourciller,
Sous un banc, des pigeons qui roucoulent d'amour.
Et le vent matinal passe et chuchote.

Il chuchote et raconte à un peuple joyeux
De flamboyants jasmins et de violettes
Les lointaines amours de plates-bandes

Lointaines. Que d'amour, que de joie en ce monde
De quelques pas s'éveillant au soleil !
Oh, que de vie ! Et moi, je suis un moribond.

Giosuè Carducci

LE BŒUF

(1re version)

Je t'aime, ô bœuf pieux, qui verses dans mon cœur
Ta paix et ta vigueur qu'avec douceur je sens,
Selon que, solennel tout comme un monument,
Tu regardes les champs sans bornes et féconds.

Ou que, content du joug sous lequel tu te courbes,
Tu aides pesamment l'homme agile à l'ouvrage ;
Il t'exhorte et te pique, alors qu'avec lenteur
Tournant vers lui tes yeux patients, tu réponds.

De tes larges naseaux noirs, fumants et humides
S'exhale ton haleine ; en un hymne de joie,
Ton beuglement dans l'air serein s'évanouit ;

Et au fond de l'austère douceur de ton œil
Glauque et grave se mire, immense et pacifiant,
Le divin et le vert silence de la plaine.

LE BŒUF

(2e version)

Je t'aime, ô bœuf, qui dans mon cœur épanches
Un doux sentiment de force et de paix,

Soit que, solennel comme un monument,
Tu regardes les champs féconds et libres,

Ou que, content du joug, tu t'y soumettes.
L'homme, agile au travail, tu le secondes ;
Il t'exhorte et te pique et tu réponds,
Tournant vers lui tes yeux lentement, patiemment.

Par tes naseaux larges, noirs et humides
Fume ton souffle, et ton mugissement
Dans l'air calme se perd, hymne joyeux.

Dans l'austère douceur de ton œil glauque et grave
Se mire calmement, avec ampleur,
De la plaine le vert et divin silence.

IL PASSE MON NAVIRE...

Sur une mer houleuse il passe mon navire :
Il est seul, les sanglots des alcyons l'escortent ;
Le fracas de la foudre et le choc dur des flots
Sans le moindre répit assaillent sa carène.

Le rivage s'estompe et s'efface à jamais
Vers où le souvenir tourne dans ses yeux en pleurs ;
Sur l'aviron brisé l'espérance vaincue
S'effondre, renonçant à découvrir un havre.

Mais debout sur la poupe où d'une voix plus forte
Que tous les grincements des vergues et des vents,
Mon génie chante et scrute et la mer et le ciel.

« Voguons, dit sa chanson, *ô mon triste équipage,*
Sans espoir, voguons vers l'oubli — ce port des brumes —
Et cap sur ces falaises blanches de la mort. »

MIDI DANS LES ALPES

Au-dessus du granit, blafard et désolé,
Au-dessus des glaciers de blancheur éclatante,
Midi règne et rayonne en son infinité,
Dans son vaste silence et dans son apaisante

Profondeur. Haut dressés pins et sapins sont là,
Pénétrés de soleil et sans la moindre brise.
Un faible son de luth sur les galets se brise :
Celui d'un filet d'eau qui s'est enfui déjà.

LA SAINT-MARTIN

Les brumes de l'automne
Montent vers les coteaux ;
La mer gronde et moutonne.
Dans les rues du hameau

L'odeur du vin nouveau
Qui fermente et chantonne,
S'exhalant des cuveaux,
Égaie le cœur des hommes.

La broche tourne et pleure ;
Le chasseur cependant
Au seuil de sa demeure
Regarde en sifflotant

Dans les nuages roses
Des bandes d'oiseaux noirs,
Tels des pensers moroses,
Émigrer dans le soir.

PLAINTE ANCIENNE

Le grenadier vert tendre
Aux fleurs rouges et belles
Vers lequel tes mains frêles
Aimaient alors se tendre,

Au verger solitaire
Vient de refleurir
Et chaleur et lumière
Vont le ragaillardir,

Ô toi, fleur de ma chair,
Foudroyée et flétrie,
De mon oiseuse vie
L'unique fleur dernière,

La froide et sombre terre
Te garde. Le soleil
Ne t'éjouit plus guère
Ni l'amour ne t'éveille.

EN PASSANT DEVANT SAN GUIDO

Les cyprès, hauts et nets, en une double ligne,
Allant de San Guido jusques à Bolgheri [1],
Tels de jeunes géants lancés au pas de course,
Bondirent devant moi, puis me dévisagèrent.

Et, me reconnaissant : *« Te voilà de retour
Enfin !* me dirent-ils tout bas, penchant leurs têtes :
*Pourquoi ne pas descendre et ne pas faire halte ?
Tu connais le chemin et le soir est si frais.*

*De grâce viens t'asseoir sous notre ombre odorante
Où souffle le mistral qui nous vient de la mer,
T'en vouloir pour tes coups de pierre d'autrefois ?*

Mais pas du tout : d'ailleurs ils étaient anodins !

Nous portons comme alors des nids de rossignols :
Voyons, pourquoi t'enfuir aussi rapidement ?
Tout comme dans le temps les moineaux, chaque soir,
Entremêlent leurs vols. Oh, reste parmi nous ! »

— *« Mes beaux et chers cyprès, doux cyprès de mon cœur,*
Mes fidèles amis de l'heureux temps jadis,
Je voudrais bien rester avec vous de plein gré
— Dis-je, en les regardant — oui, vraiment de plein gré !

Mais laissez-moi partir, mes chers et beaux cyprès ;
Ce temps de mon enfance est bel et bien passé.
Ah, si vous le saviez ! Mais pas pour me vanter,
Me voilà maintenant une célébrité.

J'écris et puis je sais le grec et le latin
Et je possède aussi plein d'autres qualités ;
Je ne suis plus, mes chers, ce petit garnement :
Des pierres, voyez-vous, moi, je n'en jette plus ;

Aux arbres, surtout pas. » — Un chuchotis fusa
Qui fit trembler le haut des cyprès incrédules
Et le soleil couchant fit rosir les verts sombres,
Tandis qu'il souriait bienveillant et moqueur.

Lors, je compris que les cyprès et le soleil
Avaient à mon égard une aimable pitié ;
Leur murmure eut tôt fait de se changer en phrases :
— *« Va, nous le savons bien ; toi, tu n'es qu'un pauvre homme.*

Nous le savons, dès lors que nous l'a dit le vent,
Ravisseur des soupirs des hommes ; nous savons
Que d'éternels conflits en ton for intérieur
S'attisent sans répit et sont inextinguibles.

Tu peux nous confier à nous et aux chênes
La douleur, propre à l'homme, et ta propre tristesse.

Tu vois comme la mer est calme et toute bleue,
Et le soleil exulte, en plongeant dans son sein !

Le ciel du couchant est tout zébré de vols
Et les cris des moineaux redoublent de gaieté !
Les rossignols, la nuit, moduleront leurs trilles.
Reste, et ne poursuis pas ces fantômes néfastes :

Ces fantômes, venus des sombres profondeurs
De vos cœurs, harcelés par l'inquiète pensée,
Jaillissent : on dirait ces feux follets dansants
Qui, sortis des tombeaux, précèdent le passant.

Arrête-toi : demain, à l'heure du midi,
Où l'on voit les chevaux à l'ombre des grands chênes
L'un l'autre se flairer et où tout est silence
Dans la plaine brûlante à des lieues à la ronde,

Nous chanterons pour toi, nous les cyprès, les chœurs
Que le ciel et la terre alternent de tout temps.
Les Nymphes sortiront de ces ormes là-bas
Et de leurs voiles blancs elles t'éventeront,

Cependant qu'à cette heure où, solitaire, il rôde
Tour à tour dans les plaines et sur les monts déserts,
Le dieu Pan éternel dans l'accord du Grand Tout,
Homme, fera sombrer tes soucis lancinants. »

Et moi : — « *Titti* [2] *m'attend par-delà l'Apennin,*
Répliquai-je à mon tour. *Laissez-moi m'en aller ;*
Car ma fille Titti, pas plus grande qu'un piaf,
N'a pas pour se vêtir des plumes comme lui ;

Et pour sa nourriture il lui faut autre chose
Que des noix de cyprès : je ne suis pas, non plus,
Un manzonien [3] *qui mange à quatre râteliers.*
Adieu, mes chers cyprès, ma douce plaine, adieu ! »

— « *Mais alors, que veux-tu que nous disions*
Au cimetière où ta grand'mère est enterrée ? »

Et les cyprès fuyaient comme un cortège en deuil
Qui marche à pas pressés marmonnant des prières.

Du sommet du coteau, venant du cimetière
Et longeant la venelle herbeuse des cyprès,
Je crus revoir alors ma grand'mère Lucie,
Grande et majestueuse et tout de noir vêtue :

Madame Lucie aux cheveux blancs ondulés
Dont la langue toscane *(alors qu'elle est si sotte*
Chez tous ces manzoniens singeant le populo [4]
De Florence) coulait de source de ses lèvres ;

Cette langue chantante de la Versilia
Qui résonne en mon cœur avec ses sons plaintifs,
Cette langue, à la fois toute douceur et force,
Pareille au *serventois* [5] du Quatorzième Siècle.

Qu'il était beau, ce conte, ô grand'mère, ô grand'mère,
Quand j'étais un enfant ! Me voilà homme sage :
Veux-tu me le dire encore une fois le conte
De la femme en quête de son amour perdu ?

« Moi, pour te retrouver, sept paires de chaussures
À semelles de fer, je les ai éculées,
Et sept bâtons de fer je les ai tous usés
Sur les chemins où me poussa ma destinée ;

À ras bord j'ai rempli ces sept vases de larmes,
Des larmes d'amertume au long de sept années :
Tu dors, hélas ! malgré mes cris et mes alarmes ;
Le coq chante, mais toi, tu ne veux t'éveiller. »

Qu'il est beau, qu'il est vrai, ce conte, ô mère-grand,
Tout autant qu'autrefois ! Il en est bien ainsi :
Ce qu'en vain j'ai cherché, du matin jusqu'au soir,
Tout au long des années, peut-être est-il ici,

À l'ombre des cyprès où je n'espère plus,
Où je ne songe plus à m'arrêter un jour ;

Ou peut-être, grand'mère, on pourrait le trouver
Dans votre cimetière, ce coin si solitaire

Sous les autres cyprès — Et le train haletait
Dans sa course, tandis que je pleurais tout bas.
De poulains hennissants une harde gracieuse
Caracolait, joyeuse, au-devant de ce bruit.

Mais un âne grison grignotait un chardon,
Bleuâtre et rouge, sans même se déranger ;
Et, plein d'indifférence au vacarme du train,
Il ne broutait pas moins, gravement, lentement.

Nota. Poésie écrite entre le 23 et le 26 décembre 1874.
  Carducci voyage dans le train qui le mène à Bologne, il occupe, depuis 1860, une chaire de littérature italienne et de lettres classiques à l'université de cette ville.
  [1] San Guido (un oratoire) et Bolgheri sont des lieudits, situés dans la commune de Castagneto (aujourd'hui : Castagneto-Carducci), dans la Maremme (plaine côtière, basse, autrefois marécageuse). C'est dans cette région que vécut le poète depuis l'âge de trois ans jusqu'à l'âge de quatorze ans. Non loin se trouve Viareggio, petite ville balnéaire, très courue non seulement par les estivants, mais aussi par les festivaliers. Fameux le prix littéraire Viareggio (l'équivalent du prix Goncourt italien) et le Carnaval.
  [2] La Titti, diminutif de Liberta, la plus jeune des trois filles du poète, âgée alors de deux ans.
  [3] Un manzonien : un de ces écrivains ou politiciens de droite qui, se réclamant de Manzoni, soutiennent les idées esthétiques et conservatrices à la mode, contre lesquels réagissait assez violemment Carducci, laïque et républicain bon teint, avant son tardif ralliement à la monarchie. Ainsi ces chasseurs de prébendes obtiennent-ils de l'État de substantiels avantages, d'où l'allusion satirique aux quatre râteliers. Dans l'original, il est dit littéralement : « Je ne touche pas quatre émoluments pour mon pot-au-feu. »
  [4] *Stenterello*, traduit en l'occurrence assez librement par le *populo de Florence*. Il s'agit du nom donné au masque florentin dans la commedia dell'arte. Carducci désigne par là ces écrivains, épigones de Manzoni, qui, sur l'exemple de leur maître, affirmaient la suprématie de la langue toscane, mais de manière artificielle, pédante, outrancière et donc ridicule.

Serventois : sirventès (en Provence), serventois (dans le nord de la France), poème didactique ou politique, destiné au peuple et particulièrement répandu au XIVe siècle.

AUX SOURCES DU CLITUMNE

Du haut de la montagne où murmurent et houlent
Au vent des frênes noirs, où les brises au loin
Répandent la senteur des sauges bocagères
Et les parfums du thym,

Des troupeaux descendent encor vers toi, Clitumne,
Dans la fraîcheur du soir ; c'est aussi dans tes eaux
Que l'enfant ombrien plonge comme autrefois
Sa rétive brebis,

Tandis qu'un nourrisson se détache du sein
De sa mère hâlée qui, nu-pieds, chante, assise
Auprès d'une masure : et la frimousse ronde
Se tourne vers le père

Et lui sourit ; songeur, tel un Faune mythique,
Ses flancs enveloppés dans une peau de bique,
L'homme conduit ses beaux et puissants bouvillons
Tirant un chariot,

Superbes bouvillons au poitrail d'une carrure
Très forte, aux cornes, dressées en croissant de lune,
Aux doux yeux et au pelage blanc comme neige
Qu'aimait le doux Virgile.

Sur l'Apennin voilà que fument des nuages :
Et du haut de ses monts qui s'échelonnent
À la ronde étagés, l'Ombrie regarde, grande,
Austère et verdoyante.

Salut, ô verte Ombrie, salut à toi, Clitumne,
Dieu de la source pure ! Au fond de moi je sens

Mon antique patrie ; l'aile rafraîchissante
Des dieux italiques

Frôle mon front en feu. Sur tes berges sacrées
Le saule pleureur par qui donc fut-il planté ?
Que le vent d'Apennin t'arrache, arbre alangui,
Chéri par les époques

D'humiliation ! Qu'ici l'yeuse noire
Dont le tronc juvénile est habillé de lierre
Contre l'hiver se batte, en mai qu'elle frémisse
De légendes secrètes !

Qu'ici les cyprès drus autour du dieu sortant
De l'eau, soient des géants qui veillent ! Toi, Clitumne,
Chante à l'ombre des vers, disant de la patrie
Les hautes destinées.

Témoin de trois empires, dis-nous comment face
Au vélite, armé de lance, dut reculer
L'Ombrien cuirassé dans d'atroces duels
Et comment a grandi

La puissante Étrurie et comment le dieu Mars
Franchit le Ciminius pour fondre tel un aigle
Sur les villes liguées, plantant les étendards
De l'orgueilleuse Rome.

Mais toi, dieu du terroir, commun aux Italiens,
Tu réconcilias vainqueurs et vaincus, et,
Dès lors que gronda depuis le Trasimène
La punique fureur,

Un grand cri s'élevant à travers tes cavernes ;
Le fracas des buccins répercuta ce cri
Du haut des monts : — *Ô toi qui fais paître tes bœufs*
Près de la brumeuse

Bévanie et toi qui laboures les collines
Déclives sur la rive gauche de la Néra,

Toi qui abats les bois au-dessus de Spolète
Ou toi qui te maries

Dans Todi, laisse ton bœuf gras dans les roseaux,
Laisse ton taurillon au milieu du sillon,
N'enfonce pas le coin dans le chêne qui penche,
Laisse ton épousée

À l'autel ; et accours vite avec ta cognée
Et armé de tes dards, de lance et de massue ;
Le farouche Hannibal menace les pénates
Italiens, accours ! —

Oh, le rire éclatant du soleil nourricier
Tout autour de l'enclos de ces belles montagnes,
Quand Spolète la haute a pu voir la déroute
Des cavaliers numides

Et des Maures féroces dans une mêlée
Sanglante, tandis que sur eux tombaient des flots
D'huile bouillante, des nuées de projectiles,
Les chants de la victoire !

Tout se tait à présent. Je regarde monter
Dans un calme remous un mince jet trembleur
Qui tombe pour rider le miroir de ces eaux
Qui bouillonnent à peine.

Ensevelie au fond une forêt riante,
Figée, toute petite, agite sa ramure ;
L'améthyste se mêle au jaspe, dirait-on,
En étreintes lovées.

Les fleurs ont du saphir l'apparence, elles ont
Du diamant les reflets et leur éclat est froid ;
C'est ainsi que ces fleurs invitent aux silences
Des vertes profondeurs.

C'est la source, Italie, de tes chants poétiques
Naissant au pied des monts et à l'ombre des chênes

Et avec les fleuves. Les Nymphes ont vécu.
Oui, elles ont vécu :

Lit nuptial pour des dieux. Dans leurs voiles ondoyants
Émergeaient de longues Naïades bleues, lesquelles
Appelaient à grands cris dans le calme du soir
Leurs brunes Sœurs des monts.

Sous la lune montante elles menaient leurs danses,
Chantant en chœur de Janus éternel
L'amour pour Camésès auquel il succomba :
De cet immense amour

Qui unissait un dieu et la vierge autochtone.
C'est l'Apennin fumant qui fut leur lit de noces,
Leur grande étreinte fut voilée par les nuées ;
C'est de là que naquit

La nation italienne. À présent tout se tait,
Tout, ô veuf Clitumne ; il ne reste qu'un seul
De tes temples charmants : dieu sans toge prétexte,
Toi, tu n'y sièges pas.

Victimes orgueilleuses, les taureaux, baignés
Dans ton fleuve sacré, ne portent plus aux temples
Ancestraux des trophées romains : en effet Rome
Ne triomphe plus. Elle

Ne triomphe plus, depuis qu'un Galiléen
Aux cheveux roux gravit le Capitole et dit,
Lui jetant dans les bras la croix qui l'accablait :
— *Porte-la, sois esclave.* —

Les Nymphes s'enfuirent pour pleurer en cachette
Dans les fleuves et dans les arbres maternels
Où elles, en hurlant, s'évanouirent comme
Nuages sur les monts,

Lorsqu'une troupe étrange, en lente procession,
Chantant des litanies, hanta les colonnades

Brisées, les temples blancs dépouillés, s'avançant,
Vêtus de bure noire.

Elle désertifia les champs où résonnait
Le travail des hommes et les coteaux avec
Leurs souvenirs d'empire, appelant ce désert
Le royaume de Dieu.

Tous ces gens, arrachés à leurs saintes charrues,
À leurs femmes épanouies, à leurs vieux pères
Dans l'attente ; partout où le soleil divin
Bénissait, ils lançaient

Leurs malédictions aux œuvres de la vie
Et de l'amour, rêvant d'unions délirantes
Dans la douleur avec Dieu parmi des rochers
Et dans des grottes. Ivres

D'anéantissement, ces foules descendirent
Dans les villes et en effrayantes sarabandes
Supplièrent le Christ qu'il les rendît abjectes :
Prière sacrilège.

Salut, âme sereine aux bords de l'Ilissos,
Âme humaine, salut ! Entière et droite
Sur les rives du Tibre ; ils sont passés, les sombres
Jours ; ressuscite et règne.

Et toi, mère pieuse d'imbattables génisses
Pour rompre les mottes, rénover les jachères
Et de poulains, hardis, hennissants à la guerre,
Ô toi, mère Italie,

Toi, la mère des blés, des vignes, d'éternelles
Lois et d'illustres arts adoucissant la vie,
Salut ! C'est pour toi que je rénove les chants
De l'antique louange.

Les monts, les bois, les eaux de l'Ombrie verdoyante
Applaudissent à mon poème ; et, s'élançant

Vers de nouvelles industries, halète et fume
Une locomotive.

CROQUIS

La saison en liesse et sa taille charmante,
Et la verte colline où je la vis d'abord,
Les évoqué-je encor, j'en ai le cœur en joie.

Avril tout frais éclos resplendissait dans l'air
Et dans les eaux et sous le souffle du suroît
On voyait doucement frissonner le feuillage.

Elle de blanc vêtue, dans toute sa blondeur,
Chantait au soleil à travers les bois en fleur.

AVE MARIA

(Quatre dernières strophes de l'ode « La Chiesa di Polenta [1] *»)*

Je *vous salue, Marie* : quand les brises transportent
L'humble salutation, les faibles mortels
Se découvrent alors ; même *Dante et Byron*
      Penchent leur front.

Entre terre et ciel passe invisiblement
De flûtes un concert mélodieux et lent ;
Sont-ce les âmes de ceux qui furent, qui sont
      Et qui seront ?

Un apaisant oubli de la vie accablante,
Un désir de repos que le rêve caresse,
Un suave besoin de s'épancher en larmes
      Saisit toute âme.

Hommes et animaux et choses : tout se tait.

Le rose du couchant s'estompe et vire au bleu :
Je vous salue, Marie, tous les arbres murmurent
      Dans leurs ramures.

Nota. [1] Cette église romane s'élève au sommet d'un coteau. Polenta :
petite ville en Émilie-Romagne.

NEIGE

Tombe la neige en lents flocons dans le ciel cendreux ;
      Pas un signe de vie, pas un seul cri ne montent
De la ville ; ni roulement de voiture ni même
      L'appel de la marchande des quatre-saisons ;
Pas une joyeuse chanson d'amour et de jeunesse.
      De la tour de la place elles s'égrènent, rauques
Et plaintives, les heures, tel le soupir d'un monde encore
      Assoupi. Des oiseaux errants vont se cogner
Aux vitres embuées. Eux, les revenants, mes amis,
      Ont quitté leur tombeau, me regardent, m'appellent :
Bientôt, mes chers, bientôt — Toi, calme-toi, cœur indomptable,
      Je descendrai dormir dans l'ombre et le silence.

ROMAGNE [1]

Une campagne et son hameau [2] sans trêve,
Ami [3], sourient (ou pleurent) au fond de moi :
C'est le pays où nous suit pas à pas
Saint-Marin [4], tout là-bas, bleu comme un rêve.

C'est mon pays, pays qui me hante le cœur,
Ce pays tour à tour fief des Guidi,
Des Malatesta [5], du noble Passeur [6]
— Roi de la route, roi du maquis.

Parmi les chaumes où la dinde glousse
Et rôde alentour des étangs moirés,
Où le canard au plumage irisé
Barbote et nage d'une allure douce.

Oh, me perdre avec toi dans la nature
Et lancer nos appels parmi les ormes
Où nichent les geais, à midi, quand dorment
Les cours dans un silence sans fêlure !

C'est l'heure où le bœuf dans la sombre étable
Péniblement rumine son sainfoin
Et où le paysan s'assied à table :
Laissant sa serpe, il prend sa jatte en main.

Des bourgs épars les cloches cependant
Se poursuivent avec des voix qui tintent,
Invitent à l'ombre, au repos et à la sainte

Table qui se fleurit d'yeux d'enfants.

Aux heures brûlantes un mimosa,
Ombrelle en guipure et rose panache,
Dont s'ornait ma maison en ce temps-là,
M'offrait, l'été, la meilleure des caches ;

Tout le long d'un mur croulant un jasmin
Enlaçait un rosier touffu de roses ;
Un peuplier regardait toute chose
De haut, bruyant parfois comme un gamin.

C'était mon nid ; d'un galop immobile
Je partais avec Astolphe en voyage
Ou j'avais devant moi, comme dans l'île,
L'Empereur dictant dans son Hermitage.

Et tandis que je volais vers la lune
Dessus l'Hippogriffe à califourchon
Et que dans ma chambre silencieuse une
Voix dictait : celle de Napoléon,

J'entendais parmi les foins moissonnés
Le grelot inlassable des grillons
Et le chœur interminablement long
Que chantent les grenouilles des fossés.

Et de longs poèmes inachevés,
Rêveusement les médita mon âme :
Gazouillis, bruissements de feuillées,
Grondement de la mer, rires de femmes.

Hirondelles attardées, de ce nid,
Tous, nous tous, nous partîmes, ô misère !
Ma patrie est à présent où je vis :
Les autres sont au cimetière.

Un jour d'été viendrais-je d'aventure
Parmi les aubépines qui poudroient,
Je trouverais dans mon clos de verdure

Les petits du coucou sans foi ni loi.

Romagne ensoleillée, mon doux pays,
Fief des Guidi et des Malatesta,
Où le Passeur gentilhomme régna
— Roi de la route, roi du maquis.

Nota. [1] Romagne, actuellement incluse dans l'Émilie, région de l'Italie du Nord entre le Pô et l'Apennin. Capitale : Bologne.
[2] Hameau : San Mauro, aujourd'hui San Mauro-Pascoli, village natal du poète.
[3] Ami : Severino Ferrari, romagnol et poète, lui aussi.
[4] Saint-Marin : petite république indépendante, enclavée dans la Romagne et accrochée sur les pentes du mont Titano dans l'Apennin.
[5] Guidi et Malatesta, puissants seigneurs, suzerains de la région au Moyen Âge, évoqués dans la *Divine Comédie* de Dante.
[6] Passeur : Stefano Pelloni, fameux bandit romagnol.

FIDES

Lorsque brillait le soir vermeil
Et que le cyprès avait l'air
D'être en or fin : *« Tout là-haut un verger
Est ainsi fait »*, disait la mère
À son enfant. Dans son sommeil
Celui-ci rêve des forêts d'or,
Tandis qu'au cœur de la nuit sombre
Le cyprès pleure dans la tempête
Et à l'assaut du vent tient tête.

LA FAUVETTE

Le temps change : ce soir,
C'est à verse qu'il va pleuvoir.

La fauvette l'annonce
Parmi le cytise et les ronces.

Petite maman blonde, gare !
Ne fais pas sortir tes gamins.
Bientôt la pluie. Écoute-la
Parmi les lauriers et les pins.

Dans son nid tiède elle aussi
Élève ses quatre petits.
Aussi redit-elle son cri,
Regardant son nid en crin.

Elle voit un nuage
Côté mer : déjà l'eau ruisselle,
Tout le bois tremble, tandis qu'elle
Couve, vent et pluie font rage.

DE LÀ-BAS

La porte sur des corridors
Longs et blêmes était ouverte.
Dedans, une odeur de moisi
Et de violette, dehors.

Des prés ici, là des venelles
Sans fin, des tufs arides là,
Ici, du gazon. Des abeilles
Dehors et, dedans, des hiboux.

Le cri d'hirondelles sans nombre
Venait d'ici tôt le matin ;
Et, de là-bas, du fond de l'ombre,
Un son de cloches souterrain.

En entrant, tu cueillis pour toi
Au milieu des touffes d'absinthe

Un myosotis. Et sur toi
La porte se ferma sans plainte.

ORAGE

Un lointain grondement...
Du côté de la mer
L'horizon rougeoyant
Ressemble à un brasier ;
Côté mont, au contraire,
C'est un noir de goudron ;
De clairs nuages s'émiettent,
Dans le noir une chaumière :
Une aile de mouette.

VIOLETTES D'HIVER

— *Mère-grand, ces violettes nous viennent*
D'où ? bleuissantes comme les lointains
Des montagnes : puisque le gel a dans sa gaine
            Une après l'autre étreint

Les sources. Le givre, des étoiles chu,
Roussit les feuilles, racines et gazon.
— Le long de la Corsonna [1], le sais-tu ?
            Suinte un tiède surgeon.

Notre lessive, nous la rinçons là
Dans l'eau chaude emmi neiges et frimas ;
Le coteau foisonne de violettes,
            Le pré de pâquerettes.

Ah, poète, en ton cœur sage et pieux
N'est-il pas encor d'eau qui fond le givre ?
N'as-tu pas dans ce ciel froid, oublieux,

La source qui fait vivre ?

Si le malheur te glace d'aventure,
Si la haine te dépouille et t'inquiète,
Quand même dans ton âme chaude et pure
       Pousse une violette.

Nota. [1] La Corsonna, petit cours d'eau qui coule en Romagne, la région où naquit le poète et où se déroulèrent son enfance et sa prime jeunesse.

RÊVE

J'étais pour un instant chez moi, dans mon village,
Où rien n'avait changé. J'étais rentré, fourbu,
Comme quelqu'un qui l'est de retour d'un voyage.
Je retrouvais mon père et mes chers disparus.

J'éprouvais de la joie et un chagrin immenses,
L'angoisse et la douceur s'y mêlaient en silence.
— *Maman ?* — *À la cuisine pour ton repas du soir.* —
Ô ma pauvre maman ! Je ne l'ai pu revoir.

VALENTIN

Ô Valentin [1] en habits du dimanche,
Telle l'aubépine en fleur avec toutes ses branches !
Tes pieds qu'éprouve la ronce, tes frêles
Petons, ils n'ont que leur peau pour semelles ;

Ces souliers que maman te fit,
Tu les portes toujours, depuis.
Pas un sou ces souliers-là ne te coûtèrent ;
L'habit qu'elle t'a fait, coûte au contraire.

Il coûte. Ta maman a dû vider
Ta tirelire, et tout son poulailler,
Pour l'emplir, caqueta un mois et plus.
Mon pauvre, tu tremblais, t'en souviens-tu ?

Devant un feu mourant : « *Tiens, prends, c'est bon,
Un œuf pour toi, tiens, prends !* », en leur jargon
Chantaient les poules qui en mars un jour
Devinrent mamans. Toi, tu restas court,

Vêtu de plumes, bien sûr, mais pieds nus,
Comme l'oiseau qui, d'outre-mer venu,
Sautille et puis gazouille, aime et picore,
Et qu'il y ait d'autres joies il l'ignore.

Nota. [1] Valentino (Valentin) était un petit paysan déluré. Un jour de printemps, il apparut tout guilleret et joyeux devant le poète. Pourtant, tout l'hiver, il avait été en guenilles. Ce jour-là, il apparut, endimanché (*vestito di nuovo* : vêtu de neuf) mais... pieds nus.

Souvenons-nous que jusqu'au siècle dernier on étrennait sa première paire de souliers et que beaucoup de personnes adultes, et surtout jeunes, allaient nu-pieds, faute de pouvoir se payer des chaussures.

LES DEUX ENFANTS

I

Deux enfants jacasseurs qu'accapare le jeu
À l'égal d'un travail s'ébattent dans un parc
À l'heure du couchant où l'allée ombrageuse

Se revêt de silence et se paillette d'or.
Et voici tout soudain des paroles fuser,
Trop grandes pour leur âge ; aussi bien les tilleuls

En restent ébaubis. Eux de se découvrir
Des regards jamais vus, des mines courroucées

Et dans leurs frêles doigts, des griffes. Ils sont blêmes.

Mais leur sang a giclé ; les deux frères l'ont vu
Couler en abondance, empourprer leur visage,
Eux, les frères, leur sang, âprement désiré !

Mais tu pâlis, voyant leurs cheveux *(non, les tiens ;*
Tes cheveux arrachés, meurtris !), ô mère tout aimante !
Et tes deux lionceaux, tu cours les séparer

Et leur enjoindre aussi : « *Vite, au lit, garnements !* »

II

Le noir, appesanti d'ombres toujours plus denses,
Les cerne ; et l'on dirait qu'inquiétantes, ces ombres
Approchent vaguement de leurs lèvres le doigt.

Chaque sanglot se brise en hoquets et s'espace
À cause du silence où par instants il passe
On ne sait quoi de sombre. Alors tout doucement

L'un se tourne vers l'autre et ce dernier de même :
Et dans le noir leurs cœurs battent à l'unisson
Comme les pas d'amis cheminant côte à côte.

Quelques instants plus tard la mère à pas feutrés
Vient scruter leur sommeil ; la lampe qu'elle tient
Rosit légèrement la main qui fait écran.

Inquiète, elle regarde ; ils dorment sagement,
Bien plus que de coutume et s'étreignent l'un l'autre
Avec une douceur d'ailes blanches sans plumes.

III

Dès l'instant où la brute, *Hommes,* s'éveille en vous,
Songez au redoutable et ténébreux mystère
De votre destinée et aux mornes silences

S'étendant par-delà votre agitation
Passagère et le bruit de vos guerres, pareil
Au bourdon d'une abeille au fond d'un rucher vide.

Hommes, vivez en paix ! Trop grand est le mystère
Sur la terre et ceux-là seuls qui dans leur frayeur
Vont en quête d'amour ne sont pas dans l'erreur.

La paix soit avec vous, mes *frères* ! Que vos bras
Se tendent tôt ou tard vers vos frères humains,
Ignorant la menace et refusant la lutte !

Et puissiez-vous dormir votre dernier sommeil
Dans la blancheur des draps et la paix de vos cœurs,
Lorsque la *Mort* viendra pour se pencher sur vous,

Dans la main une lampe et sans se faire entendre.

TROIS VERS D'HÉSIODE

« Des fleuves éternels, toi, ne passe pas l'onde
Sans dire une prière au courant de l'eau pure
Et sans plonger tes mains dans une eau toujours claire,
        Jamais immonde. »

Dit *Hésiode*, et toi, *Sage,* avec le poète,
Regarde la douleur — qui coule, sombre fleuve —
Passe ; mais que tes mains restent après l'épreuve
        Toujours plus nettes !

LE BŒUF

Vers le mince ruisseau, parmi des brumes floues
Le bœuf de ses grands yeux regarde : dans la plaine
Qui fuit, vers une mer de plus en plus lointaine,
Voyagent lentement les eaux d'un fleuve bleu.

247

Dans le soleil flambant où danse la poussière
Le saule et l'aulne sont des géants à ses yeux ;
Des moutons répandus dans les pâquis herbeux
Évoquent le troupeau d'un dieu de nos vieux pères.

Maintenant dans les airs des figures sauvages
Déploient leur envergure et sans bruit des chimères
Passent au fond du ciel pareilles aux nuages ;

Vois derrière ces monts, vertigineusement
Hauts, l'immense soleil tomber et déjà noires
Les ombres s'agrandir d'un monde bien plus grand.

LES PUFFINS

C'est entre ciel et mer (tout alentour les flots
Moirés sont lisérés d'un trait rouge carmin)
Ils parlent. C'est une aube bleuâtre d'été :
Dans tout ce bleu immense pas une grand'voile.

Le souffle du suroît apporte néanmoins
Des voix mêlées à des rires tremblants et calmes ;
Ce sont les puffins qui jacassent le matin :
Une rumeur que berce une vague muette.

Et l'on croirait entendre, à travers l'accalmie,
Des marins se héler dont les cris faiblement
Se fondent par à-coups avec le clapotis,

Lorsque, se découpant dans l'or et dans le feu,
En une longue file on voit se balancer
Sur une mer laquée les jolies balancelles.

LA JUMENT PIE

Dans la ferme un silence sans fêlure,
Hormis des peupliers le doux murmure.

Les percherons mâchonnaient dans leurs stalles
L'orge craquante. Là-bas la cavale

Au fond de l'écurie piaffait. Sauvage,
Dès lors qu'elle était née sous les pins de la plage ;

L'embrun souillait encore ses naseaux,
Ses oreilles gardaient le bruit des flots.

Ma mère, s'accoudant sur la mangeoire,
Lui parla à mi-voix dans la nuit noire :

« Petite jument pie, vas-tu t'en souvenir ?
Tu ramenas celui qui ne peut revenir ;

Tu obéissais au doigt et à l'œil
À ton maître qui nous a laissés seuls :

Huit orphelins dont l'aîné est si jeune
Qu'il n'a jamais dans sa main pris des rênes ;

Toi dans les flancs de qui gronde l'orage,
Obéis à sa main faible, sois sage.

Ô toi qui te souviens de l'océan
Obéis quand même à sa voix d'enfant. »

La cavale tournait sa tête osseuse
Vers ma mère dont la voix était douloureuse :

« Petite jument pie, vas-tu t'en souvenir ?
Tu ramenas celui qui ne peut revenir.

Oh, je le sais bien que tu l'aimais fort !
Vous n'étiez que vous seuls : toi, lui, sa mort.

Tu sus mater ta peur, toi qui naquis
Dans les forêts au bord d'une mer en furie ;

Sentant le mors plus lâche dans ta bouche,
Tu ralentis ton pas malgré ton cœur farouche.

Tu continuas ta route au petit trot
Pour qu'il agonisât sans souffrir trop… »

Sa longue tête osseuse était tout près
Du doux visage de ma mère éplorée :

« Petite jument pie, vas-tu t'en souvenir ?
Tu ramenas celui qui ne peut revenir.

Deux mots, rien que deux, il dut bien les dire !
Tu me comprends, mais comment les redire,

Ces deux mots ? Les brides entre les pattes
Et gardant l'écho des coups qui éclatent

Crachant le feu, tu marchas sans broncher,
Longeant la route entre les peupliers.

Tu nous le ramenas avant la nuit
Pour qu'on pût recueillir les derniers mots, de lui. »

Elle écoutait, la longue tête fière.
Maman l'embrassa sur la crinière :

« Petite jument pie, vas-tu t'en souvenir ?
Tu ramenas celui qui ne peut revenir !

Il ne reviendra jamais plus chez moi !
Tu ne sais pas parler, toi qui le ramenas

Si sagement. Tu ne sais pas, mais d'autres n'osent
Pas, ma pauvre ! Ô toi, dis-moi une chose,

Rien qu'une ! Tu l'as vu, le meurtrier ;
Dans tes yeux son image s'est fixée,

Dans tes yeux que la peur effara. Moi, je veux
Te dire un nom, et toi, par un signe que Dieu

Te dictera, réponds, m'ôtant ce doute. »
Les chevaux rêvaient la blancheur des routes ;

Dans le grand silence de l'écurie
Ils rêvaient les roues qui roulent et crient.

Ma mère, un doigt levé, dans ce silence dit
Un nom… Alors, tout haut, notre jument hennit.

Nota. Le soir du 10 août 1867, Ruggero Pascoli, père du poète, gérant du domaine La Torre, fief du prince Torlonia, rentrait chez lui, conduisant une calèche, tirée par sa jument pie, lorsqu'il tomba dans un guet-apens : il fut abattu par un coup de fusil. Il est à noter qu'on n'arrêta jamais le ou les meurtriers, l'enquête ayant tourné court. Sans doute avait-on eu intérêt à étouffer l'affaire. Toujours est-il que la jument pie, quoique à peine domptée, ramena, sans s'emballer, le cadavre de son maître jusqu'au domaine. Voilà pourquoi la veuve, mère d'une nichée d'enfants, désormais orphelins, vient-elle, à la nuit close, interroger l'unique témoin de ce crime impuni, dans l'espoir que la jument par un signe quelconque lui révèle le nom du meurtrier suspecté. D'où ce hennissement dénonciateur.

LES GRENOUILLES

J'ai vu le trèfle inonder
De rouge la terre ; j'ai vu
Dans un chemin creux herbu
S'épanouir des haies de ronces ;
Et les peupliers étendre
Au fur et à mesure les franges
De leur rideau vert tout au long
Du chemin qui se perd
        Au loin.

Quel est ce long chemin sans fin,
À l'aube, tout frissonnant d'ailes ?
Les fauvettes, qui appellent-elles
Par leurs plaintes monotones ?
Quel est ce grelot d'or qui lance
Ses appels dans les branches jaunes
D'un mûrier ? Ses pelotes d'or,
Du haut du ciel qui donc est-ce
　　　Qui les déroule ?

J'entends du fond des fondrières
Coasser les grenouilles
Dans l'air humide et calme.
Dans la clarté sereine
On dirait le fracas noir
　　　D'un train que roule...

C'est un flûtis, un suave
Gargouillement, esseulé,
Sans écho. Je me trouve
Parmi des champs de trèfles rouges
Et des champs de fénugrec jaune.
Je me trouve dans une plaine
Où parmi le vert des églises
Blanchoient, dans un doux village
　　　Éloigné.

Par les airs m'arrivent des voix
Aux inflexions lasses.
Les ombres longues des croix
S'étendent des haies jusqu'à
La route blanche. Un son de cloches,
Flottant dans le ciel rose,
Bourdonne jusqu'à moi : *Reviens,*
　　　Repose-toi !

Me disent-elles. Et j'entends
Le fracas noir du train

Qui ne s'éloigne pas, mais roule,
Cherchant plus que jamais, cherchant
Ce qui n'est jamais, ce qui sera
        À jamais...

JAMAIS... JAMAIS PLUS...

Le cœur de la pendule
Bat au cœur du foyer :
L'heure avance et recule,
Et la fuite du temps
Hante mon cœur recru.

> *L'horloge sans arrêt*
> *Répète : plus jamais,*
> *Jamais plus, jamais plus.*

Au cœur noir de la nuit
Le balancier oscille,
Une lumière luit
Au plus noir de la nuit.
Est-ce toi qui reviens ?
L'heure passe et s'enfuit.

> *Mais l'horloge tranquille*
> *Répète : Toujours... Rien...*
> *Jamais plus, jamais plus.*

Peut-être es-tu Quelqu'un
Qui revient ? Qui es-tu
Pour revenir à moi,
Venu de l'Au-delà ?
T'ai-je aimée ? puis perdue ?

> *Un baiser : oh, rien qu'un !*
> *Un seul baiser, vois-tu*
> *Jamais plus, jamais plus.*

Un baiser, oh, pas même !
Seulement te revoir !
Comprendre qu'à tes pleurs
Toi quand même tu m'aimes !
Te le redire au moins.
L'horloge scande l'heure
Dans la nuit, dans le noir :
C'est une autre et la même…

> *Te le dire : oh, pas même !*
> *Revenant revenu,*
> *Jamais plus, jamais plus.*

AU FEU

Devant les bûches dort un vieux,
Rêvant un nuage de gosses
Gazouilleurs. Une bûche au feu
    Qui ronfle et tousse.

Elle aussi dort. À tous ses nœuds
Elle rêve des grappes et des corymbes
Suspendus dont le rose nimbe
    La solitude.

À travers le feuillage grimpent
Et vont là-haut les blancs mioches
Vers ce sourire rose. La bûche
    Ouvre ses yeux

De braise et se tait. Et soudain
Du haut du grand arbre l'essaim
Se met à pendre. Et le vieux craint,
    Gémit, regarde.

Chaque gosse vers sa fleur lève
La main, il glisse et fuit. Hagarde,

La bûche ouvre l'œil, craque et luit.
Et le vieillard,

Une clarté trouant la nuit,
Sursaute à ce craquement, puis
Tourne ses yeux avec lenteur :
Il n'y a que lui !

ÉCLAIR

Et ciel et terre tels quels se montrèrent.
Haletante, blafarde, tressaillait la terre ;
Le ciel chargé, décomposé, tragique :
Dans ce bouleversement muet, très blanche,
Une maison apparut, disparut
D'emblée — œil effaré, s'ouvrant tout grand
Et qui se referma dans la nuit noire.

TONNERRE

Dans la nuit noire autant que le néant
Le tonnerre gronda fort tout à trac,
Comme s'éboule une falaise à pic,
Il roula sourdement et retentit,
Il s'apaisa, déferla de nouveau
Et ce fut le silence après ce fracas
Évanoui. Alors on entendit
Une douce berceuse et le bruit d'un berceau.

JÉSUS

Et Jésus revoyait, au-delà du Jourdain,
Des champs morts derechef, la moisson achevée.

Son dernier jour, non plus, n'allait guère tarder.
Et les femmes, debout sur le pas de leurs portes,
Disaient sur son passage : « *Ô Prophète, salut !* »
Lui, il pensait au jour de sa prochaine mort.
À l'ombre d'une meule, assis, Jésus disait :

« Si le grain ne meurt pas, une fois sous la terre,
Il ne saurait plus tard y avoir de moissons. »

Or il parlait ainsi des célestes greniers ;
Et vous autres, enfants, autour de lui courûtes,
Avec dans vos cheveux noirs des épis tout blonds.
Et lui contre son sein, toutes ces têtes brunes,
Il serrait fortement.
                              Mais Pierre dit : « *Ô Maître,*
Si vous vous asseyez là, je crains pour votre robe
Sans couture. »
                       Jésus embrassait ses petits
Héritiers.
              À mi-voix Judas dit : « *Ô Rabbi,*
Vous avez à vos pieds le fils d'un grand bandit :
Barrabas (c'est son nom), et il va sur la croix
Mourir. »
              Mais le Prophète, au ciel levant les yeux :
« *Non pas* », murmura-t-il, et sa voix était sombre,
Cependant qu'il prenait l'enfant sur ses genoux.

SOLON

— *Que le banquet est triste où personne ne chante !*
Un temple l'est aussi sans l'or des ex-voto ;
Il est beau d'écouter passionnément le chantre
Dont la voix a l'écho du Mystère. Mais non,
Rien, dis-je, n'est plus beau que d'entendre un bon chantre,
Assis l'un près de l'autre, calmes, devant des tables
Surchargées de pains blonds et de viandes fumantes,

Tandis que l'échanson puise à même l'amphore
Le vin vieux qu'à la ronde il verse dans les coupes ;
Entre-temps l'on devise aimablement au son
De la cithare qui prélude à l'hymne sainte :
Ou bien même il est beau de se laisser charmer
Par le joueur de flûte au chant plaintif, qui pleure :
Mais du moins dans ton cœur sa peine se transforme
Pour toi, car la voilà devenue ton bonheur.

— *Bienheureux,* as-tu dit, *Solon, celui qui aime,*
Et celui qui a un hôte, venu de loin,
Celui qui possède des chevaux solipèdes
Et des chiens prédateurs. Maintenant tu n'as plus
Plaisir à avoir un hôte, venu de loin.
Te voilà déjà vieux : les chevaux solipèdes,
Les beaux chiens, tu ne les aimes plus.
L'amour et les banquets ont cessé de te plaire.
Te voilà devenu sage : à présent tu loues,
Plus il est vieux, le vin et, plus il est nouveau,
Le chant. Et voici qu'au Pirée sont arrivées,
En même temps que les premiers vols d'hirondelles
Et avec le retour du beau temps sur la mer,
Deux chansons d'outre-mer : deux nouvelles chansons
Qu'une femme apporta de l'île de Lesbos.

—*Ami, ouvre ta porte à l'hirondelle,* dit
Solon.

On célébrait les fêtes des Anthéstéries,
Et l'on ouvrait alors les jarres enfumées
Pour déguster le vin.

Elle entra, la chanteuse,
Avec le souffle salin de la mer Égée
Et l'éclat du printemps.
Elle savait deux chants : l'un était d'amour, l'autre
De mort. Elle était, en entrant, toute pensive ;
Son hôte lui offrit un escabeau clouté
D'or, ensuite une coupe. Elle s'assit, tenant

Sa harpe résonnante, elle en tendit les cordes
Silencieusement à l'entour des chevilles
Et, pour les accorder, elle en pinça les cordes,
Vibrantes sous ses doigts, et commença son chant :

> *Le jardin resplendit au clair de lune,*
> *Le pommier tremble à peine d'un frisson d'arc*
> *Et au loin dans les monts couleur de ciel*
> *   Siffle le vent.*

> *Le vent mugit, gronde dans les ravins,*
> *Se jette sur les chênes... Je frissonne,*
> *Semble-t-il... Mais c'est l'amour et il court*
> *   Et il épuise :*

> *Il m'est plus loin que tes cheveux bouclés,*
> *Loin comme l'est le soleil et pourtant*
> *Il pénètre mon cœur, ce soleil,*
> *   Beau comme lui,*

> *Comme un soleil qui meurt : je ne veux*
> *Que disparaître et n'être que clarté*
> *Qui rayonne de lui, récif où la lumière*
> *   Brasille et meurt.*

> *Doux de descendre en toi qui es la paix,*
> *Dans la mer infinie tombe le soleil,*
> *Le crépuscule suit, clarté tremblante,*
> *   Et c'est la nuit.*

— *Celle-ci, c'est la mort !* s'écria le vieillard.
— *Non, mon hôte, ceci, c'est l'amour.*
                                        De nouveau
La chanteuse pinça les cordes qui frémirent.
Puis elle chanta :

> *Ne pleure plus ! Tu as tort de pleurer,*
> *Toi, l'hôte du poète. Qui dira*
> *Que je fus ? Pleure un athlète qui meurt,*

Sa beauté meurt

Avec lui, comme meurt le héros qui
Pousse son char dans les rangs ennemis :
L'œil du timonier, le sein de Rhodope
      Meurent aussi.

Mais le chant ne meurt pas, ouvrant ses ailes
Blanches, prenant son essor de la harpe
Et, tant que vit son hymne, le poète
      Vit, immortel.

Dès lors que l'hymne (oh, ne déchirez pas
Votre péplum ; le deuil ne nous sied pas),
L'hymne est notre beauté, notre force, notre
      Vie, âme, tout.

Pour me revoir, il faut pincer ces cordes,
Chanter un de mes chants : vos yeux alors
Contempleront, auréolée de roses,
      Sappho la belle.

Celui-là, c'était le chant de la mort.
                 Solon
De dire : « *Je voudrais bien l'apprendre, et mourir.* »

BÉNÉDICTION

C'est le soir : tout doucement
Le prêtre patiemment
Passe, et d'un signe de main
Ce qu'il voit, ce qu'il entend

Il salue. Tous et tout
Le bon curé saintement
Bénit : même le serpent
Là, dans les fleurs et ici

Même l'ivraie dans les blés.
Chaque branche et oisillon,
L'un des toits, l'autre des bois,

Sur son passage il bénit ;
Le jeune et le vieux faucon,
Noirs dans le ciel tout bleu,

Et le corbeau y compris
Et le croque-mort aussi,
Pauvre hère,

Qui là-bas dans le cimetière
Gratte la journée entière.

NUIT

Aux rouets bourdonnants les filles sont assises
Et leurs cheveux sont blonds que dore la veilleuse.

Parfois vers la croisée elles tournent leurs grandes
Prunelles sidérales et leurs têtes blondes.

Espèrent-elles voir les Chevaliers Errants
Qui passent bruyamment dans la nuit ténébreuse ?

Elles vont devisant d'amour, de courtoisies,
D'enchantements : ainsi l'aurore les surprend.

LE PASSÉ

Je revois tous les lieux où j'ai pleuré souvent :
Maintenant tous ces pleurs ont pour moi bien des charmes.
Je revois tous les lieux où j'ai souri pourtant ;
Oh, comme ce sourire est tout baigné de larmes !

PLEURS

Que la fleur est plus belle où luit après l'averse
La goutte s'irisant aux rayons du soleil !
Bien plus beau le baiser qui en devient vermeil
      Aux pleurs que les yeux versent !

L'ENCHANTEUR

« *Roses dans les vergers, aux toits des hirondelles !* »
Ces mots font refleurir tous les rosiers griffus
Et dans les airs il court un froufroutement d'ailes.
Le magicien pourrait davantage, mais non :
Il suffit que le ciel chante et que le sol fleure bon.
Pour annoncer l'aurore il lance les arondes
Et pour les cheveux blonds il tresse des guirlandes.

SOIR D'OCTOBRE

Le long de la route on voit sur la haie
Sourire les bouquets des baies vermeilles ;
Lentement à travers champs labourés
Les vaches reviennent à leur étable.

Un pauvre chemine sur le sentier,
Traîne un pas lent sur les feuilles qui crissent ;
Dans les prés une fille chante au vent :
      « *Fleur de ronce !* »

LABOURS

Dans la vigne brille le pampre rouge,
La brume matinale des broussailles
Monte et fume, semble-t-il. On travaille
Dans les champs ; les vaches lentement bougent
Aux cris lents qui les poussent aux labours ;
On sème, on rabat patiemment les enrues
Avec la houe. Du haut d'un mûrier nu
Le moineau futé jubile en son cœur,
Et guette ; et le rouge-gorge, à son tour,
Qui fait tinter son léger grelot d'or.

LAVANDIÈRES

Dans le champ mi-noir et gris un araire
Est resté sans attelage, oublié,
Semble-t-il, dans la brume légère.

Un clapotis, des complaintes qui traînent,
Rythmées à coups de battoirs redoublés,
Montent du bief où sont les lavandières.

« Le vent souffle et il neige le feuillage,
Mais moi j'attends ton retour au village !
Toi parti, me voilà si solitaire,
Tout comme l'araire en pleine jachère ! »

MORT ET SOLEIL

Regarde fixement la mort : constellation
Lugubre qui dans le ciel sombre étincelle :
Une parole brève, une claire vision
Que tu ne peux lire, ô prunelle.

Ainsi donc, si toi l'astre immobile et brûlant
Dans les cieux solitaires sans ciller tu regardes,
Réponds-moi : « *Que vois-tu dans tes prunelles hagardes ?* »
— *Un tourbillon vide, un néant.*

ORPHELIN

La neige tombe, tombe à flocons monotones.
Écoute : un nourrisson pleure et tète son doigt ;
Son berceau se balance et voici qu'à mi-voix,
Son menton sur la main, une vieille chantonne :

Et la vieille chantonne : « *À l'entour de ton lit,*
De roses et de lys un beau jardin foisonne. »
Le nourrisson dans ce jardin s'est endormi.
Il neige à lents flocons, lentement monotones.

LE DIMANCHE DES RAMEAUX

Les oiseaux ont fait leur nid, ce jour-ci,
(C'est aujourd'hui qu'on fête l'olivier)
Avec des feuilles sèches, des brindilles ;

Tel nid sur le cyprès, sur le laurier
Tel autre, au bois, près d'un ru qui babille,
Dans l'ombre où passe un long frisson doré.

Ils couvent sur la mousse et le lichen,
Les yeux rivés au ciel pur, ils se tiennent
Cois ; mais soudain les voilà qui tressaillent
Au vol d'un hanneton, au bourdon d'une abeille.

AUX ANGES

Tandis qu'étaient en fleur lilas et camélées,
Elle cousait sa robe de mariée :
Nulle étoile là-haut n'était encore éclose,
Mais chaque mimosa s'ouvrait dans la feuillée.

D'un sourire imprévu voilà qu'elle a souri,
Ô noires hirondelles ; mais de quoi ? avec qui ?
Elle a souri aux anges, la douce fiancée,
Et aux nuages d'or, aux nuages de rose.

MON SOIR

Le jour fut tout zébré d'éclairs ;
Mais les étoiles vont briller,
Silencieusement. Les rainettes
Dans les champs par à-coups coassent.
Les feuilles des peupliers
Frissonnent d'une joie légère.
Le jour, éclairs et tonnerres !
    Mais quelle paix, le soir !

Les étoiles doivent s'ouvrir
Dans un ciel, si tendre et vivant.
Là, près de joyeuses rainettes
Les sanglots d'un ru monotones.
De tout ce tumulte assourdi,
De toute cette âpre tempête.
Il ne reste qu'un doux hoquet
    Au sein du soir humide.

Elle a fini, cette tempête
Sans fin en un ruisseau chantant.
Des cirrus pourpre et or
Après tant de foudres fragiles.

264

Repose, ô douleur fatiguée !
Le nuage qui fut le plus noir
Le jour, c'est celui que je vois
    Le plus rose, ce soir.

Que de cris, de vols d'hirondelles
Alentour dans l'air paisible !
Des dîners babillards prolongent
Les pauvres jours de ventre creux.
Les nids eurent une parcelle
De leur portion, pourtant petite.
Moi de même... Ô mon soir limpide,
    Plein de vols et de cris !

Les cloches me disent : *Dors !*
En chantant, me chuchotent : *Dors !*
Me répètent tout bas : *Dors !*
Là, des voix de ténèbres bleues...
Je crois entendre des berceuses
Me ramenant à mon enfance...
J'entendais ma mère... puis rien...
    À la tombée du soir.

LA VÉRITÉ

Et le pré tout fleuri s'étendait dans la mer,
La mer étale comme un ciel ; et le chant
Des deux Sirènes point ne retentissait
Encor, puisque le pré était dans le lointain.
Et le Héros vieillard sentit qu'une force légère,
Un courant sous-marin poussait vers les Sirènes
Son navire : « *Levez les avirons*, dit-il :
Le navire à présent glisse de par lui-même,
Ô Compagnons ; aussi le fracas de vos rames
Ne doit-il pas troubler la chanson des Sirènes.
Nous allons les entendre. Écoutez calmement,

Vos bras sur les tolets, cette chanson si douce. »

Et le courant sans bruit et délicatement
Toujours plus en avant relançait le navire.

Et le divin Ulysse à la pointe de l'*île*
Entièrement fleurie aperçut les Sirènes,
Étendues dans les fleurs ; mollement accoudées,
Elles dressaient leur tête et regardaient en face
Le soleil se lever tout rose et sans bouger,
Elles le regardaient, cependant que leur ombre
Striait l'île des fleurs, s'allongeant derrière elles :

« L'ombre a déjà passé. Dormez-vous ? Le soleil
Cherche déjà vos yeux entre vos cils humides.
Sirènes, c'est bien moi le mortel qui jadis
Écouta vos chansons, mais ne put faire halte. »

Et le courant sans bruit et délicatement
Toujours plus en avant relançait le navire.

Et le Vieillard alors vit que les deux Sirènes
Devant elles, tout droit, hagardes, regardaient,
Les yeux fixés sur lui ou bien sur le soleil.
Et sur la mer étale et calme tout à fait
Il éleva sa voix vibrante et assurée :

« C'est moi, oui, c'est moi qui reviens pour savoir,
Puisque j'ai beaucoup vu, comme vous me voyez.
Bien sûr, mais je n'ai pas pu répondre au qui suis-je ?
Que m'adressa le monde à mes regards quêteurs. »

Et le courant sans bruit et délicatement
Toujours plus en avant relançait le navire.

Et devant le Vieillard un grand tas d'ossements
Se dressait et des peaux fripées sur des squelettes
D'hommes, auprès desquels sur la grève gisaient,
Tels deux écueils, les deux Sirènes immobiles.

« Je vois. Que ma carcasse accroisse ce charnier,
Je l'accepte, soit ! Mais vous deux parlez au moins ;
À moi seul dites-moi, parmi tant de mensonges,
Un mot de vérité, rien qu'un mot à moi seul
Pour que ma vie avant sa fin ne soit pas vaine ! »

Et le courant sans bruit et délicatement
Toujours plus en avant relançait le navire.

Et, le regard figé, voici les deux Sirènes,
De leurs fronts haut dressés dominant le navire :
« C'est mon dernier instant, le seul ; je vous en prie.
Qui suis-je ? Qui étais-je ? Au moins dites-le-moi. »

Et entre deux écueils se brisa le navire.

Nota. Ces cinquante-cinq vers sont extraits du vingt-deuxième épisode du poème *Le Dernier Voyage (L'Ultimo Viaggio)*, comprenant en
tout vingt-quatre épisodes — nombre correspondant aux vingt-quatre
chants de l'*Odyssée* dont il s'inspire.

Ce poème fait partie du recueil *Les Poèmes conviviaux (Poemi
conviviali)*, parus en 1904.

Ce vers d'André Chénier : « Sur des pensers nouveaux faisons
des vers antiques » pourrait fort bien servir d'épigraphe à tout ce
recueil, l'un des plus importants de l'œuvre poétique de Pascoli.

Celui-ci, après Dante et l'Anglais Tennyson, s'appuie sur le
chant XI de l'*Odyssée* où le devin Tirésias, interrogé par Ulysse, descendu au Royaume des Ombres, prédit à ce dernier qu'une fois de
retour à son île d'Ithaque, il lui faudra repartir. « Lors donc que tu
auras tué chez toi les prétendants. / Tu devras repartir... et la mort
viendra te chercher... » Ce dernier vers contient une ambiguïté : les
uns traduisent « hors de la mer », tandis que d'autres, dont Victor
Bérard, l'interprètent ainsi : « La mer t'enverra la plus douce des
morts. » C'est à cette dernière interprétation que se rattache Pascoli
ainsi que l'avait fait Dante dans le XXVIe chant de l'*Enfer*. Ce dernier voyage s'achève par le naufrage d'Ulysse dont le navire se brise
entre deux écueils.

Dans l'épisode final (le XXIVe) : « La mer bleue qui l'aime pousse
plus loin, pendant neuf jours et neuf nuits, le cadavre du Héros jusqu'à l'île de Calypso. Celle-ci pleure l'homme jadis aimé. »

Voici le dernier vers du poème : « N'être jamais ! ne jamais être ! plus rien, / Mais pis que la mort, c'est de ne plus être. »

Ainsi après avoir refait toutes les étapes de son ancien voyage, Ulysse va-t-il de désillusion en désillusion : en effet, plus de Circé, plus de Cyclope, plus de Sirènes.

Le vrai titre du XXIIIe épisode, ici traduit, se révèle une chimère, un leurre, un fantasme — rien de plus.

Devant l'écroulement de ses rêves, dans sa quête éperdue, mais vaine de ceux-ci et de la vérité, Ulysse va chercher enfin dans la mort la réponse à l'énigme de la vie qui demeure à jamais indéchiffrable.

CONSOLATION

Ne pleure plus. Voici qu'il revient, ton fils
Bien-aimé qui est las enfin de ses mensonges.
Que tu es blanche, ô mère, et pâle comme un lys !
Mais tu dois refleurir : il est temps qu'on y songe.
Viens, sortons. Le jardin que l'on a délaissé
Garde encore pour nous de secrètes venelles ;
Je te parle et mes mots peu à peu te révèlent
Ce mystère si doux que fut notre passé.

Par des roses encor les rosiers nous attirent :
Un timide parfum s'exhale du gazon ;
Mais notre cher jardin malgré son abandon
Encor nous sourira, si tu veux lui sourire.

Je te révélerai combien triste est l'oubli,
Mais qu'il reste un sourire au fond de quelques choses ;
Comme si sous tes pas dans les prés engourdis
Tu voyais tout à coup des fleurs fraîches écloses.

Tu verras ce prodige, encor que le printemps
Soit si loin. Mais sortons : ne mets rien sur ta tête
Où la raie est si fine et droite et bien faite
Et tes cheveux sont noirs en dépit de tes ans.

Je veux savoir pourquoi ton regard est si las.
Pourquoi désobéir à ton fils bon et sage
Qui veut que le soleil hâle un peu ton visage ?
Mère, c'est ton refus que je ne comprends pas.

Mais si tu te livres trop à des pensées moroses,
Non, il ne le faut pas. En revanche tu dois
Être forte, vois-tu. Je te parle à mi-voix ;
Tu rêves, tandis que nous allons vers ces roses.

Rêve, chère âme. Et nous deux aujourd'hui
Nous retrouverons tout : c'est moi qui te l'assure,
Moi qui mettrai mon cœur entre tes deux mains pures,
Comme autrefois, car rien n'a été détruit.

Rêve, rêve ! Pour moi, je vivrai de ta vie,
Et ce sera pour naître une seconde fois
À une vie profonde et simple. De tes doigts
Enfin je recevrai la purifiante hostie.

Rêve, puisque le temps de rêver est venu.
Je te parie ; mais ton âme est-ce qu'elle écoute ?
On dirai que dans l'air passe, s'allume et flotte
Le spectre d'un avril que nous avons vécu.

Septembre — tu m'entends ? — est pâle et il sent bon :
C'est la même pâleur et le même parfum
Que celui d'un printemps qui, naguère défunt,
Vient de ressusciter… Rêvons et sourions…

Puisqu'il est temps, bien sûr, de rêver et sourire.
Cet automne sera notre printemps ; plus tard
Nous rentrerons chez nous à l'approche du soir
Et je ne jouerai pour toi du clavecin. Et dire

Qu'il aura très longtemps dormi, ce clavecin !
Autrefois il manquait des cordes, les mêmes
Qui manquent aujourd'hui. Grand'mère sur l'ébène
Laissa le souvenir de ses doigts blancs et fins.

Cependant que parmi les tentures pâlies
Un parfum flottera, si délicat qu'à peine
On pourra le sentir, comme la faible haleine
De violettes déjà toutes défraîchies,

Je jouerai pour toi seule un de ces airs vieillots
D'une danse de jadis, pleine de noblesse ;
Le son du clavecin, traversé de tristesse,
Aura l'air d'arriver, faible comme un sanglot,

D'une chambre éloignée. Oui, je veux pour toi seule
Écrire une chanson sur un rythme très vieux,
Mais d'un charme vague et négligé tant soit peu,
Une chanson qui berce, accueille et te console.

Ainsi revivrons-nous notre beau temps lointain.
Notre âme sera simple et, au fond de l'enfance,
Elle viendra, légère, avec la confiance
De l'eau qui vient à nous jusqu'au creux de la main.

LES SEMEURS

Les robustes valets marchent, foulant l'emblave
Et poussant l'attelage au mufle pacifique ;
La blessure du soc fume après leur passage
Et le sillon béant accueille la semence

Que les bras des semeurs d'un geste immense et large
Viennent de répandre et alors, adressant
Leurs prières au Ciel, les braves vieillards rêvent
D'opulentes moissons, pourvu que Dieu le veuille.

L'homme reconnaissant en ce jour de semailles
Honore avec piété la terre et, dans le soir
Où le soleil pâlit, le temple des montagnes

Tout enneigé se dresse ; et voici que s'élève
Une chanson plaintive et le geste des hommes
Est d'une majesté toute sacerdotale.

EN SARDAIGNE

Les rochers devant moi se dressent, bardés
De buissons épineux et d'anémones drues :
On les croirait un peuple fabuleux d'athlètes
Que la vertu d'un charme a figé dans la pierre.

Le vent fait frissonner, là-bas, des étendues
De houleux lauriers-roses et de myrtes sauvages
—Verte plèbe de nains. Le fleuve roule et gronde,
Plus bas, encaissé dans ses berges escarpées.

Le ciel étale et gris domine. Sous la pluie
Qui les baigne, le thym et l'airelle dégagent
D'âcres senteurs mêlées. Et voici qu'un berger,

Campant sa silhouette au plus vert d'un grand creux,
Tel un Faune d'airain sur un socle crayeux,
Vêtu de peaux d'un bouc, regarde sans bouger.

À MIDI

Au milieu des roseaux du Motrone argileux,
À midi, je surpris l'âpre nymphe aux cils noirs ;

Je l'eus sur mes genoux de Sylvain
Et j'ai sur ma salive amère savouré
La menthe et l'origan. Et dans le grondement

De notre rut brûlant, tandis que crépitait
Au-dessus des roseaux la pluie d'août chaude autant
Que le sang. Elle, sœur de Syrinx, et moi

Entendîmes frémir dans les argiles sèches
De notre immense soif les innombrables bouches.

(Madrigaux de l'été.)

L'AILE SUR LA MER

Vois là-bas toute seule une aile sur la mer.
Elle plane pareille à un pâle débris
Et flotte. Des plumes au moindre souffle d'air
Tremblent éparpillées sans plus rien qui les lie.

Je vois même la cire ! C'est l'aile d'Icare
— Celle que façonna de l'infâme génisse [1]
Le forgeron, captif au royaume de Crète,
D'un acte abominable ayant été complice.

Qui la recueillera ? Et qui saura le mieux
Rassembler et souder ces plumes dans le ciel
Éparses pour tenter le vol démentiel

Derechef ? Ô d'Icare éclatante et sublime
Destinée ! Ce Héros, loin du juste milieu,
Se tint, et c'est tout seul qu'il tomba dans l'abîme.

Nota. [1] Allusion à l'infâme génisse que dut construire Dédale, père
d'Icare, sur l'ordre de Pasiphaé, reine de Crète et femme de Minos.
Elle s'accoupla à l'intérieur de cette fausse génisse avec un taureau
dont elle était follement éprise. De cet accouplement naquit un
monstre : le Minotaure. Aussi Dédale imagina-t-il le Labyrinthe pour
l'y enfermer. Ariane et Phèdre sont les filles de Minos et de Pasiphaé, d'où une hérédité très chargée.

LA PLUIE DANS LA PINÈDE

Fais silence. À l'orée
Du bois je n'entends plus
Les paroles humaines
Que tu dis ; mais j'entends
Un plus nouveau langage
Que gouttes d'eau échangent

Et feuillage.
Pluie tombant des nuages
Épars, sur les tamaris
Saumâtres et roussis
Et il pleut sur les pins
Écailleux, hérissés, sur les myrtes divins ;
Il pleut sur les genêts
Éclatants
De leurs fleurs en bouquets,
Sur les genévriers
Touffus
De leurs baies fleurant bon ;
Il pleut sur les visages
Sylvains
Et il pleut sur nos mains
Nues,
Sur tous nos vêtements
Légers,
Sur nos fraîches pensées,
À peine écloses
En notre âme nouvelle
Et sur la fable belle
Qui t'a leurrée hier
Et me leurre aujourd'hui,
Ô Hermione.

Entends-tu ? La pluie tombe
Sur la verdure
Solitaire
Dont le crépitement
Se module dans l'air
Et dure selon la feuillée
Plus ou moins clairsemée.
Écoute. Le cri
Des cigales à qui
Les pleurs de cette pluie
Ne font aucune peur

Ni non plus le ciel gris,
En écho retentit.

Et le pin a un bruit,
Le myrte un autre aussi
Et le genièvre encore
Un autre : différent
Instrument
Sous d'innombrables doigts.

Et nous voilà plongés
Dans l'âme bocagère,
Vivant
De vie arborescente ;

Ton visage grisé
Est de pluie tout mouillé
Tout comme la feuillée,
Ta chevelure embaume
Comme les clairs genêts,
Ô terrestre créature
Qui te nommes
Hermione.

Écoute, écoute, le concert
Des cigales aériennes
S'assourdit
Au fur et à mesure
Que redoublent les pleurs
De la pluie :
Mais un chant
Plus enroué s'y mêle
Qui monte de là-bas
Du plus lointain de l'ombre.
Il s'assourdit, s'estompe,
S'éteint.
Rien qu'une seule note
Tremble encore, s'éteint,

Faiblit, s'éteint,
Renaît, tremble, s'éteint.
Nulle rumeur marine.
On entend
Maintenant
Sur toute la feuillée
Le crépitement
De la pluie argentine qui purifie
Et qui varie
Selon la frondaison
Plus touffue, moins touffue.
Écoute.

La fille de l'air est muette ;
Mais la fille lointaine
Du limon,
La rainette
Chante au tréfonds de l'ombre,
Qui sait où, qui sait où !
Et il pleut sur tes cils,
Hermione.

Il pleut sur tes cils noirs
Si bien que tu pleures, semble-t-il,
Mais de volupté ;
Tu n'es plus blanche, non,
Mais presque verdoyante,
Comme sortant d'une écorce.
Et toute la vie est en nous
Parfumée, fraîche,
Ton cœur dans la poitrine
Est pareil à la pêche
Intacte,
Entre tes paupières
Tes yeux sont comme des sources
Parmi l'herbe,
Tes dents dans les alvéoles

Sont amandes amères.
Et nous allons
De buisson en buisson
Tour à tour unis, désunis
(Vigoureusement, âprement,
La verdure ligote
Nos chevilles,
Entrave nos genoux)
Sait-on où, sait-on où !
Il pleut sur nos visages
Sylvains,
Et il pleut sur nos mains
Nues,
Sur nos vêtements légers,
Sur nos fraîches pensées,
Encloses en notre âme
Rénovée,
Sur la belle fable
Qui hier
M'a leurré, qui te leurre
Aujourd'hui,
Ô Hermione.

ENTRE LES DEUX ARNO

Voici l'île de Procné
Où tu souris
Aux cris
De l'hirondelle thrace
Qui répète au survol
Des argiles molles
Ses anciens blâmes
Au roi trompeur,
Et qui sans trêve

Va et revient
Et qui s'active
Autour du nid ;
S'arrêtent vols et cris
À la tombée du soir
Seulement, d'ombre se couvrant
La rivière
Alentour l'île légère
D'argiles et de roselières.
L'île donne au flûtiste
Des flûtes,
À la migratrice des nids
Et donne à l'amour fou
De profondes litières,
Si tu souris.
Voici l'île alanguie.

Voici l'île alanguie
Entre les deux Arno
Où naissent les poèmes :
Les verdoyants roseaux
Chantent aux vents l'Été
Et varient leurs cadences,
Les entends-tu ?
On les croirait vidés
De médulle et sans nœuds,
Comme inspirés
Par des bouches loquaces
Au seul toucher de doigts habiles,
Ces roseaux choisis, semble-t-il,
Avec art et soudés ensemble,
Sur le modèle divin,
Avec du lin qui les ficelle
Et avec de la cire
Au goût de miel,
Par rangées de sept
Comme de parfaites

Musettes.

Voici l'île de Procné.

MADRIGAL DE L'ÉTÉ

(1ʳᵉ version)

Sur le sable docile écrit le vent avec
Les plumes de son aile : et c'est dans son langage
Que s'expriment les signes au long des blancs rivages.

Mais au soleil couchant, de chaque note, de chaque
Vague une ombre ténue et légère s'engendre
Comme celle d'un cil sur une joue bien tendre.

Sur l'immense visage aride de la grève
Ton sourire paraît proliférer sans trêve.

L'AULÈTE [1]

J'ai retrouvé la peau du Phrygien téméraire
Qui Marsyas se nomme, accrochée à un pin,
Sa flûte et le couteau du Punisseur divin.
La flûte à double tige et à même la terre,

Toute de sang rougie, en tremblant je l'ai prise
Et oubliant le sort qui frappa l'Écorché [1],
Quelquefois au mitan de mon enclos caché,
J'ose sous les lauriers jouer des airs qui grisent.

Souvent je me retourne et regarde si Lui,
Le dieu, m'apparaîtra dans un éclair qui luit.
Mais ma lèvre scellée n'a pas un tremblement.

Et si l'horreur sacrée saisit ma chevelure,

Qu'importe ! De ma gorge étreinte puissamment
Monte de Marsyas l'haleine hautaine et pure.

Nota. [1] L'aulète : joueur de flûte, flûtiste.
[2] L'Écorché : il s'agit de Marsyas qui osa défier Apollon dans une tenson entre sa flûte et la lyre du dieu. Il fut écorché vif, châtiment que lui infligea le Dieu punisseur.

GORGO

C'est moi Gorgo : je viens mon hôte, inoubliable,
Et je traîne après moi le parfum des Cyclades.
Voici que je t'apporte épices et raisins
Dans ma robe de lin flottante et diaphane.

Je t'apporte, Glaucus, dans cette outre le vin
De Chios que tu bus un jour dans ta felouque :
C'est ce vin qu'on glaçait dans l'amphore d'argile,
Doucement balancée au gré de tous les vents.

Me voici : j'ai noué le lierre au peuplier
Et viens te couronner pour l'Ode qui m'a plu
—Ton ode célébrant mon île florentine.

Ainsi je veux, dans l'air qui fleure la résine,
Toute nue et pour toi danser au bord de l'eau
Ton ode fluviale aux doux accords des flûtes.

LE CENTAURE

Parmi les arbres où les racines s'étranglent
Et se gorge déjà le bolet vénéneux
J'entends le lourd sabot d'un coursier étrange
Buter contre l'obstacle avec un son d'airain.

Son galop sonne clair dont l'écho se prolonge

Dans la forêt sauvage où je ne le joins pas ;
Sa course se poursuit irrésistiblement :
Ce n'est pas un cheval séparé de sa harde.

Mais c'est lui — le *Centaure* — homme jusqu'à la croupe,
Que nul n'a chevauchée et dont le sabot sonne,
Foulant les cônes secs et les âpres ronciers.

Il se hâte, voulant, cependant que l'*Automne*
Entrelace le scirpe autour des frêles coupes,
À même l'outre boire le vin violet.

LE SABLE DU TEMPS

Le sable chaud s'écoulant sans peser
Dans le creux de ma tremblante main,
Mon cœur a senti le jour s'abréger ;

Une soudaine angoisse l'a fait battre
À l'approche de l'équinoxe humide
Ternissant l'or de la grève saumâtre.

Ma main n'était qu'une *urne* pour *le sable
Du temps,* mon cœur battant un *sablier,*
L'ombre accrue de chaque tige semblable
À l'ombre d'un *style au cadran* muet.

LE CERF

N'entends-tu pas bramer sourdement par à-coups
Par-delà le Serchio [1] ? Le cerf aux sabots noirs
S'enfonce dans le bois, abandonnant la harde
Des femelles. Bientôt il s'en ira bauger
Dans un lit de verdure, au plus fort du hallier,
Par ses naseaux charnus exhalant son haleine

Qui sent la forte odeur de la menthe sauvage.
Les traces qu'on relève ont, *le sais-tu* ? la forme
Du cœur pourpre et battant. Or c'est bien là le signe
Qu'à même le sol gras il imprime en marchant.
Et le chasseur prudent qui déchiffre ses traces,
Sans se tromper jamais, appelle *le grand sceau*
La marque que voilà par le sabot gravée.
Ô bonheur de traquer ce chef de sang royal,
À l'heure où dans le ciel se meurent les étoiles
Et puis de l'achever au lever du soleil !
Ainsi voit-il son corps déchiré par les crocs
Panteler, cependant que ses hauts andouillers
Tressaillent pour livrer le tout dernier assaut.
Nous qui sommes tapis dans les roseaux du fleuve,
En vain entendons-nous du cerf les brames sourds ;
En vain, Derbé [2] te dis-je, ô toi qui n'iras pas
Dans les eaux du Serchio te lancer à la nage,
Le poursuivre en dépit du courant glacial,
Ton rire prédateur ni ton bras tout musclé
De leur double sillon ne creuseront le fleuve.
Nous sommes désarmés mais ivres de beauté,
Guettant dans notre cœur et de plus loin encore
Que les brames du cerf, ce grondement farouche
Où rugit le désir, venu du fond des âges,
Qu'allume en nous la proie. Et le voilà qui laisse
Sa harde et qui s'enfonce au plus profond du bois.
Peut-être est-il de ceux que la croupe puissante
Et la riche ramure entre les cerfs signale.
Il n'est plus le daguet qui de son premier bois
Vous déchirait l'écorce. Il a grandi depuis :
Son paturon est dur, son cou fauve et velu
Se gonflera bientôt de brames redoublés.
La nuit, nous entendrons ses grands cris prolongés,
Ses beuglements, pareils à ceux-là du taureau ;
Dans la nuit silencieuse et que la lune éclaire
Nous l'entendrons jaillir, le cri de sa luxure.

Nota. [1] Serchio : fleuve de Toscane, dans la région de Lucques.

[2] Derbé : nom, sans doute fictif, d'un ami du poète, qu'on retrouve dans le poème *La Mort du cerf*.

« STABAT NUDA AESTAS [1] »

Tout d'abord j'entrevis son pied étroit
Sur les brûlantes aiguilles de pins
Glisser dans l'air tremblant immensément
Et fiévreux comme une blanche flamme
Diffuse. Les ruisseaux ne s'enrouèrent
Que plus, lorsque se turent les cigales.
Le long des fûts la résine gicla
En abondance. Et rien qu'à son odeur
Je reconnus la couleuvre présente.
Et je le rejoignis dans l'olivaie.
Son dos cambré par les ombres des branches
Était bleui, et j'aperçus encore
Sa chevelure fauve à travers l'arbre
De Pallas argenté se faufiler
Sans bruit. Dans son essor parmi les chaumes,
L'alouette plus loin, hors du sillon,
Bondit et l'appela dans le ciel
Par son nom. Je le vis se retourner
Parmi les lauriers-roses, s'enfoncer
Dans les joncs du marais tout crépitants
Comme l'airain et qui se refermaient
Derrière lui. Mais loin, vers le rivage,
Il trébucha sur les algues marines.
Entre le sable et l'eau, tout de son long,
Il tomba, ses cheveux bavant l'écume
Du vent d'ouest. Alors, immensément,
Il apparut, immense nudité.

Nota. [1] Le titre latin est tiré d'Ovide (*Métamorphoses,* 11, 28). Traduction : l'été était nu. En latin comme en italien, le mot été est du genre féminin, d'où l'assimilation avec une femme ou une déesse. Cette allégorie dannunzienne rappelle vaguement l'un des plus beaux poèmes en prose des *Illuminations* de Rimbaud : « Aube ». Citons-en quelques lignes : « J'ai embrassé l'aube d'été [...]. À la cime argentée je reconnus la déesse. Alors je levai un à un les voiles [...]. Elle fuyait [...] je la chassais. En haut de la route, près d'un bois de lauriers, je l'ai entourée avec ses voiles amassés, et j'ai senti un peu son immense corps. L'aube et l'enfant tombèrent au bas du bois. Au réveil il était midi. »

LA MORT DU CERF

I

Le soir allait tomber. J'avais guetté le cerf,
Prolongeant mon affût, tapi dans les roseaux.
Et l'ennui me gagnait quand je vis tout à coup
Un homme qui nageait au milieu du Serchio.

Oui, c'était bien un homme. Un frisson me saisit
Néanmoins, comme si j'avais senti le fauve.
Ses cheveux et sa barbe étaient d'un roux pareil
À celui du sorgho, les aisselles velues,

Tandis que sous le ventre un poil tout différent
Lui poussait, semblait-il : un pelage de bête.
Et tout le bas du corps, on l'aurait dit énorme :
Jambes, cuisses et pieds d'un être humain, non pas,

Mais d'un monstre à coup sûr : il nageait, déplaçant
Toute une masse d'eau, bien qu'il tînt ses deux bras
Et qu'il cambrât son torse au-dessus de l'écume.
C'était pourtant un homme. Alors, à son approche,

Un grand vol de canards s'effara. Il leur rit.
Et son rire éclata : c'était un rire d'homme.

Soudain, il se rua sur la berge escarpée
Et d'un bond se carra sur ses quatre sabots.

Je tremblais de le voir comme tremble une feuille.
Je l'avais reconnu. C'était celui-là même
Qu'engendra la Nuée : un homme jusqu'au pubis,
Étalon pour le reste avec ses grosses couilles.

Le Centaure ! Et sa robe était rousse, elle aussi,
Mais la croupe et la queue blanches et alezanes.
À deux pieds seulement il portait des balzanes,
Son échine de bête et ses reins d'homme arqués.

Et sa tête arrondie en boucles foisonnait,
Aussi drues que le sont les grappes sur la treille.
Il la penchait alors qu'il mordillait les vrilles
Ou les tendres bourgeons au bout de leurs rameaux

Avec sa bouche immense, accoutumée plutôt
À des viandes saignantes, à broyer des os
Et à vider d'un trait la coupe débordante
D'un vin si capiteux à l'heure des banquets.

Il levait haut son bras d'homme, tout bosselé
De biceps, pour cueillir les ramilles d'un orme.
Et soudain il sursaute et se lance au galop
Et disparaît, plongeant au plus profond des bois.

Mon cœur cognait à grands coups contre ma poitrine
Et je tremblais de peur. Mais, au fond de ma cache,
Mon âme s'enivrait de forces affleurant
Des âges reculés. Alors le Cerf brama !

Je l'entendis bramer de rage et de douleur
Comme si, par des crocs, il était labouré.
Je bondis, m'avançant au travers des roseaux
Et maîtrisant du coup la frayeur de mon corps.

Avec l'agilité d'un lévrier, je fonce
Dans les rouges ronciers, et parmi les genièvres,

Rapide et en silence ainsi que dans un rêve,
Ou comme si j'avais les pieds chaussés de feutre.

Je n'ai qu'un seul désir : c'est que mon vers possède
Le pouvoir du métal maté par le grand feu
Ce que virent mes yeux avec lucidité
Le verras-tu, si dans l'airain je l'éternise ?

La lutte s'engagea. Le Centaure empoigna,
Au fort de la mêlée, le Cerf par l'empaumure,
Tel un homme qui traîne par la chevelure
Son rival terrassé jusqu'à ce qu'il le foule

Afin de lui briser sous son talon vengeur
Et l'échine et la nuque. Ou tel qu'on voit saillir
Un étalon en rut sa jument qu'il engrosse :
Tel je vis le Centaure à la double nature !

Le voilà qui se cabre afin de mieux saisir
L'encorné. Dans l'étau de ses pattes de devant
Les reins du Cerf sont pris, qu'il domine du torse
Et sur lequel son corps de tout son poids s'écrase.

Le Cerf se débattait rageusement dessous.
Ses yeux torves, louchant, et son cou noir gonflé
De colère et de cris. S'ébrouant par saccades,
Il crachait sur le sol la bave à gros flocons.

Un Cerf de sang royal, voire du plus ancien !
Il était de ceux-là qu'apprivoise la flûte.
Il égalait le buffle en force et en grandeur,
Fier de vingt andouillers sur chacun de ses bois.

Ô lune de septembre, en avait-il chassé
Des rivaux, ô combien, de leurs fraîches remises,
Il cloua pantelants dans l'écorce des chênes,
Avant de rencontrer le Thessale bimembre !

Longtemps il s'ébroua, se débattit, enfin
Se dégagea. Ses cris résonnaient à l'entour.

Un de ses andouillers reste au poing du Centaure.
Il court, s'arrête net, se retourne et fait face.

Le voilà qui revient et s'apprête au combat ;
La vengeance et le feu giclent de ses naseaux.
Le Thessalien jette alors l'éclat, se tient
Sur ses gardes, l'attend, solidement campé.

Du sang dégoulinant de sa poitrine d'homme
Tandis que de sueur son poil était trempé.
Et sa croupe luisait de reflets métalliques
À la façon du cuivre ; et le soleil couchant

S'y jouait, tamisant à travers le feuillage
Ses rayons étirés jusque dans le sous-bois,
Dans un profond silence où l'on n'entendait plus
Que les souffles mêlés de l'homme et de la bête.

Les aiguilles de pin qui jonchaient le terrain
Où se livrait la lutte avaient des rougeoiements
De braise. Et dans le vent l'âcre fumet du Cerf
Se confondait avec l'odeur de la résine.

Le Cerf s'arc-boute au sol en rassemblant ses forces,
Attaque le front bas comme fait le taureau
À l'instant du grand choc : le Centaure trois fois
Fait tournoyer sa queue et en cravache l'air.

Une rapidité toute fauve et rameuse
Dans un râle de mort se rue. Ô mon ami !
J'ai tremblé pour le sort de la poitrine d'homme
Et un tel souvenir me fait trembler encore.

Car l'homme avait gémi (du moins crus-je l'entendre)
Alors que se cabrait le farouche étalon.
Mais le Centaure avait une seconde fois
Dompté le Cerf avec un courage inhumain !

Il l'avait affronté ; serrant à leur racine
Ses cornes lui tenant le museau renversé,

Dans un cabrement double, emmêlés l'un et l'autre
Par un fouillis confus autant qu'inextricable,

Dans l'ombre et la clarté, sous le ciel muet
Se striant par à-coups d'éclaboussures pourpres,
Les deux rivaux luttaient ; et par-dessus leurs corps
De brutes, leurs jarrets, les bois, le pelage touffu,

Par-dessus le crin dur et le sexe arrogant,
Je voyais émerger la tête de ma race
Aux boucles qu'échevelle un grand vent de colère
Jusque sur ma tête : et j'étais dans l'angoisse.

Et mon cœur fraternel, plein d'un ancien remords,
J'avais bandé mon arc du fond de mon aguet.
Mais l'homme avec ses poings avait de son rival
Écarté les deux bois qu'il arracha d'un coup.

J'entendis l'os craquer dans un grincement sec.
La mâchoire à son tour s'ouvrit toute broyée.
Du crâne déborda la cervelle fumante
Qui coulait macérée dans un flot de sang rouge.

Dans l'éternel repos le corps cabré s'effondre :
C'est un choc lourd et mat. Il pantelle en silence,
Il saigne et se raidit. Son corps brûle qui baigne
Les aiguilles de pin jonchant le sol aride.

Et le Centaure rit, de ce rire qui fit
S'envoler les canards en aval du Serchio.
Et face à la forêt le cernant à l'entour,
Il se dresse, levant haut son double trophée.

Il hume le vent. Mais, avant de partir,
Il cueille trois rameaux de leurs pommes de pin
Chargés ; il en roule autour des bois du cerf
Deux. Ainsi fait-il deux thyrses pour la nuit.

Le troisième, arrondi en couronne sacrée,
Vient le ceindre et l'on voit sur ses tempes humaines

Les veines, d'un sang noir et âcre encor brûlantes,
S'enfler après l'effort monstrueux de sa lutte.

Le Couronné brandit ses deux thyrses sombres ;
Sa bouche vers le ciel immensément ouverte
Se lève, aspirant l'air. Dans le lointain, la Mer
Suivait de son fracas le murmure des bois.

Une Nuée, en haut, dans l'espace éthéré
Planait seule : on eût dit une déesse nue,
Celle même qu'osa féconder Ixion
Et qu'en fils à présent vénérait le Centaure.

Il m'apparut très beau. Dans chacun de ses muscles
Il était frémissant d'inimitable vie.
Il se cabre soudain et, Ombre entre les ombres,
S'efface vers le Mythe au fond du soir qui tombe.

L'OUTRE

Avant que les couteaux m'eussent dépiautée,
Je n'étais qu'une peau de bouc sale et bisulce [1].
Oh, comme il sentait fort, le printemps revenu,
Et comme il folâtrait au milieu de ses chèvres !

Toi qui m'écoutes, sache aussi qu'il paradait,
Farouche et bien barbu, tout fier de ses glands durs,
Aussi noir qu'un corbeau, ses yeux d'un jaune soufre ;
D'une corne invaincue il cossait dur et ferme !

Il aimait à saillir, il eut force femelles,
Se battait jusqu'au bout avec sauvagerie ;
Mais aux sons d'un pipeau, dressé sur ses sabots,
Il vous contrefaisait la danse du Satyre.

On le vit balancer à des crocs suspendu ;
Son sang fumait encore, et, tout le long fendu,

Il étalait à nu dans le creux de son ventre
Son foie et ses rognons de bouc toujours en rut.

Lorsque l'on m'arracha, je chus, humide et flasque ;
Ébourrée, écharnée aussitôt par le fer,
On me fit macérer, afin de me tanner,
Dans l'écorce du chêne et dans la noix de galle.

On me mit à sécher au fond de sombres fosses,
Pressée et craminée, un jour — *tel fut mon sort* —
Je fus enfin cousue avec un fil de chanvre
Par une femme adroite à ces travaux si lents.

Et je devins une outre et, brochant sur le tout,
L'outre la plus obèse, autant dire la reine.
Eaux du ciel, eaux de puits, de ravins, de citernes,
Eaux de sources sans fin, je les renfermai toutes.

Eaux douces, fraîches, mais dégageant tout de même
Une âpre odeur de bique : aussi parfois les femmes
Durent-elles bourrer mes profondes entrailles
De menthe ou bien d'anis pour que j'embaume enfin.

Homme, ta soif pour l'outre est un objet d'envie !
Les plaines calcinées et les pierrailles blêmes
Tous les marais fiévreux, somnolents, les galets
Et les sables brûlants des berges esseulées,

Les chariots grinçants, les chevaux essoufflés,
Les yeux de l'assoiffé, je connus tout cela.
Oui, l'univers entier valait bien moins que moi
Me livrant au désir de leurs gorges en feu !

Ta soif, homme, est un don de la bonté des Dieux.
Aussi de quel immense éclat me sembla-t-il
Voir ta bouche flamber, en se désaltérant,
Beaucoup plus que l'œillet et le coquelicot.

Non pas même le bouc dont je fus arrachée
Ne se rua jamais avec autant de fougue

Que l'assoiffé buvant et qui fond de plaisir.
Ô gorge jubilante où ruissela mon eau !

Sur mes flancs rebondis alors des mains se serrent :
C'est une convoitise où l'on croirait que boivent
Les yeux avant la bouche, et me voilà saisie !
Sur des visages en feu je penche et m'abandonne.

Ma ruisselante joie en eau se mue et baigne
Jusqu'au tréfonds du cœur et jusqu'à ses entrailles
Tout homme qui m'épuise. Ô bienfait immense !
Vidée par dix gosiers j'ai dessoiffé le monde.

II

Et je devins ainsi la sœur de la besace
Qui renferme l'oignon et le quignon de pain.
Désormais l'on cessa de me remplir au puits
Où le seau tinte encor pour d'autres que pour moi.

Mais j'entendis dès lors dans l'étable fermée
Gicler du pis gonflé le lait qu'on vient de traire.
De quel morose ennui souffrais-je ! Aussi les Dieux,
Indulgents envers moi, changèrent-ils mon sort.

Cette fois j'eus tout l'air d'une mamelle aussi,
Mais plus énorme, encor que moins rose. Et la nuit,
L'on me vit balancer dans l'étable en silence,
Comme font les gros pis sous les ventres des mères.

Lorsque j'eus pour compagne au déclin de l'automne
Une jarre amicale où l'huile se repose,
Par l'intercession de la chaste Pallas
Je savourai longtemps la paix la plus profonde.

Car l'huile est apaisante et mûrit lentement,
Moelleuse à souhait, sous la meule elle geint
Pour enfin s'adoucir et se taire à jamais,
Alors que l'eau babille intarissablement.

Silence et chasteté coulèrent à pleins bords,
Outre chère à Pallas. J'écoutais en silence
Faiblement le sang battre aux tempes de l'aïeule
Et le pain fermenter tout au fond de la huche.

Tout à coup, une nuit, tandis que je gisais
Dans la cave au milieu des outres plus petites,
N'étant qu'une outre vide, un bouvier hirsute
M'emporta : j'ignorais ce qu'il ferait de moi.

Il me serra d'un poing aussi dur que la pierre
Et ses ongles crochus n'étaient plus que des griffes.
Sur la rive d'un fleuve, au cœur de la forêt,
Il s'arrêta ; au ciel, se mouraient les étoiles.

Son ennemi baignait dans des flaques de sang,
Il l'avait d'un seul coup de faulx décapité ;
Par les cheveux saisie, encore ensanglantée,
La tête chut : voilà que je fus alourdie

De ce fardeau macabre et me remplis soudain
Du flot noir de mon sang : *« Eh bien,* s'écria-t-il,
Puisque tu avais soif, tu boiras désormais
Tout ton saoul ton vin pur dans l'outre qu'il te faut. »

J'entendis clapoter au-dedans de mes flancs
Cette tête et le sang dont j'étais tout enflée.
Alors il me traîna jusqu'aux berges du fleuve
Et je m'en fus roulant au fil des eaux rapides.

Et je vis bouillonner ce sang encor plaintif.
Non, rien ne vaut ton sang, homme, ô toi qui m'écoutes.
J'ai porté dans mes flancs le lait blanc, l'huile
Et l'eau des sources, mais ton sang les passe tous.

Puisqu'il est merveilleux. Dans mon sein se livra
Combat immense et bref, un orage éclata,
Effarant et rapide, et je crus contenir
Tout l'*Univers* au lieu d'une tête tranchée.

Ce fardeau se mua dans le fleuve glacial
En sanie et caillots ; le courant m'emporta,
Me roula sans répit : enfin à mon insu,
Je parvins au fin fond de pays inconnus.

III

Et un jour, à l'aurore, au milieu des saules,
Un Aegypan biforme eut l'heur de me trouver.
Toi qui m'écoutes, homme, à qui sont invisibles
Les Dieux du terroir, toi dont l'esprit est gourd,

Sache que ces Dieux vivent et sont puissants !
Car le souffle des bois gonfle encor leurs narines ;
Sur le sommet des monts se dressent leurs autels,
De leur divinité portant le témoignage.

Tu ne les vois pas, homme ; au fond de ta poitrine
Ton cœur se décompose ainsi qu'un fruit pourri.
La Terre maternelle en vain te nourrit-elle
De ses fruits, puisque, toi, tu n'en gémis pas moins.

Le divin Aegypan, quand il m'eut ramassée,
Fut tout secoué d'un immense éclat de rire ;
Son poil était roux. Me croyant pleine de vin,
Il m'arrache aussitôt à ces arbres trempés.

Lubriquement sa langue, au moment qu'il m'ouvrait,
Clappait. Je ne le vis ni frémir ni broncher,
Quand il eut découvert la tête et ses caillots :
« *Dans une outre,* dit-il, *la tête du grand Thrace.*

Par exemple ! » Et sur l'herbe il fit tomber le triste
Fardeau, puis ramassant la tête de nouveau,
La lança violemment au milieu du Serchio,
Et cria : « *Non, tu n'es pas la tête d'Orphée !* »

Son rire avait fusé de ses dents dures, tel
Un ru sur ses galets. Alors dans les eaux claires

Il me rinça, m'essuya. Dès lors il aima
Enfler ma peau de bouc du souffle de ses lèvres.

Son haleine divine où chantait puissamment
Tout l'esprit de la terre avait rempli mon être !
Le fils de l'Aegypan qui ne savait nager,
S'en vint alors auprès du fleuve calme et beau.

Et ce père divin à lui me confia ;
Et il sut grâce à moi nager ; je le soutins,
Lorsqu'il cédait trop vite à son brûlant désir
D'agiter vivement ses petits pieds fendus.

Oh, combien je l'aimai ! Tout le bas de son corps,
À partir du nombril, s'ombrait d'un blond duvet,
Tout comme chez le faon ; mais le reste était glabre ;
Sa couette dressée, il louchait, le camus !

Et quand il me portait, il avait l'habitude
De me serrer dessous mon aisselle où poussait
Un peu de poil follet et légèrement roux :
Je craignais qu'irrité, de sa corne pointue,

Il ne me crevât, tant le courroux moussait vite
Chez cet enfant qu'un dieu, lorsqu'il désentravait
Son pied hors des roseaux ou qu'un vol de sarcelles
Ou qu'un brochet d'un bond échappait à sa prise.

Ô Serchio verdoyant au milieu des taillis !
Ô doux matins d'été, lorsque le blond enfant
De l'Aegypan divin, couronné d'hibiscus,
S'approchait de ta berge avec nasses et pièges !

Le voilà devenu trop habile à la nage,
Hélas ! bravant tout seul les eaux les plus rapides.
Aussi l'outre longtemps dut-elle se morfondre
Délaissée dans la vase et ne servant à rien.

IV

Mais les Dieux bienveillants vinrent à mon secours,
Car je fus recueillie enfin par un berger
De belle allure avec sa barbe d'or. À l'ombre
D'un laurier, se servant d'engins si délicats,

Il tailla dans le buis pour moi quatre tuyaux
De grandeur inégale et les polit fort bien.
Le tuyau le plus court au dernier rang, derrière,
Fut soudé fortement au moyen de la cire.

Cet habile artisan en plaça trois devant
Dont l'un était beaucoup plus long que les deux autres
Et qui fut pour cela percé de nombreux trous
Afin qu'il pût flûter en variant ses gammes.

Les deux petits tuyaux, encor qu'étroits, s'évasaient
Vers le bas pour former un vague pavillon :
Ainsi tiendraient-ils lieu de basse-continue,
Comme font les feuilles au chant des oisillons.

Ô prodige étonnant, quand s'enfla de son souffle
Et sonna le biniou qu'il venait d'achever !
Lors une jeune femme accourut, le visage
Empreint d'un doux bonheur, sur le pas de la porte ;

Ses beaux bras étaient nus. Elle dit : « *Cher époux,*
Ô toi mon bien-aimé par qui vient de naître
Une richesse immense au fond de nos foyers ;
Ne vois-tu pas de blé s'emplir tous les greniers ?

Et les ruches de miel sont toutes regorgeantes,
Et les fruits de leur poids accablent les vergers,
Vois mes roses éclore au cœur de mes rosiers,
Les biches et les daims foisonner dans nos bois ;

Dans ma chambre nuptiale aux murs ornés de fresques,
À mon tour, oui, j'aurai un grand lit à colonnes,

J'aurai des vêtements de toutes les couleurs,
Des ceintures aussi serrant ma belle taille ;

Et j'aurai, oui, j'aurai tout au long des veillées
Mille servantes près de mes rouets ronflants,
Ainsi mes douces sœurs pour maris auront-elles
Les satrapes puissants qui règnent sur l'Asie ! »

Tel fut le sortilège étonnant, fabuleux
Qu'opéra le berger avec sa faible haleine ;
Ô toi qui m'écoutes, homme, avec une faible haleine
Crois-moi, mais grâce aussi au Dieu armé de l'arc

Et porteur du carquois, Apollon Citharède,
Celui-là par qui fut écorché Marsyas,
Ne prodigue pas moins sa divine vertu
À l'inculte berger qu'à l'aède savant,

À la lyre aussi bien qu'au fragile roseau,
Pourvu que d'un cœur pur on sache l'invoquer.
Nous fîmes paître dans les vertes solitudes
Les aubes et les soirs ainsi que des troupeaux.

Le pin écailleux nous donna la figue molle,
Sur les genévriers fleurirent les narcisses,
Le lévrier tigré dansa parmi les lièvres ;
Le temps fut aboli, l'ancien et le nouveau.

Ô prodige, ô merveille, alors que cette femme
Se tournait vers le son comme vers le soleil
L'héliotrope. Et l'on eût dit que Dédale
Avait de la chaumière sculpté l'architrave,

Et le fruste chambranle aussitôt se muait
En colonne d'ivoire au fronton d'un palais,
Quand le berger disait : « *Ô femme bien-aimée,*
Tu es blanche pour moi comme l'aubier pour l'arbre ! »

Le biniou la faisait pâlir de plus en plus,
Elle était blanche autant que l'est dans l'eau le lin,

Et toujours souriante. Étaient à l'abandon
Sa quenouille et sa laine et sa navette aussi.

Soudain par les cheveux elle fut empoignée,
Par ses cheveux aussi noirs que le raisin noir,
Aussi drus qu'au printemps les buissons de jacinthe
Ou bien que le lierre aux corymbes tenaces.

Soudain par les cheveux elle fut empoignée
Par la Mort, terrassée et par des chemins sombres
Traînée : et par-delà le fleuve et ses méandres
La Mort vous l'emmena au Royaume des Ombres.

Et personne depuis ne la vit jamais plus.
Un silence assombri régna dans la demeure
Et l'ombre s'étendit sur le seuil, envahit
La chambre nuptiale où ne luit plus l'aurore.

Nul n'entendit de pleurs retentir la demeure
Du moment que les yeux, le cœur était de pierre.
Le lézard déserta la tuile et l'hirondelle
De même que l'abeille à tout jamais s'enfuirent.

Moi, je me balançais, tristement, dans un coin,
Lorsqu'un jour le berger de l'outre se souvint
Lors il me regarda, longtemps, puis s'approcha
De moi, me décrocha, sans broncher, sans pleurer.

Je me flattais encor qu'il allait me presser
Tout contre sa poitrine et d'un doigt très léger
Afin de fondre en moi, tourné devers l'Hadès,
Sa douleur accablante et trop longtemps muette.

« *Puissé-je, ô mon Épouse, enfin suivre tes pas !* »
Et d'une main cruelle il arracha de moi
Les tuyaux qu'il brisa, non sans avoir voué
Nous deux, son âme et moi, à la Nuit éternelle.

V

Ô toi qui m'écoutes, homme, ah, qu'il fut tourmenté
Mon sort, tu le sais bien ! Point ne m'ont accordé
Les Dieux de grands loisirs. Équinoxes, solstices,
Tout passe, et le colchique avec la rose passe.

C'est l'éternel retour, et la sagesse est vaine
Qui ne vaut après tout ni le bois du figuier
Ni la crotte de bique. Aussi je veux finir,
Moi, l'enfant de Bacchus, d'une fin enivrée.

J'ai beaucoup vu, beaucoup entendu, quoiqu'obèse,
Car je fus compagnon de route infatigable
De nombreux voyageurs, et toutes les saveurs,
Je les connus, servant les hommes et les Dieux.

J'ai beaucoup contenu, du pur, du frelaté :
Le vrai comme le faux ne sont assurément
Que l'envers et la face d'une même feuille,
Le sage ne pouvant discerner l'un de l'autre.

La vertu se déguise et l'on teint toute laine,
Le bonheur est changeant tout autant que Vertumne.
Ici-bas rien ne dure. Et c'est pourquoi je veux,
Moi le fils de Bacchus, dans l'ivresse finir.

Je connais tour à tour dans leurs formes diverses
L'huile silencieuse et mêmement le lait,
L'eau ; je connais le sang de l'homme, je connais
À la fois la musique et le souffle panique.

Mais je ne connais pas, *homme,* toi qui m'écoutes,
Le breuvage vermeil qui nous égale aux dieux :
Ce vin dont l'Aegypan crut que j'étais remplie,
Et son éclat de rire en moi résonne encore !

Tu m'as ramassée, *homme,* au fond de la caverne
Où je fus livrée aux ébats d'un louveteau.

Que puis-je encor valoir ? Je suis tombée bien bas !
Aussi je t'invite à nous saouler ensemble.

Je ne désire plus nul autre sort, vois-tu,
Et d'ailleurs je ne peux vivre plus longuement.
À l'endroit où le buis musical s'enfonça,
Recouds-moi la blessure, étrécis l'orifice.

Je suis vieille, vois-tu, tout à fait inutile.
Mais la Terre est prodigue à ta faim, à ta soif :
Aussi mérite-t-elle une libation.
Dans l'outre vieille, allons ! mets le vin jeune.

Et tu vendangeras dans un hymne de liesse,
Tu feras un vin fort de ce moût velouté,
Et de sa jeune force, au lever de la lune,
Tu sauras me remplir mes profondes entrailles !

Que sa jeune vigueur me gonfle et que j'explose
Enfin ! Couronne-moi de fleurs sauvages, puis,
Doucement, balancée au cœur de tes lauriers,
Tu devras me suspendre. Ô noblesse dernière !

Je crèverai, tonnant en plein midi. Au loin
Et dans l'éclat du jour grondera mon tonnerre.
Et tu diras, ton front pur jusqu'au sol se penchant :
« *Puisque je suis ton fils, bois mon offrande, ô Terre.* »

Nota. [1] Bisulce (ou bisulque) : sabot fendu, ongulé, ruminant

UNDULNA

J'ai quatre ailes d'alcyon
À chaque cheville deux
Qui savent, vertes et bleues,

Voler sur la grève en rond.

Mes jambes sont diaphanes
Comme l'errante méduse
Avec lesquelles je plane
Sur la vague que j'apaise

Et qui s'en vient sur la plage
Se mêler à mon appel
Avec l'algue qui surnage
Pour lui faire une dentelle.

C'est moi qui dessine et brode
L'écume au luisant ourlet,
J'unis la nouvelle mode
À l'ancienne à mon gré.

Les musiques innombrables
De l'homme, je les transcris,
Les modulant sur le sable
En arpèges infinis.

Il me suffit de peu de choses
Dans ma course vagabonde
Je fais suivre accords et pause
Pour traduire de chaque onde

Tous les sons. Sable brillant,
Ô ma page musicale,
Tu es superbe, éclatant,
Puisqu'il n'est rien qui t'égale.

Sable innombrable et sans borne,
Qui d'eau bue te durcis
Et de sel stérile aussi,
Je grave sur toi mes notes

Au filigrane tracé
D'un art sobre tellement
Que l'arc d'un sourcil d'enfant

Semble bien plus appuyé.

Et tout sabot trifourchu
Pèse, intersécant tes lignes ;
Mais l'homme laisse un signe
Qui rit et brille tant et plus.

Ce sont neumes que voilà
D'un accord désaccordé.
Cithare que je fais vibrer
Sans la toucher de mes doigts.

Je passe et ce concert ample
Dans mon silence s'éveille
De mes ongles de mes orteils
Jusqu'aux veines de mes tempes.

Je distingue chaque ton
De la vague qui déferle ;
Ma prunelle couleur perle
Scrute au loin et très profond.

Tranquillement je traduis
Chaque ligne en son changée ;
Dans ce calme plat je lis
La mer hier démontée.

Cette blanche, insolite brume,
Diffuse sur la mer,
Sont-ce les fleurs d'amertume
Que Thétis offre à Déméter ?

Les jours alcyoniens
Viennent de Grèce très tôt :
Leur calme blancheur atteint
L'embouchure du Serchio.

Septembre, doux flûtiste,
Passe et charme les vergers
Avec ses frisons follets

Et ses beaux yeux d'améthyste ;

Il s'abandonne à son talent
Dans l'ombre d'un arbousier
Et module une parthénée,
Et la clarté se répand.

La mer apaisée s'endort,
Repue de paix alcyonienne
Ruisselant comme un lait d'or,
Avant que l'hiver ne vienne.

Nulle onde, pas un remous,
Pas le moindre clapotis.
La rive se gorge d'un doux
Soleil sur une mer d'oubli.

Le sable brille à l'infini,
Jouissant en chaque paillette,
Le coquillage poli
Et la méduse et l'arête,

Tout luit d'une clarté muette
Où le silence resplendit ;
Le marbre apouan [1] reflète
La lumière en gerbe éblouie.

La mer est sans voiles, étale,
Où plane l'enchantement.
Ton miel automnal,
Embaume et déjà je le sens.

Je sens déjà l'odeur du moût
Monter des vignes en volutes.
À l'aube la lune d'août
Était une faulx qu'on affûte.

De la Vierge à la Balance
Le Soleil est passé ;
Et les viretons qu'il lance

Sont déjà moins empennés.

Silence d'une divine mort
Sur ces clartés solitaires !
L'Été se meurt, gisant dans l'or
De son immense chevelure.

Je m'arrête, tant me fascine
Cette mort. Mes ailes d'alcyon
Frémissent. Clarté figée. Non,
Nulle onde ne se dessine.

Blanche étendue des rives,
Entre grève et flots s'efface
La zone que son art fugace
Grave. Je souris à la trêve.

Lisérée de noir, l'écume
D'une onde à mes pieds s'incurve ;
Flottant entre deux plumes
Voici la feuille d'un rouvre

Pourrie. Une baie de laurier
À une pigne se mêle ;
Une méduse échouée
Ouvre encore son ombrelle.

Par couples et tous ensemble,
De tremblants papillons blancs volent
Et dans la lumière ressemblent
À de l'écume ailée et molle.

Doué d'amour. Tout frémit.
Mauve est l'ombre sur la mer bleue.
Et devant mes yeux ébahis
Je vois trembler l'Infini.

Nota. [1] Le marbre apouan : il s'agit du marbre blanc de Carrare dont les carrières se trouvent en Toscane dans le massif des Alpes apouanes.

MADRIGAL DE L'ÉTÉ

Le vent écrit sur le sable docile
Avec les plumes d'une aile ; et dans son langage
Les signes parlent au long des blancs rivages.

Mais, au soleil couchant, une ombre légère,
Comme celle des cils sur des douces pommettes ;
De chaque note naît, de chaque vaguelette.

Et ton sourire semble à l'infini s'inscrire
Dans le visage aride, immense de la plage.

L'OLIVIER

Loué dans le matin soit-il, l'olivier !
Une simple guirlande, une tunique blanche,
Une prière harmonieuse
Sont pour nous une fête !

L'arbre est clair et léger dans l'air. Et tu ne sais,
Nous ne savons, non plus l'olivier ne sait
Pourquoi jusqu'au tréfonds du cœur
Nous touche sa beauté.

Maigres ramures, tronc évidé, feuilles grêles,
Racines contournées et des fruits minuscules,
Le voici ; dans sa pâleur brille
Un ineffable dieu !

Ô sœur, veut-on planter ou gauler l'olivier
Selon la loi hellène, aux enfants de la terre

Vierges et pures, est dévolue
Cette tâche, dès lors

Que de cet arbre de Pallas la chasteté
Est souveraine et qu'une trop grande nuisance
Une main impure lui cause ;
Pour le perdre il suffit

D'une haleine maligne. Et toi dans ton sommeil
Marchant sur l'asphodèle sans le plier et passant
L'eau lustrale, te voilà digne
Maintenant d'approcher

Toute de blanc vêtue ainsi que la Victoire,
Les cheveux coiffés haut tout autour de la tête,
Et foulant d'un pied sémillant
La terre, approche-t'en.

La brise fait flotter ta tunique ondoyante
Qui houle dans ses plis bruissants, harmonieux
Comme l'écume de la mer
Invisible à laquelle

Sourit l'olivier. Bras nus comme la Victoire,
Hausse-toi sur ta sandale souple afin que
Tu cueilles la branche la moins
Feuillue pour la guirlande.

Car nous n'avons besoin que de cette couronne
De feuilles clairsemées, et si fine et légère
À seule fin de ne peser
Moindrement d'aucune ombre

Sur tes belles pensées du matin. Ô lumière
Douce, jeunesse de l'air et incorruptible
Justice, nudité divine
Des choses, ô toi, descends

En nous, Animatrice. Et de même qu'en toutes
Ces feuilles l'olivier chaste, touche notre âme

Aussi. Puisses-tu la voir toute,
Toi, la Toute-Voyante !

LES BERGERS

(1re version)

Ô septembre, partons ! Ô mois des transhumances !
Mes bergers à cette heure, au pays des Abruzzes,
Abandonnent leurs parcs et s'en vont vers la mer ;
Les voilà descendant vers cette mer sauvage,
L'Adriatique verte autant que les alpages.

Ils ont bu longuement aux sources des montagnes
Pour qu'il les réconforte et qu'il les accompagne,
Ce goût de l'eau natale en leurs cœurs d'exilés,
Pour qu'il trompe leur soif tout au long du chemin.
Et leur houlette est neuve en bois d'avelinier.

Par l'antique carraire [1] ils s'en vont vers la plaine
Comme à travers un fleuve herbeux et tout silence ;
Ils vont, mettant leurs pas sur les pas de leurs pères.
Ô cri de celui-là qui clame le premier,
À peine aperçoit-il le frisson de la mer !

Maintenant le troupeau chemine tout le long
Du rivage, tandis que l'air est immobile.
Le soleil fait blondir à tel point les toisons
Qu'on ne peut presque pas les discerner du sable.
Ô piétinement, ô clapotis, doux bruits !

Oh, que ne suis-je avec mes bergers, moi aussi.

Nota. [1] Petit chemin de montagne, piste ou draille.

LES BERGERS

(2ᵉ version)

Septembre, allons. Il est temps qu'on transhume.
Maintenant mes bergers dans les Abruzzes
Laissent leurs parcs et s'en vont vers la mer :
Vers l'Adriatique sauvage et verte
Comme le vert de l'alpage, ils descendent.

Ils ont bu longuement au fond des sources
Des montagnes pour que le goût demeure
De l'eau natale et soit le réconfort
De leurs cœurs d'exilés, trompant leur soif
Tout au long de leur long cheminement.
Nouvelle est leur houlette en bois d'avelinier.

Et par l'antique draille ils vont jusqu'à la plaine,
Comme à travers un fleuve silencieux
D'herbes, foulant les traces des aïeux.
Ô la voix de celui qui tout le premier
Reconnaît de la mer le friselis !

À présent le troupeau forge la grève.
Rien ne bouge dans l'air. Et le soleil
Fait tellement blondoyer chaque toison
Qu'à peine diffère-t-elle du sable.
Piétinement, clapotis, rumeurs douces.

Oh, pourquoi ne suis-je avec mes bergers ?

Giovambattista Maccari

LA PASTÈQUE

C'est un petit verger que rafraîchit l'eau vive
Et où le gazon vert frissonne au vent du soir.
Une treille l'entoure et forme une clôture ;
La figue qu'on y cueille est gluante de lait
Et poiriers et pommiers mêlent branches et fruits
Qu'on voit se balancer vermeils et arrondis ;
Dans le feuillage vert rougeoient les belles pêches.
Dames et jouvenceaux sous la tonnelle fraîche,
Assis à une table à la pierre très blanche,
Vous contemplent, ravis, une énorme pastèque
Dont la pulpe est béante et saignante à souhait.
Un paysan remplit les verres que l'on choque
Et, tandis que l'on danse aux sons des mandolines,
Furtivement se glisse alors le clair de lune.

LE JET D'EAU

Ce superbe jet d'eau que clôture une grille
Écoute deviser d'aimables jeunes filles
Savourant la fraîcheur d'ensorceleuses nuits.
Malgré l'heure tardive les marchands de fruits
Ont leur boutique ouverte où filtre la lumière
Jusque dans la ruelle ; une bougie éclaire

D'une lueur tremblante et chichement prodigue,
Des gars dont les cageots vous proposent des figues ;
De temps à autre il passe encor quelque voiture ;
La rue se vide et tel piéton à vive allure
Se hâte de rentrer et tel autre se fige
Devant le grand jet d'eau qui brasille, — ô prodige !

Sebastiano Satta

DANS LA LANDE SARDE

Les rayons du soleil, rêve
D'un instant ; puis les ténèbres
S'étendent sans fin ni trêve
Et sur la plaine sauvage

Elles croupissent, glaciales ;
Jusqu'aux montagnes, au loin,
Cette terre en deuil s'étale,
Tout silence et nudité.
Un pâtre, seul et figé,
Avec houppelande et besace,
Regarde ce morne pays
De tourmentes et de glace.

VEILLE DE NOËL

Trois bandits, avançant tout encapuchonnés,
Sombres et à pas lents, grimpent un raidillon,
Gris et désert ; la route à travers un maquis
De chênes-lièges sous le ciel argenté,

S'enfonce. Tout se tait : les troupeaux et les hommes ;
Et le vent court, balayant la lande glacée.
Vaste silence. Au fond, une montagne blanche
Dans le soir somnolent offre un tableau riant.

C'est le soir de Noël ! Et ces bandits, ils pleurent,
Le cœur meurtri de nostalgie pour toi, Noël,
Dont ils n'entendent pas, hélas ! les carillons.

Le cafard les empoigne : ils songent au fumet
Du cochon de lait, au bon vin, à l'allégresse
De la bûche flambant dans leurs maisons lointaines.

LE POULAIN

Il a dressé sa tête étoilée : ô merveille !
Regardez ce poulain et sa blanche crinière
Et ses naseaux ouverts pour aspirer les souffles
Que le printemps dégage en effluves brûlants.

De tous ces jeunes gars dont la bande audacieuse
Aime à se mesurer en des jeux dangereux,
Nul n'ose tenailler cette croupe aussi noire
Que le plus noir tourment et dévaler la pente.

Et le vieillard a dit : « *Gloire à qui le premier
Saura le chevaucher !* » La peur saisit ces jeunes.
Alors le vieux, serrant dans ses poings la crinière

Avec des doigts crochus comme griffes de fauve,
Sa belle tête droite, encor que grisonnante,
Campé sur son coursier, se rue et disparaît.

BERGERS SARDES

Les troupeaux vont quêtant au doux son des clarines
L'eau des maigres ruisseaux sous le ciel qui se dore ;
Et c'est l'heure où bientôt les bergers de Sardaigne
Vont tous lever leurs fronts afin d'adorer Dieu.

Dans leur ravissement ils sont comme baignés

De lumière ; et saisis d'une frayeur sacrée,
Les voici frissonner comme font les grands chênes,
Avides de vents frais, sur les buttes brûlantes.

Ils marchent maintenant à travers les rochers
Et les prés d'asphodèle, au bord des flots grondeurs,
Comme des revenants d'un âge révolu.

Dans leur marche fatale, effarés, solitaires,
Ils vont, le cœur soumis à de sombres pensées
Et les yeux éperdus dans cette immensité.

LA DOULEUR

Pareil au forgeron, tu prends tes morceaux
De chair humaine et puis dans le feu en silence
Tu les plonges, les ploies, les lamines, les tords
À grands coups de marteau sans que tu les regardes.

L'un d'eux parfois se brise ; aussitôt tu l'arraches
Et tu le laisses choir ; jamais plus tes tenailles
Ne le reprendront. Pleurs, blasphèmes, hurlements,
Sans aucun repentir, tu les entends ; tu frappes

Et brises, sourd à tout. Moi je ne pleure pas
Et même je jouis d'un atroce plaisir
Sur l'enclume et, mes yeux dans les tiens, je t'appelle

Et te désire. Martèle, ô toi qui forges les hommes :
Dusses-tu m'éprouver, qu'importe ! je te veux.
On vient à bout de tout, si l'on mate ta force.

Guido Gozzano

ÉLOGE DES AMOURS ANCILLAIRES

I

Lorsqu'elle vient m'apporter des nouvelles,
J'aime attraper la soubrette pimpante
Avec qui je partage d'anciens secrets.

Ce qui m'allume c'est sa bouche au rire frais,
L'attente vaine, sa gouaille, l'heure,
Et le fumet d'égrillardes histoires.

Elle me raille, implore, se débat,
Elle invoque le nom de sa maîtresse :
« Ah, j'en ai honte ! Ah, pauvre Madame,

Pauvre Madame… ! » Et elle s'abandonne.

II

Ce qu'on reçoit de ces soubrettes gaies
Et friponnes c'est une volupté plus saine,
Sans tourment que celle de leurs patronnes.

Ce n'est ni le martyre lent où l'on ruse
Ni la fièvre morbide brûlant nos pouls
Ni le sentiment qui dégage l'ennui

Dérange nos sommeils et allonge nos nuits
Ni l'âme triste après la jouissance,

Mais ce sont des ébats plus tranquilles et mâles.

Je suis le louangeur des amours ancillaires !

LA MORT DU CHARDONNERET

Il est mort et pourtant, tout faraud, il chantait,
Le beau chardonneret qui sautillait, espiègle,
Encore hier. L'enfant qui l'avait cajolé
Sanglote ; et le grillon et aussi la grenouille

Lui répondent. Grand'mère a laissé sa quenouille
Pour venir consoler son petit-fils qui, blême,
Se désole et qui tient au creux de son giron
Le corps inanimé de son oiseau si cher.

Et voici que l'enfant de ses mains creuse à même
La motte rouge un tombeau minuscule et couvert
D'asphodèles, de menthe et de trèfle à foison.

Que je voudrais aussi qu'un enfant vienne et pleure
Sur moi qui dormirai dans la paix du tombeau !
Et quand la mort est belle, il n'est de sort plus beau.

ESPÉRANCE

Le chêne immense, naguère abattu,
Couché tout un hiver sur le gazon,
Montre dans son aubier et par ses ronds
Les *cent quatre-vingt-dix ans* qu'il vécut.

Mais lorsque le printemps eut entr'ouvert
D'une main de velours chaque corolle,
Voici les moignons noueux qui feuillolent
De ce chêne qui se rêve encor vert.

Il rêve, oublieux des grands coups de hache,
L'azur du ciel, éternel et serein,
Ses hôtes siffleurs, les vents qui se fâchent

Et ses fruits et les siècles à venir...
Je ne sais pourquoi j'ai tant de chagrin
Pour ce mourant qui ne veut pas mourir.

AUTOS DANS LA NUIT

Elles trouent la nuit de leurs phares,
    Soudain et sans pitié ;
Dans les champs l'obscurité
    S'éclaire et en tressaille.

Une maison s'ébahit, blême,
    Une prairie de même,
De cette aube qui les meurtrit
    Violemment et s'évanouit.

Ces faisceaux éphémères
    Qui fuient, la forêt les rejette ;
Malgré la clarté qui la fouille,
    Sombre, elle se tait et se fige.

MESSE BASSE

Tintement couleur de ciel
De la cloche parmi les monts !
C'est un jour de fête, et la cloche
Au petit matin se réveille
Égrenant à la volée
Son vif carillon qui sautille
Et appelle de proche en proche
Les fidèles à la messe basse.

Dans les venelles il fait nuit ;
Déjà les sabots font leur bruit,
Un volet claque et puis
Sur le toit des ailes froufroutent ;
Elles se taisent aussitôt
Et l'on n'entend plus rien
Que des coqs se targuer au loin.
C'est le silence de nouveau
Que berce un tout petit ruisseau.
Le jour se lève ; et dès la fin
De la messe, sur le parvis
Les châles noirs font halte
Et les parlottes vont bon train...
La montagne d'en face
Se dore où le soleil glisse
De la crête le long des pentes
Et arrive par petits bonds
De colline en colline, tel
Un enfant, jusqu'à la chapelle ;
Blanche, près du cimetière,
Elle va tout le jour se taire.

PAIN

Les humbles, chaque jour, sont heureux de te rompre,
Puisque tout leur bonheur réside en ta présence.
Est-il pour eux de prix qui vaille, *ô pain*, celui
De te voir arriver tout brûlant du fournil ?

Parmi des coupes d'or, sur la table frugale
Éclate ta blondeur ; chaque richesse en toi
S'amasse et se résume, et ton grossier aspect
Ne saurait déparer le plus riche banquet.

Toi, l'enfant du soleil, dont en chaque demeure
Tu portes un rayon, tu éclaires le front

De ceux qui pour t'avoir honnêtement travaillent.

Mais lorsqu'un mendiant, fatigué du chemin,
S'assoit près d'une source et que de sa besace
Il te retire, *ô pain*, c'est alors que je t'aime.

EAU

C'est toi que j'aime, née au tréfonds de la nuit
Ou dans des cavernes acérées par le gel,
Toi qui avidement accours vers le soleil
Bienfaisant à travers les solitudes pures.

Tour à tour un rocher te gêne ou c'est un gouffre
Qui t'engloutit ; voilà que tu glisses, te voiles
D'ombre et avec fracas tu plonges dans des grottes
Pour en sortir enfin : dans ton calme miroir

Se reflète le ciel. Toujours indocile, gamine,
Tu frétilles, te plains si douce et si timide
Dans la paix esseulée d'une cour ! Mais soudain

Au fond d'un chemin creux envahi par les ronces
Tu babilles gaiement, compagne du routard
Solitaire, marchant à l'ombre des sentiers.

BAL À LA VILLA D'ESTE

Novembre ouvre le bal,
Dansant avec les feuilles
Traînant dans les rigoles :
Robes jaunes, rubans rouges,
C'est la tenue de rigueur.
Vous qui chûtes hier,
Aujourd'hui dans la crotte,

Allons ! Dansez la gavotte
Ou le tango des bouges
En essaim qui tourbillonne.
Soyez toutes à la fête,
Pauvres feuilles d'automne :
Sitôt qu'une s'arrête,
Le tourbillon l'emporte.
Dansez, les feuilles mortes,
Danseuses éphémères,
Aux sons déments
Du jazz des vents
Qui miaule, hulule et glapit ;
Dansez, agonisantes,
Mort et vie s'enlaçant !
Et le ciel qui attend
La ronde des étoiles
Du fond de l'infini
Assiste à cette bouffonne
Sarabande d'automne.

LE PÊCHER

Sous la douce étreinte de mars le pêcher grêle
Fleurirait, n'était qu'il voit encor les montagnes
Trop enneigées et qu'il redoute d'affronter
La menace soudaine et violente du vent.

Ce qu'il redoute aussi c'est par sa floraison
De déplaire au peuplier, roi des horizons,
Et au vieux figuier, prêt à lui ouvrir ses bras
Afin d'en surveiller les foucades trop vives.

Mais, dans la tiédeur d'une nuit,
Voici qu'une langueur, un frisson, un désir
Fou, et puis comme un soupir... C'est l'aurore :

Le voici qu'il se voit, rutilant de rosée,
Nimbé dans une nuée rouge de corolles,
Il hésite et embaume aux brises matinales.

Ada Negri

PENSÉE D'AUTOMNE

Rends-moi, Seigneur, semblable à ces feuilles mourantes
De l'ormeau, que je vois tout là-haut frissonnantes
Sur la plus haute branche au soleil d'aujourd'hui.
Frisson de chagrin, non pas, tant le soleil luit !
Et c'est d'un vol si doux pour s'unir à la terre
Que de la plus haute branche elles se libèrent.
Dans le jour qui se meurt, aux dernières clartés,
Cœurs prêts à l'offrande, on les voit s'embraser.
Leur agonie est douce ainsi qu'une aube blanche.
Pouvoir me détacher de la plus haute branche
De ma vie, ô Seigneur, ainsi soit-il, sans plainte,
Comme elles, de soleil et de Toi tout empreinte.

LES PINS

Immobiles, debout, les pins contre le ciel
Où prélude le soir, alourdi de nuages.
Ils sont tous alignés, sentinelles muettes ;
Leurs rameaux les plus bas vous éraflent la terre
Là où leurs racines plongent profondément,
Leurs cimes d'un élan dressées vers les nuages.
Que leur tronc est énorme, énormes leurs racines !
Mais le haut s'amincit : on dirait un estoc
Qui voudrait transpercer de part en part l'espace.
Oh, dans le crépuscule, immobiles et beaux,

Ils voudraient s'évader, ces pins, mais ne le peuvent
S'évader et partir vers la grève et la mer,
Devenir des radeaux, flotter et naviguer
Sur la houle des mers et sur leurs bleuités !
Ou, métamorphosés en hélice et en aile,
Monter, toujours monter et par-delà le ciel
Traverser d'autres cieux, découvrir des étoiles.
Les pins souffrent, rivés à ce sol nourricier
Qui fait d'eux néanmoins des captifs éternels.
Ils souffrent sans avoir ni la voix ni le cri
Ni les pleurs pour clamer leurs souffrances muettes.
Moi aussi, je connais un homme entre les hommes
Qui se tait mêmement, mais ne pourra jamais
Arracher sa racine : en vain il se tourmente.

ACTIONS DE GRÂCE

LA TERRE

Merci, mon Seigneur Dieu, pour ce champ labouré
Qui s'étend devant moi, paisible immensément ;
Merci pour ce canal qui tout au fond s'étire
Parmi les acacias nus, paresseusement.
Je ne demande rien pour ces yeux que voilà
*(Mes yeux naguère aimés et qui brûlent encore
De l'éclat que l'amour alors y alluma),*
Rien d'autre que la joie de ce champ calme et vaste
Où je sens en esprit se lever les moissons
Passées et à venir, l'âpre labeur des fils
Succédant à son tour à celui de leurs pères.
Effarant défilé de tous ces millénaires :
Un instant tout de même ! Hier il fut bêché,
Mais aujourd'hui, ce champ, on le laisse au repos ;
Il attend la charrue, ensuite la semence.
Je l'aime tel qu'il est avec sa couleur brune
Que le soir fait virer quasiment au violet :

C'est là comme un présage de mélancolie.
Ô terre, terre à moi, rien que la terre : rude
Au toucher, douce au cœur, et riche de secret,
Pleine de force. Si j'en prends une poignée
Dans le creux de mes mains, c'est un peu de moi-même
Que je serre : ma part la plus sombre et profonde.
Tu contemples le ciel, mais sans le refléter,
De l'aube jusqu'au soir et du soir jusqu'à l'aube.
Terre, le ciel est loin, tu le sais ; mais pour lui
Tu te mues en épi de maïs et de blé,
En fruit, en fleur ; la nuit, tu l'appelles tout bas
Par le cri des grillons qui le prient ; on dirait
Alors que ton sein se gonfle et soupire et sanglote.

La terre a le visage auguste de ma mère ;
Elle garde aussi jalousement mes racines
Que celles de ces mûriers et de ces saules
Que j'aperçois d'ici. Je crus jadis partir
À jamais, sans retour, libre de toute attache.
Mais on ne ment jamais à ses propres racines ;
C'est ici seulement à ma vraie liberté
Que je livre ma vie : terre à même la terre.
Que si je meurs en elle ainsi que le bon grain
Qui meurt pour renaître ensuite dans l'épi,

Mon Seigneur Dieu, merci.

VERTIGE

Je descendais par le chemin rocheux vers la plage des sirènes,

 Et je vis cheminer avec moi les ronces et les pinastres.

 Visages muets, creusés par le temps, penchés dans le vide
impossible à combler,

 Je vis les pics des monts cheminer avec moi.

Mais le ciel d'un azur torride, même les falaises s'étageant vers la mer

Se mirent à marcher, et tout marcha de conserve avec moi.

Au monde plus rien que ce cercle, tournoyant sur des gouffres béants

D'air et d'eau où s'abîmait mon frêle cœur éperdu avec moi.

Je me sentis rouler tout au fond des espaces ; peut-être criai-je, mais de joie.

Car tout au fond de l'abîme *Tu* m'attendais, Seigneur, *Tu* y étais, et *Tu* m'aurais reprise avec *Toi*.

LA NEF

L'ÎLE DE CAPRI

Si le suroît traîne les nuages par les cheveux et que la mer t'ébranle

Depuis le mont *Tibère* jusqu'au *Punta Carena* et te menace du côté des deux golfes ;

Ou, si l'azur te nimbe et que tu ne saches démêler le ciel d'avec la mer,

Île de ma joie, je m'unis à *toi*, toute pantelante, comme sur le pont d'un immense navire.

Pars avec tes cheminées fleuries de roses, tes cordages et tes haubans de vertes lianes ;

Pars avec mon cœur d'évadée battant entre les flots et les étoiles sur une proue

De rêves, *ô toi, nef corsaire de la beauté*, pars pour ce voyage sans retour pour moi I....

PLUIE

Il pleut depuis une heure
Mais l'enfant s'illusionne
Qu'il pleut depuis longtemps
Sur la grand'ville. Il pleut

Sur les toits et les murs,
Sur la longue avenue,
Sur les arbres tout noirs :
Pluie morne et monotone.

Il pleut : les vitres versent
Des larmes goutte à goutte
De fillettes qui boudent,
Au grand bruit de l'averse.

Il pleut sur la route
Et dans chaque demeure,
Et la mélancolie
Secrète de la pluie
Déjà nous envahit.

LA TERRE

À plat ventre je me couchai, bras étendus, me plaquant contre terre et m'y soudant ;

J'appuyai mon oreille contre la terre pour entendre l'herbe pousser tout doucement.

Je n'entendis pas pousser l'herbe ; mais, venu des noires entrailles, un grondement secret pénétra mon oreille :

À travers mon oreille il envahit mes sens, mon cœur, le dilata, le fit sombrer dans les profondeurs les plus ténébreuses.

Et dans la voix du mystère terrestre, moi, je reconnus ta voix, ô mon perdu retrouvé.

Car tu étais devenu la terre et tes veines se répandaient dans toutes les fraîches germinations.

Et avec des tentacules de racines et des murmures de sources et de longs frémissements de semences, mon perdu retrouvé, tu m'as reprise avec toi.

SAGESSE

Quand tu ne feras plus la moindre différence
Entre ton ennemi et ton ami, et quand
Une commune voix auront pour toi les chants
Et les pleurs ; quand plus rien au monde ne pourra
Te blesser, toi qui eus durement à te battre
Et qui fus si meurtrie ; quand tu rendras l'amour
En échange de la haine et quand tu pourras,
Pour le bien que tu fis, sourire en recevant
Ingratitude, oubli ; quand tu n'auras rien d'autre
Que ton Dieu dans ton cœur et toi, sans doute alors
Viendra-t-elle *la vraie vie, ou la mort.*

MAGNOLIA

La pluie avec un bruit claquant de castagnettes
Sur le feuillage dur du magnolier tape ;
Le dru magnolier étincelle et ruisselle
Sous le bain salutaire, et les gouttes ricochent
Sur les plaques brunies des feuilles, cependant
Que parmi le vert sombre éclosent les calices
Où l'amour et la mort confondent leur senteur ;
Ils s'offrent, pâlissants, à l'eau qui les restaure,
L'accueillent toute en eux, ces vivants bénitiers,
Où nul ne trempera pour un signe de croix.

FIN

Silencieusement s'effeuille toute seule
Une rose blanche en sa coupe de cristal ;
Je la regarde qui meurt sans qu'elle le sache.
Intacts, immaculés, ils tombent néanmoins,
Ses pétales, un par un et l'un près de l'autre
D'une chute légère, ils se posent et gisent :
Dans l'attente tous d'un prodigieux miracle
Qui les puisse vivants, dans toute leur candeur,
Relever, les redonner à leur tige nue.
Ainsi choit sur mon cœur chaque jour de mon temps
En fuite : oh, jours intacts ! Mon cœur, hélas ! voudrait,
Sans jamais le pouvoir, refaire avec ces jours
Une rose nouvelle au plus haut de sa tige.

PRIÈRE POUR LA MORT

Nous sommes désarmés devant toi. C'est cela
Que la mort nous enseigne. De Délia,
Tel était le visage. Un rire blanc, ouvert,
Et des yeux d'eau de source et ses traits si changeants
Sous les élans du cœur, et de son front
La majesté innocente et sa voix
Sortant avec douceur de ses lèvres : avoir
Entendu cette voix c'est ne plus l'oublier.
Tel son visage, à présent pétrifié.
Pierre opaque, et de glace au baiser ;
Un lointain de déserts, si peu que notre bouche
Le frôle.
      On te demande : Où Délia est allée,
Délia-souffle, Délia-âme, Délia, ardent
Esprit qui nous réchauffait à sa propre flamme ?
Son souffle, où plane-t-il, qui donnait de la grâce
À sa forme terrestre, en tous lieux rayonnante ?

Et ce rayonnement d'amour le rendra-t-on jamais
À notre amour ? — À nous, réponds-nous par ton Verbe,
Dis-le-nous que Délia, bien que disparue,
Vit encore. Sans voir, sans savoir, c'est cela
Que nous voulons croire : y croire avec nos yeux
Aveugles, le front contre terre,
Nous l'invoquons dans notre misère.
Délia est vivante. Aujourd'hui commence
Sa vie durable, lors même qu'elle mourait.

PÉCHÉ D'ORGUEIL

Souffre sans souffler mot. Et pour compter les larmes
S'écoulant de tes yeux, toi, n'appelle personne.
Le coup qui t'a frappée, fût-il insupportable,
À quoi bon demander aux autres du courage ?

Au tréfonds de toi-même et un à un dénombre,
Si tu veux, à genoux, accablée ou voûtée,
Les sanglots de ton cœur. Mais que ton gros chagrin
Ne déborde jamais afin que l'on te plaigne !

C'est une horrible chose être un objet de plainte.
Mais rien que par la force de ta volonté
Tâche de conquérir l'oubli de ton angoisse.

Pour que tes lâches pleurs soient par toi refoulés
Et qu'ils soient transformés en un rire de gorge,
Apprends le beau péché qu'est celui de l'orgueil.

Federico Tozzi

ORAISON

Je t'aime d'un amour fou, *Sainte Vierge Marie* !
Ma prière est tout comme l'herbe neuve
Et fraîche et belle que la source abreuve
Tout le temps dans les prés et sur les berges.

Oh, laisse-moi t'invoquer par ton nom
Et de moi, comme il te plaît, dispose,
Vierge belle, qui connais la façon
De me rendre meilleur. Quand toute chose,

Possédée ici-bas, corps et biens,
Se sera perdue, toi seule en mon cœur
Tu resteras, *Vierge,* qui m'appartiens,
Vierge très belle, mère du Seigneur.

Tu es au sein de la vie éternelle
D'où sourdent pour nous les eaux bénéfiques
Qui rendront doux le Pain Eucharistique,
Notre nourriture spirituelle.

La mort sera pour moi le meilleur fruit
Dont la douceur passera toute chose ;
Et mon âme qui cherche, mais qui n'ose,
Possédera dès lors le Paradis.

Rends ma parole pure, et que ma voix
S'élève en un hymne sans pareil ;
Je ne demande, ô *Vierge,* que cela,
Tant que mes yeux pourront voir le soleil.

LE BANQUET

Le vin que vous buvez, mes hôtes, c'est celui
De ma vigne et le pain où s'enfonce la dent
Voluptueusement a été lentement
       Cuit dans mon four à l'aube.

Mon troupeau vous fournit la viande que voici
Fraîche et fleurant le lait ; pour dorer ma fougasse
Je l'ai nappée de miel que vient de distiller
       Ma ruche parfumée.

Je ne vous offre rien qui ne soit pas le fruit
Divin de mon labeur : tout ce que je possède
Est le fruit de l'amour aussi bien que des jours
       Baignés de ma sueur.

Ma charrue fend la terre et l'ouvre où je répands
La semence au printemps ; ainsi, l'hiver venu,
Mes greniers craquent, remplis abondamment
       D'opulente moisson.

Ma vigne, je la sarcle et je taille mes ceps
Juste avant les frimas ; aussi leurs grappes d'or
Me donnent force vin et d'un bouquet subtil
       Qui me comble et ravit.

Je mène mon troupeau paître dans les prairies ;
J'en tire un lait crémeux et de chaudes toisons.

Dès l'aube je travaille et au soleil couchant
        Je me couche et je dors.

Mon bonheur, le voilà. C'est le seul, c'est le mien :
Il est humble et frugal et m'incline à l'effort,
Et lorsque vient l'été, qu'au-dessus de ma ferme
        La lune s'arrondit,

J'aime en plein air rester pour contempler le ciel,
Retrouvant mon passé, au fond de ma mémoire
Enfoui, qui renaît au gré des belles fables
        Et des vers que je forge.

Et j'aime à façonner, les jours chômés, ces coupes
Où vous buvez du vin dans de la glaise rouge
Sur laquelle j'ai peint ces hirondelles bleues
        En plein vol et ces fleurs.

LA VISITE DU SEIGNEUR

Mon âme est exultante et luit d'un grand éclat :
Le Seigneur est venu la visiter, mes sœurs.
Ô mes sœurs, répandez les lys blancs sous ses pas
Et de myrrhe embaumez votre chaste demeure
Et d'amour et d'encens, oh, parfumez-la toute !
Car pour la visiter il a fait longue route.
Il s'assied parmi nous, lui, le plus doux des frères,
Il nous parle et sourit, il exhorte et conseille.
Et mon humble demeure à un temple est pareille,
Immense temple orné de riches draperies
Où l'hymne pure éclate au grondement des orgues.

Lavez, pieuses sœurs, les pieds du pèlerin.
Tous vos suaves pleurs dont vos vases sont pleins,
Versez-les sur ces pieds qu'a souillés la poussière,
Qui sont venus m'offrir la paix avec l'amour.
Bienveillant, il écoute et exauce toujours.

Que me demandes-tu, mon hôte de passage ?
As-tu faim ? As-tu soif ? Goûte aux fruits savoureux,
Cueillis dans mon verger sous un feuillage ombreux
Où pousse l'arbre de la sagesse infinie.
Voici le miel blond de ma bruyante ruche
Et voici l'onde pure et la source esseulée
Qui chuchote dans l'ombre abritant ma vie fraîche ;
Par les fruits et dans l'eau désaltère ta bouche.

Notre Seigneur est las, mes sœurs, du long chemin.
Oh, dressez sans tarder un divan plein de roses
Et baissez les rideaux sur les fenêtres closes
Pour que l'éclat du jour ne trouble son doux somme !
Marchez avec prudence et glissez sur la dalle
Et parlez à voix basse en appelant les hommes
Pour que, pleins de liesse, ils accourent en foule.
Veillez que les chariots fassent un long détour
Et que des forgerons se taisent les marteaux ;
Que tout brave artisan dépose son ouvrage !

Le Seigneur bienveillant, las du chemin trop long,
Restauré par nos mets et par nos frais breuvages,
Dort ici de mon âme à l'ombreuse maison.

Enrico Pea

LE ROUGE-GORGE

Le rouge-gorge plus sage que moi
Ne se plaint pas si la récolte est pauvre,
Si de neige les champs sont recouverts,
S'il a soif en raison de l'eau qui gèle
Et si le vent malmène son abri.
Voici qu'arrive après une année maigre
L'abondance sur l'aire et après l'hiver
Le ruisseau de nouveau chante et le vent
N'est que zéphyr qui berce avec douceur
Le rouge-gorge innocent et mignon,
La Providence *(il le sait)* le sustente,
Il sait que les souffrants sont par la suite
Consolés : il connaît le sang, les pleurs,
L'espérance ainsi que tous ceux qui geignent.
Mais lui ne connaît pas le désespoir,
Le rouge-gorge, porteur des stigmates
Du Christ, sur la blancheur de sa poitrine ;
Il fut présent lors des pleurs de Marie,
Quand de nuées la terre se couvrit.
Notre oisillon, choisi à l'avance
Pour être coloré d'une goutte de sang
De Jésus, patiemment vit de providence,
Avec assurance croit, espère, attend et chante,
Se mire au ciel qu'il croit n'appartenir qu'à lui.

Marino Moretti

LE PETIT HÔTEL

Oh, le petit hôtel au nom chantant,
Comme d'emblée je l'aime ! Est-ce l'hôtel
De la Lune ? ou des Trois Rois,
Des pèlerins ? l'hôtel de l'Épée d'Or ?

Oh, cette auberge au nom chantant,
Pour l'âme quel repos ! Est-ce l'auberge
De l'Aigle ? des Trois Maures ?
Celle du Bon Génie ? du Bol d'Or ?

Oui, bien sûr, le Bol d'Or ! Ce bol reluit
En lettres d'or, là, sur l'enseigne noire
Couvrant la balustrade
D'un petit balcon donnant sur la place !
Hôtesse que je vois en train de faire
Avec ardeur du crochet, faites boire,
Je vous en prie, à votre dernier hôte
Un bol d'or, plein de votre bon vin blanc !

QU'EST-CE QUI FLOTTE DANS L'AIR ?

Qu'est-ce qui flotte dans l'air ?
Et voici que de là-bas
Arrive l'écho d'un chant,
De plusieurs chants, de cent airs

Dans un seul air. Toi, mon âme,
Tais-toi. Avant qu'une étoile
Brille, tournons la manivelle
D'un orgue de Barbarie.

Fais que par toi ton poète
Qui vit à l'écart du monde,
Quémande à un passant
Rien que quelques fifrelins.

Toi, mon âme, tais-toi donc,
Cependant que la lumière
Baisse, allons où nous mène
Ce son : ensemble allons-y.

LES DÉFRICHEURS

Ils laissent par milliers la ruche ; ainsi l'été
Dans la touffeur de l'air s'envolent les abeilles.
Mais qu'importe où ils vont ? Où l'on vit, où l'on meurt,
Ils vont dans des vaisseaux — cercueils, berceaux, selon —

Embarqués par troupeaux : mères à fond de cale
Qui couvent leurs enfants, endormis de la mer,
Tandis que les vieillards rêvent un nouveau foyer
Qui puisse réchauffer leurs derniers jours en fuite.

Toi de même, Italie, qui engendres et berces
Sans cesse des enfants le long de tes rivages,
Les répands comme blé de par le monde entier :

Enfants porteurs de paix, et partout où ils sont,
La terre ensoleillée leur ouvre son giron
Pour que la fleur humaine et la semence éclosent.

Francesco Gaeta

LES FIGUES

Garçon de Campanie qui descends du Vésuve à l'aube,
    Chevauchant ton baudet et en culottes bleues,

Prends ton panier d'osier grinçant et va vers mon amie :
    Elle voit derechef le laurier-rose en fleur,

Tandis qu'elle séjourne entre Baïes et le Lucrin
    Poissonneux, dis-lui donc, messager sans couronne :

Ces figues que voici, qui jamais n'ont baigné dans l'huile,
    Que sur l'arbre feuillu septembre a vues se fendre,

Reçois-les ; c'est le don du poète qui vaut bien plus
    Qu'une ode ; mange-les en buvant du verjus.

Puisses-tu vivre heureuse ! À midi mange ces fromages
    Crémeux de Cardito, sois friande le soir

De turbots ; que pour toi l'abeille bourdonne, et pour toi
    Le brave et vieux fermier au visage à demi

Caché par son chapeau de paille, qu'il palisse les branches.
    Le poétastre a mis sa dame à la torture,

La harcelant de ses poèmes plaintifs et bâtards ;
    Accepte de bon gré ces figues, en attendant

La poire fleurant bon, le raisin couleur cornaline
    Et l'olive ridée de l'automne malsain.

Le poète rustique aime à faire ces dons, lui qui
      Trompe le temps qui fuit des rimes badines.

Et il sera comblé, si ton minois d'adolescente
      Que dore le soleil, lui adresse un sourire.

PREMIERS FROIDS

Pourquoi plus tristement les chansons des ivrognes
Montent ce soir là-haut non loin de la prison ?
Octobre meurt : plus vaste en paraît l'horizon,
Tandis que les objets et les êtres nous poignent.

La terrasse est déserte où s'alignent les chaises,
Attendant les rigueurs de l'hiver tout prochain ;
Dans un pauvre courtil le fifre d'un gamin
Exhale un air plaintif qui doucement s'apaise.

Dans l'échoppe d'en face, à genoux, l'apprenti
Souffle dans les copeaux tombés de la varlope
Qui fument, qui rougeoient : le noir les enveloppe.
Mais une ombre dansote, et c'est son ombre à lui.

Je te vois apparaître en haut d'une grimpette
Qu'éclaire un bec de gaz ; et par ces premiers froids
Tu frôles les maisons, baissant un peu la tête
Et tu serres ta jupe et viens en tapinois.

Personne ne t'a vue. Ton foulard rose pâle
— *Celui de l'an dernier* — cache ton frais minois.
Un autre été a fui d'une fuite fatale !
Je tremble en t'accueillant, saisi d'un vague émoi.

L'ORANGER

Ô toi dont les pétales,
Ô fleur d'oranger, telle une étoile de neige
Perdant tous ses rayons,
Sous les yeux de l'été tombent l'un après l'autre ;

Toi qui dans les nuits claires
Mêlais ta jeune haleine à celle de la lune
Et changeais un courtil
En une féerie, tu peux te dessaisir

Du pistil atrophié
Pour gonfler au soleil, pomme des Hespérides,
Ta sphère verte ; et puis
Sur l'arbuste étincelle avec tes reflets d'or.

Rappelle à ceux qui pleurent
Ton parfum à jamais disparu de ce monde
Que le charme des choses
Réside seulement dans leur caducité.

Salvatore di Giacomo

UN PIANO, LA NUIT

Un piano joue, la nuit,
Au loin ;
Soupir musical
Dans l'air

Il est une heure ; la ruelle
Dort, au son
De cette vieille rengaine,
Du bon vieux temps.

Que d'étoiles au ciel,
Quelle lune, mon Dieu !
Que je voudrais entendre
Chanter une belle voix !

Mais ce vieil air,
Lent et solitaire,
S'éteint et la ruelle
Est dans le noir.

Mon âme seule demeure
À la fenêtre. Attends.
Cet air qui t'ensorcelle
Te rend rêveur.

Trilussa

DANS LA CAGE DE L'ESCALIER

Sitôt qu'elle a passé la porte de l'immeuble,
Je l'ai vue ; tout à trac je lui glisse un mot doux.
Elle m'a répondu, m'a souri. Nos deux mains
Se sont alors serrées bien fort à l'entresol.

Mon moral remonté, c'est au premier étage
Qu'à fleur de lèvres je donne un petit bécot ;
Et puis, sur le palier du deuxième étage,
Le vent coquin d'un souffle éteint mon allumette.

À la bonne heure ! Au beau milieu de l'escalier
Je n'ai pu résister ; et du coup, je l'embrasse.
C'est ce que vous auriez fait, n'est-ce pas ? à ma place.

Et pourtant elle n'a pas bronché jusqu'au troisième :
Eh là, tout doux, dit-elle au quatrième étage,
Tu vas faire quoi, là-haut, dans ma mansarde ?

LE STRATÈGE
DU CAFÉ DU COMMERCE

(La scène a lieu pendant la Première Guerre mondiale)

Retour du front, c'est vrai : mais il y est allé
Seulement en pensée. N'empêche qu'il explique
Aussi chaque bataille en sa moindre tactique,

À tel point qu'on croirait qu'il a participé.

Il faut le voir se battre, eh oui ! Mais ce héros
C'est au café qu'il a sa tranchée et sa guerre.
Voilà qu'hier au soir, en montant à l'assaut,
Il vous a d'un revers renversé la théière.

Sa tactique lui fait gagner tous les combats
Avec facilité ! C'est un raid sur Pola,
Il vous bombarde Trente, il occupe Trieste,

Il rase, tire, tue, enfonce tout, fracasse…
Une seule issue pour moi…, marmonne-t-il, il peste
Et trempe son croissant dans un grand bol.

L'ÂNE ET L'AUTO

« Casse-cou ! *dit un bourricot*
En voyant passer une auto ;
Partout où tu passes c'est un carnage !
Un cochon, une oie, un toutou,
Une poule, un poulet, et c'est pas tout !
Une boucherie, de la chair à pâté ! »

« Ta gueule, bégueule braillard !
Dit l'auto, colère comme un chauffard.
Faut croire que le teuf-teuf de mon piston
Et la poussière t'ont
Estourbi ! Moi, quand je cavale,
C'est pas un, mais cent chevaux qui dévalent
Et foncent à fond de train, tu le sais, toi ?
Ah, tu te goures, si tu crois
Que ceux qui veulent aller loin
Et faire leur bonhomme de chemin,
Tous les requins, les gros riches,
Les arrivés, les parvenus
Se soucient de ceux qui viennent se fiche

Entre leurs pattes ; ah, mon œil !
Mon pauvre petit hurluberlu !
Je cours, moi, et m'en contrefiche.
Je ne permets pas, oh que non,
Qu'une sale bête roturière
Me traite d'une façon cavalière ! »

Mais ce disant, l'auto y mit
Une si grande ardeur
Qu'il en explosa, son moteur.

Du coup, elle change de ton :

« Ben quoi ? Il faudra me remorquer
Jusqu'au garage, s'il te plaît.
Ah, ce que tu tombes à pic, copain !
Toi seul peux me sortir de ce pétrin. »

« J'arrive, *dit le brave bourricot,*
Mais ce qui me console en cette affaire
C'est qu'ils ont besoin, tes cent chevaux,
D'un bourriquet bon à tout faire. »

LE LION RECONNAISSANT

Un jour au Sahara
Dans la patte d'un lion se ficha
Une épine. La bête fauve héla
Un lieutenant qui vint la lui extraire.

— *Bravo. Merci beaucoup,* dit le lion
Après cette opération.
Tu verras, je t'en saurai gré.
Qu'est-ce qui peut le plus te plaire ?
Que veux-tu ? Gagner un galon ?
Bon, tu l'auras, tu peux compter sur moi.

Il tint sa parole dès la nuit même
Et mieux qu'une personne humaine.

Le lendemain notre lion s'amène :

— *Ça y est ! C'est fait comme promis !*
— *Quoi ?* — *Eh bien, ton galon, tu l'as, ami :*
Car j'ai bouffé ton capitaine.

L'ÂNE ET LE COCHON

Un pauvre bourricot
En voyant un matin son ami le cochon
Aller à l'abattoir,
Éclata en sanglots :
— *Adieu, frangin !* dit-il ; *on va plus se revoir ;*
On n'y coupera pas !
— *Bah ! Faut être philosophe, voyons !*
Dit messire Cochon ;
Fais donc pas l'idiot,
Peut-être ben qu'un jour
Dans une mortadelle [1], *nous nous reverrons.*

Nota. [1] Dans la mortadelle de Bologne on ajoute, paraît-il, de la
viande de mulet ou d'âne à celle du cochon.

LE MERLE ET LE LION

Plus d'une fois un vieux merle en délire
Se targuait de dormir entre les pattes
D'un lion, mais se gardait bien de dire
Que ce lion était en plâtre.

Bien des gens par ce même truc
Ont escroqué leur réputation,
Affichant un blason en toc.

COMPASSION

Le Chêne est tout noir et sec. C'est la foudre
Qui l'abattit, le laissant roide mort.
Il n'a plus bougé depuis lors.
Mais, toujours généreuse, la Nature,
Pour lui donner l'illusion de la vie,
Couvre de temps à autre sa blessure
De feuilles d'une rose épanouie.

CHASSE INUTILE

Un doux chasseur avec son flingue
Regarde en l'air et voit un rossignol
Qui sur les branches d'un peuplier se distingue
Dans un solo de vocalises.
Ce n'est qu'une harmonie d'amour,
Ruisselante de soleil et d'azur
Qui t'apaise et te grise
Le cœur.

Comment faut-il appeler un chasseur qui tire
Sur ce pauvre bidule de plumes en délires ?

LA LIMACE

Le long d'un obélisque elle avait en rampant
Laissé sa bave, la limace

De la gloriole : « *Mais*, dit-elle, *je comprends :*
Je vais dans l'histoire laisser ma trace. »

LE TALENT

« M*e voilà célèbre ! C'est chose faite* »,
Dit l'aigle au chat et tout haut clame :
« *Le monde entier pour moi ne vaut pas tripette ;*
Tous les hommes pour mon talent se pâment
D'admiration. » Le matou
Lui répond : « *Bien sûr ! Mais moi qui hante*
La cuisine, je peux te dire
Que même si tout homme admire
L'aigle, il préfère la poule, après tout. »

LE SALUT FASCISTE
OU
LA POIGNÉE DE MAINS ABOLIE

Cette façon de donner la main à tout venant,
Ça n'est pas folichon, c'est un usage drôle !
Il t'arrive en effet de serrer la paluche
D'un indic, d'un filou ou d'un marlou.

Sans compter qu'une main, qu'elle soit rêche ou moite,
A-t-elle tripoté une saloperie,
Elle porte aussitôt un bacille pathogène
Qui se logera dans la bouche ou les boyaux.

En revanche, dans le *salut fasciste*,
On y gagne pas mal en fait d'hygiène,
On ne court pas le moindre risque.

Car tout ça, ça revient à dire au fond :
« *Nous sommes bons copains… nous nous aimons bien…*
N'empêche qu'il vaut mieux qu'on garde nos distances. »

SALUT FASCISTE

Ce salut est chouette ! et il me botte même,
Il n'attire sur lui pas la moindre critique.
Encore faut-il ne pas en abuser, sinon
C'est pis que de donner des coups de chapeau.

Moi qui suis concierge et qui m'escrime
À faire ce boulot pour boucler le mois,
Croyez-vous que je sois un militant fasciste,
Forcé de saluer, main levée tout le monde ?

Après tout, qui s'en plaint ? sinon cet usurier,
Ce fesse-mathieu puant du deuxième étage :
Ce type est fasciste, oui, mais pour mieux spéculer.
Moi qui connais malgré tout ses idées,
Un de ces quatre, au lieu de lever une main,
C'est les deux que je lui flanquerai dans la gueule.

SUFFISANCE

La lune dans son plein argente le jardin,
Plus grande *(semble-t-il)* qu'à l'ordinaire,
Comme pour prendre un plaisir malin
À faire la nique à plus petit qu'elle.

A-t-il tort dans ce cas, le ver luisant, de dire
Au grillon : « *Quoi ? Est-ce bien là une manière ?*
Un peu ça va ; mais cette nuit elle exagère. »
Sur ce, pour protester, il éteint sa lumière.

CONTES

Celui qu'on nomme *jeunesse* pour moi
Est bien le récit le plus court :
Parce que... *elle était une fois...*
Et qu'elle a disparu pour toujours.

Et le plus long ? C'est celui de la *vie* :
Je l'entends raconter depuis que je suis né ;
Et peut-être qu'un jour, par le sommeil saisi,
Je tomberai, avant qu'il ne soit achevé.

CHRONIQUE MONDAINE

Tu te rappelles Fanchon la concierge
Qui convola avec un avocat du seizième ?
Ah, si tu la reluquais dans ses toilettes
D'un chic : la voilà devenue une vraie dame !

En effet la presse du matin parle
Du grand bal qu'elle a donné hier au soir :
Des dames en tralala et au nom
Qui se dévisse, il y en avait à foison.

Toi, ma fille, si tu ne faisais pas tes quatre cents coups,
Toi aussi, tu pouvais te la couler douce comme elle ;
Mais toi, tu n'es qu'une triple gourde, ah ouiche !

N'aurais-tu eu qu'une once de jugeote,
Tu serais devenue une dame de la haute.
Mais tu n'es et ne seras qu'une bonniche.

MINIJUPES ET DÉCOLLETÉS

Vont-elles en balade trop décolletées ?
Montrent-elles leurs jambes ? Ça n'est pas vos oignons
Les râleuses pour moi ne sont que des pouffiasses,
Des rombières ou bien alors des bancroches.

C'est qu'il est bien fini, ce bon vieux temps,
Où l'honneur d'une femme honnête
Se mesurait à l'aune d'une jupe,
Selon qu'elle portait une minijupe ou non.

Exemple : ma patronne, eh ben, il faut la voir
Avec son décolleté plongeant ; elle n'a sur elle
Qui trotte dans la rue qu'un petit brimborion.
Mais dans ce tralala le péché, croyez-moi,
N'y trouve pas son compte ; en effet, il ne reste
Pour la gamberge rien qu'un petit bout de place.

LE VIOLONISTE AMBULANT

Au restaurant, de temps en temps, il rappliquait
Pour jouer une scie sur un crincrin geignard,
Écorchant, sans broncher, un grand air de Verdi
Ou massacrant des fois ce pauvre Mascagni [1].

Or, un soir, un client qui en avait ras-le-bol,
Lui dit : « *Est-ce que tu vas rengainer ta rengaine ?*
Allons, oust ! Emmerdeur ! Assez de fariboles !
Quoi ? J'en ai marre à la fin de tes pleurnicheries ! »

En entendant ces mots, ce racleur de crincrin
Futé comme pas un et vrai fils de putain,
Vous attaque aussitôt l'hymne mussolinien [2].

Alors notre client, penaud et résigné,

Se met au garde-à-vous, fait le salut romain [3],
Mais tout bas il marmonne : « Ah, tu m'as bien baisé ! »

Nota. [1] Mascagni (1863-1945) : compositeur italien. Auteur d'opé-
ras dont, entre autres, *Cavalleria Rusticana* (1890).
[2] Hymne mussolinien ou fasciste qui commençait par ces paroles :
Giovinezza, primavera di bellezza (Jeunesse, printemps, beauté).
[3] Le salut romain ou fasciste, on le faisait le bras droit, tendu vers
l'avant ; c'était le salut emprunté aux légionnaires de la Rome
ancienne.

Domenico Giuliotti

ROSE D'AUTOMNE

Voilà trente-sept ans que, las et haillonneux,
Je vais comme un clochard, tout seul en ce bas monde,
Parcourant des sentiers pénibles, tortueux,
Ignorant où et quand je me reposerai.

Mais Toi qui suis du ciel les traces compliquées
Des pas de chaque errant désolé et hagard,
Ô Mère, vers ton fils tourne ton beau regard
Et dis-lui de m'ouvrir ses bras accueillants.

Dis-lui que j'ai soif, mais que la citerne est tarie,
Dis-lui que pour ma faim j'ai des pierres pour pain,
Et dis-lui que, la nuit, sur mes pas incertains,
Ma lanterne clignote et finit par s'éteindre.

Ton Fils, ô Mère, est le pain et la lumière,
Tout ce qui pleinement nous restaure et éclaire,
C'est Lui qui, accueillant mon âme suppliante,
La conduira, une fois digne, auprès du Père.

Lui, c'est l'amour, le seul qui guérisse nos plaies ;
Devenons-nous muets, c'est une voix nouvelle
Qu'il nous donne. C'est Lui l'éclair, la Croix vivante,
Qui de l'homme nouveau fait un crucifié.

Et moi, le miséreux d'entre les miséreux,
Je suis indigne encor de mon Seigneur et Dieu,

(Puisque je suis pareil à cet émondeur
Dont les vendanges ne peuvent remplir la cuve) ;

Mais toi, Vierge Marie, si tu viens me prendre
Pour m'aider à franchir la rivière infernale
Grâce à ta lampe et sur ta mystique nacelle,
Je n'ai aucun espoir de me sauver tout seul.

La Mort a par le monde, ô Mère toute bonne,
Déjà tout obscurci et tout bouleversé,
Tu le vois bien. Esclave de son corps,
L'âme abattue s'effraie de ne pas être forte.

Ô belle Auxiliatrice, emmène-la de grâce
Hors de cette prison corporelle si triste,
Là-haut, jusqu'au soleil où resplendit le Christ,
Où toute âme ravie se transforme en étoile.

Et ainsi, délivrée de toute pensée vaine,
Tandis qu'elle jouit en Toi, Vierge Marie,
Rien qu'en Toi, dans les mains transpercées de ton Fils,
Oh, laisse-la choir comme une rose d'automne.

Giovanni Papini

VIOLE

De jaune clair vêtue, tu m'apparais, ô Viole,
Dans le parfum du myrte et du genévrier ;
Oh, que je suis ravi de te voir avancer
De ton pas gracieux qui danse et qui s'envole !

Tout l'opulent été se dore, tamisé,
Dans son ruissellement sur ta frimousse ronde ;
Ton rire éclate et boit la liesse du monde
Au moindre clignement de tes yeux mordorés.

Et alors on croirait que la terre se veuille,
Plus fraîche aujourd'hui, plus généreuse qu'hier,
Toute se refléter au fond de tes yeux clairs,
Brillants de chasteté qui rappellent les feuilles ;

Tu t'approches légère et mon cœur en jubile
Et s'accorde avec Dieu ; le poète — ton père —
Chaque fois qu'il t'embrasse, épelle la prière
Qu'il répète à mi-voix sur ses lèvres stériles.

BONHEUR IRRÉMÉDIABLE

Dans la profonde nuit d'août,
Sous le frisson nacré des cieux
Sur le seuil de mon gîte, à genoux,
Je reconnus le Seigneur Dieu.

354

À genoux, parmi les ronces et les décombres
Et non loin de la butte qui porte la croix,
Je vis ses regards dans la nuit sombre
Et me parla sa voix.

Dans le silence de l'Univers,
Sans sommeil et face à face, deux êtres
Seuls : moi, ver de terre,
Gisant sous le regard de mon Père et mon Maître.

Mon cœur battant à grands coups,
Docile et m'abandonnant
Sur la dure pierraille qui broie les genoux,
Dans le tréfonds de tout je connus mon Néant.

Je sentais tout mon orgueil se désagréger
Et dans l'abîme éclatant je vis
(Du moins me sembla-t-il) deux mains se décrocher
Du tronc noir du crucifix.

Dino Campana

LE PORT DE GÊNES

Vaste, au-dessus d'une légère odeur évanouie
De goudron, veillé par les lunes
Électriques, sur la mer à peine vivante
Le vaste port s'endort.
Le nuage des cheminées s'élève,
Cependant que le port en un doux craquement
De cordage s'endort ; et que dort,
Qu'elle dort, la force qui berce
L'inconsciente tristesse des choses à venir.
Et le vaste port oscille au-dedans d'un rythme
Harassé et l'on sent se former
Un nuage, silencieusement vomi.

BUENOS AIRES

Lentement le navire avance dans la brume
Et la grisaille du matin sur l'eau jaunâtre
D'une mer fluviale ; elle apparaît la ville
Toute grise et voilée. On entre dans un étrange
Port. Dans une cohue féroce et démentielle
Les émigrants se bousculent dans l'âpre ivresse
D'une lutte imminente. Il jette des oranges
Un groupe d'Italiens, habillés à la mode
De Buenos Aires qui est si ridicule,
À leurs compatriotes hagards et hurlants.

Et du quai un gamin, merveilleusement souple,
Est prêt à bondir, lui, rejeton d'une race
Libre. Les mains glissées dans sa multicolore
Taillole en étoffe il esquisse un salut.
Mais les Italiens feulent férocement.

> **Nota.** Cette poésie reprend les thèmes, chers au poète bourlingueur qui mourut dans un asile d'aliénés. Le fleuve — le Rio de la Plata —, la ville presque irréelle. Il aborde un thème réaliste et douloureux : celui de la condition inhumaine de millions d'émigrants italiens entre 1880 et 1913. Émigration massive et, à bien des égards, sauvage. Dans ce sombre tableau une seule touche fraîche et optimiste : celle de ce gamin, fils du nouveau monde qui pour Campana est un monde de liberté.

FEMME GÉNOISE

Tu m'apportas un peu d'algue marine
Dans tes cheveux, et une odeur de vent,
Accourue de loin, et qui m'arrive, alourdie
D'ardeur, s'exhalait de ton corps hâlé :
— Oh la divine
Simplicité de tes formes souples —
Sans affres, sans amour, mais un fantôme,
Une ombre de la nécessité qui dans mon âme
Flotte inéluctablement, sereinement
Et la fait fondre de joie, dans un enchantement
Serein afin que puisse à travers l'infini
L'emporter le vent chaud du siroco.
Que le monde est petit et léger dans tes mains.

RÊVE DE LIBERTÉ

Sans rechercher la paix ni supporter la guerre,
Plein de chants refoulés, solitaire et tranquille,

Je vagabonde en rêve ; ardemment je désire
Dans un grand port la brume et le silence.

Dans un grand port, tout plein de voilures légères
En passe de cingler vers l'horizon d'azur,
En ondoiements légers, tandis que le vent passe,
En chuchotant par des accords fugués.

Ces accords, c'est le vent qui les emporte
Dans le lointain sur la mer inconnue.
Je rêve. La vie est triste et moi je suis seul.

Oh, quand, quand donc, dans un matin brûlant,
Mon âme dans le soleil se réveillera-t-elle,
Dans le soleil mon âme libre et frémissante ?

TA SILHOUETTE

Le fleuve est plus beau grâce aux piles
Et le ciel grâce aux arches
Dans les arches ta silhouette
La lumière d'argent est plus pure dans l'azur
Plus belle ta silhouette.
Plus belle la lumière d'argent à l'ombre des arches
Plus belle que la blonde Cérès ta silhouette.

Sergio Corazzini

MA DEMEURE

Ô ma demeure douce et petite, vierge
Qui de honte rougit et qui dans ton manteau
De feuilles, déchiré par endroits, te caches, moi, je pleure
De tristesse et mon cœur est transi, si je songe

D'aventure à ton seuil désert, à ton jardin
Silencieux dont la terre depuis longtemps
N'a été retournée, la terre d'une fosse non plus
— La fosse accueillant chacun de mes doux espoirs.

Petite maison rouge, attirée par l'étreinte
De ton allée en fleurs, follement enjôleuse,
En ce triste moment où j'ai cru trépasser,

Je t'ai vue, pas du tout rouge, mais toute pâle
D'une immense douleur, comme si une larme
Sur tes joues brûlantes ruisselait doucement.

CHÂTEAU EN ESPAGNE

Oh, pleure encore, ma
Petite tendresse !
Pleure, ne fût-ce qu'une heure !
Que t'importe ? Sera-ce là
Ma dernière grâce…
Ne sais-tu pas que je veux m'en aller ?

Mais si toi, tu ne pleures pas,
Comme alors, en raison
D'une soudaine tristesse,
D'une mélancolie sans cause, ma
Petite tendresse,
Comment pourrai-je ce soir-là,
M'enfuir, tandis
Que tu dors,
Rêvant à ma bouche ?

M'en aller mourir au château
De la Nostalgie ?

SOIR DU DIMANCHE

À présent que les limonaires
Sanglotent au crépuscule
Les derniers bals et les dernières chansons
Encore une fois, comme saisis par une peur
Folle de rester
Dans l'ombre menaçante ;

À présent que les pauvres
Amants ont enseveli
Dans leur cœur sans pleurer, leur petit
Bonheur du dimanche,
Et qu'ils s'acheminent sans mot dire
Par leur allée connue
Vers le rendez-vous de leur dernière tristesse ;

À présent que les pleurs sous le masque
Du sourire
Affectent encore un air désinvolte
Avant de rendre l'habit de gala,
Facilement pris en location ;

À présent que dans les couvents et les internats

On baisse les lampes,
Qu'on essuie les larmes
Et qu'on s'imagine qu'au Paradis
Chaque jour ce sera
Dimanche ;

Maintenant que dans les bordels
Les putes se laissent embrasser,
Tout en chantant
La brève oraison funèbre
De la virginité.

Le Poète, ivre de mort,
Pactise
Avec la Désespérance
Qui lui offre le demain avec toutes
Ses petites colères sourdes,
Ses faciles résignations,
Tandis qu'elle lui rit au nez,
Car il n'a pas encore su
Crever de faim !

POUR ORGUE DE BARBARIE

I

Triste aumône
De vieux airs égarés,
Vanité d'une offrande
Que personne n'accueille !
Printemps de feuilles
Dans une rue déserte !
Pauvres refrains qui passent
Et repassent,
Tels des oiseaux
D'un ciel musical !

Petits airs d'hôpital
Qui, dirait-on, quémandent
Un écho !

II

Nul n'écoute, vois-tu :
Face à la maisonnette
Provinciale qui dort
Ton cafard monotone,
Tu l'effeuilles ;
Ton toast fou que voilà,
Toast d'agonisant,
Tu le sanglotes
Une seconde fois,
Tu reviens sur tes pleurs
Têtus de pauvre enfant
Qu'on ne peut contenter ;
Personne ne t'écoute.

AVIS DE VENTE

Allons ! Qu'on allume les lampes
Dans les salles de mon palais somptueux !
Messieurs ! La vente de mes idées
Commence.
Avancez. Qui est-ce qui en veut ?
Des idées originales
À un prix normal.
Moi, je vends car je veux
Me pelotonner au soleil,
Comme un matou et dormir
Jusqu'à la consommation
Des siècles ! Allons,
Profitez de l'occasion.

Ne partez pas, ne partez pas ;
Mes idées, je les brade !
Vous deviendrez célèbres
À bon marché.
La belle occase, pensez-y !
Ça ne se répétera pas.
Oh, ne craignez pas de me vexer
Par une offre dérisoire !
Que m'importe la gloire !
Et, mon Dieu, ne faites pas trop
Attention à ma voix
Pleurnicharde !

Vincenzo Cardarelli

QUATRAIN

L'espérance est dans l'œuvre.
Moi, je suis un cynique qui n'a pour unique foi
Que cet au-delà.
Moi, je suis un cynique croyant en ce qu'il fait.

MOUETTES

Je ne sais où les mouettes ont leur nid,
Où elles reposent.
Je suis comme elles,
Je vole sans relâche.
La vie, je l'effleure,
Comme elles les vagues pour happer leur nourriture.
Et peut-être comme elles aussi, j'aime le calme,
L'immense calme de la mer.
Mais mon destin c'est de vivre
Hantant l'orage comme l'éclair.

AUTOMNE

Automne. Le vent d'août
Nous en donna un avant-goût ;
Il était déjà là dans les pluies de septembre,

Torrentielles et pleurantes ;
Un frisson parcourut la terre qui accueille,
Triste et nue, à présent
Un soleil égaré.
Voici passer et décliner
En cet automne qui s'avance
Incroyablement lent
De notre vie le meilleur temps
Qui nous dit adieu longuement.

SOIR DE LIGURIE

Rose et lentement monte de la mer
Le soir de Ligurie, perdition
Des cœurs aimants et des choses lointaines.
Les couples s'attardent dans les jardins
Une à une s'allument les fenêtres
Comme autant de théâtres.
Ensevelie dans la brume, la mer embaume.
Sur les rivages les églises sont pareilles
À des navires qui appareillent.

SEPTEMBRE À VENISE

Dès septembre à Venise
Très tôt les crépuscules
S'assombrissent ; voilà que les pierres se couvrent
De vêtements de deuil.
Le soleil vient darder son tout dernier rayon
Sur l'or des mosaïques,
Brûle des feux de paille,
Éphémère beauté.

La lune cependant en silence se lève
Derrière les Procuraties.
Sourires argentés de clartés jubilantes
Dont le papillotage
Ruisselle et se propage
Dans l'air sombre et glacé.
Je regarde, envoûté,
Mais peut-être plus tard
Rappellerai-je ces longs soirs
Qui descendent si vite,
Et alors leurs lumières
Lesquelles maintenant un peu me désespèrent,
Grâce au recul du temps, vu par le souvenir,
Plus belles et plus vives brilleront
Dans mon imagination,
Ce sera un bonheur véritable et serein
Que le mien.

QUATRAIN GNOMIQUE

L'indifférence est pour moi inspiration.
Poésie : santé et impassibilité.
Art de se taire.
Comme la tragédie est l'art de se masquer.

ABANDON

Enfuie, envolée,
Telle une colombe
Et tu t'es effacée là-bas vers l'orient.
Mais les lieux qui t'ont vue
Et les heures de nos rendez-vous

Sont restés. Heures désertes,
Lieux devenus pour moi des tombes
Dont je suis le gardien.

BADINAGE

Le bois au printemps
A une âme, une voix,
Le chant du coucou
Semble modulé par une flûte
Tant il est fluide.
Et nous marchons leurrés,
Après cet appel léger,
Plus que l'écho trompeur.
Le marronnier est d'un vert tendre
Même les vieux genêts
Sont trempés de rosée.
Autour des troncs ombreux
Parmi les jeux de lumière
Dansent les Amadryades.

ADOLESCENTE

Il plane sur toi,
Adolescente vierge,
Un soupçon d'ombre sacrée.
Rien n'est plus mystérieux,
Plus adorable et plus décent
Que ta chair mise à nu.
Mais tu te clos dans ta robe
Jalouse
Et tu demeures loin

Avec ta grâce pour amie,
Ignorant celui-là
Qui viendra te rejoindre.
Assurément, pour moi,
Quand je te vois passer
Royalement distante
Avec ta chevelure dénouée
Et ta silhouette élancée,
Le vertige me ravit.
Tu es la créature
Lisse et non poreuse
Que de son souffle accable
L'obscure joie de la chair,
Souffrant sa plénitude à peine.
Comme dans l'œil noir d'hirondelle,
Le cosmos rit aussi
Sur ton visage que le sang
Empourpre et met en feu.
Le soleil incendie
Ta prunelle accueillante.
Ta bouche est scellée.
Tes blanches mains ignorent
La sueur humiliante
Des attouchements.
Et je songe à cet amour désespéré
Qui ronge le cœur de l'homme,
Affolé par ton corps
Imprenable et beau !

Néanmoins par quelqu'un
Tu seras déflorée.
Ô bouche impolluée,
Et cet homme n'en saura rien.
C'est un pêcheur d'éponges
Qui aura cette perle rare.
Et ce sera pour lui
Une grâce et une chance

Que de ne point t'avoir cherchée,
De ne point savoir qui tu es
Et de ne pas pouvoir jouir
De toi, avec cette conscience
Subtile d'offenser
Le Dieu jaloux.
Oh oui, cette brute sera
Suffisamment ignare
Pour ne pas mourir avant même
De toucher à toi.
Et tout est à l'avenant, puisque
Toi non plus tu ne sais pas qui tu es.
Tu te laisseras prendre,
Rien que pour voir comment le jeu est fait,
Pour rire ensemble quelque peu.
Telle une flamme qui se perd
Au contact de la lumière,
S'anéantiront les mystères
Que tu promets,
Sitôt touchés par la réalité.
Et c'est inconsommée
Qu'une si grande joie
Passera !
Tu te donneras, tu te perdras,
Pour ce caprice borné
Qui ne devine jamais,
Avec le premier qui te plaira.
Car le temps aime les ébats
Qui le secondent, mais non pas
Le désir sournois
Qui temporise. Ainsi,
L'enfance fait rouler le monde,
Et le sage n'est qu'un enfant
Souffrant d'avoir grandi.

LA MORT

Mourir, bien sûr,
Mais par la mort ne pas être agressés.
Mourir, persuadés
Qu'un voyage pareil est le meilleur.
Et en ce dernier instant être gais
Comme quand à la gare
On compte de l'horloge
Chaque minute qui vaut un siècle.
Puisque la mort est l'épouse fidèle
Remplaçant l'amante traîtresse,
Nous ne voulons l'accueillir en intruse
Ni fuguer avec elle.
Trop de fois nous partîmes
Sans prendre congé !
Sur le point de franchir
En un instant le temps,
Lorsque le souvenir de nous
S'envolera, ô Mort,
Laisse-nous dire adieu
À ce monde et nous attarder encore :
Ce terrible passage
Qu'il ne soit pas précipité.
Quand je songe à la mort soudaine,
Mon sang se fige.
Mort, ne me saisis pas,
Mais annonce-toi de loin et prends-moi
Amicalement comme
La dernière de mes routines.

Giuseppe Ungaretti

SAN MARTINO DEL CARSO [1]

PETIT VALLON DE L'ARBRE ISOLÉ, 27 AOÛT 1916

De toutes ces maisons
Il n'est resté
Que ces vagues pans de mur.

De toutes mes amitiés
Il n'est resté si peu que rien.

Mais il ne manque aucune croix
Dans mon cœur.

Mon cœur est le pays le plus dévasté.

Nota. [1] Le Karst *(il Carso)*, plateau calcaire à l'est de Trieste, théâtre d'âpres combats de 1915 à 1918 lors de la Première Guerre mondiale entre les armées austro-hongroise et italienne.

CHANT BÉDOUIN

Une femme se lève et chante
Le vent la suit et l'enchante
Et à même la terre l'étend
Et le vrai songe la prend.

Cette terre est nue
Cette femme se prostitue

Ce vent est fort
Ce songe est la mort.

UNE COLOMBE

D'autres déluges j'écoute une colombe.

PRIÈRE

Quand je m'éveillerai
Me dégageant de l'éblouissante promiscuité
Dans une sphère limpide, étonnée

Quand mon poids s'allégera

Accorde-moi Seigneur de naufrager
Au premier cri de ce tout jeune jour.

LA PRIÈRE

Avant l'homme avec quelle douceur
Sans doute allait-il le monde.
L'homme en tira des moqueries démoniaques,
Sa luxure il l'appela ciel,
Son illusion il la décréta créatrice,
Il supposa immortel l'instant.

Sa vie est pour lui un poids énorme
Comme l'est pour la fourmi qui la traîne
Cette aile là-bas d'une abeille morte.

Seigneur, rêve solide et stable,
Que par Toi derechef s'établisse un pacte
Entre le durable et le transitoire.

Oh, donne la sérénité à tes fils !

Fais que derechef l'homme sente
Que toi, homme, tu montas jusqu'à toi
Par ta souffrance infinie.

Sois la mesure, sois le mystère.

Amour purifiant,
Fais que la chair trompeuse
Soit encore une échelle de rachat,
Je voudrais t'entendre dire de nouveau
Que les âmes anéanties enfin en toi,
S'uniront
Pour former là-haut,
Éternelle humanité,
Ton sommeil bienheureux.

LA MÈRE

Et quand mon cœur aura d'un dernier battement
Fait choir le mur d'ombre, ô mère, pour me conduire
Jusqu'au Seigneur, comme autrefois, tu me prendras
Par la main. Tu seras

À genoux fermement
Une statue face à face avec l'Éternel,
Comme je te voyais
Jadis quand tu étais

Encore en vie. Et toi,
Toute tremblante, tu lèveras tes vieux bras
Comme à ton dernier soupir
Disant : « *Mon Dieu, me voilà.* »

Et c'est seulement, quand il m'aura pardonné,
Que tu désireras alors me regarder.

Tu te souviendras de m'avoir tant attendu :
Il passera dans tes yeux l'éclair d'un soupir.

EN JUILLET

S'y jette-t-il dessus,
Le beau feuillage
Aussitôt de rosir, morose.

Il saccage des ravines, boit des rivières,
Broie des récifs ; il resplendit.
C'est une furie qui s'obstine.
Il est l'implacable. Il aveugle les lointains ;
L'espace, il le dilate.
C'est lui, c'est l'été qui au long des millénaires,
De ses yeux qui calcinent,
Peu à peu de la terre
Dépouille le squelette.

MATIN

Je m'illumine
D'immensité.

CE SOIR

Balustrade de brise
Pour accouder ce soir
Ma mélancolie.

UNIVERS

Avec la mer
Je me suis fait
Un cercueil
De fraîcheur.

SOMNOLENCE

Ces monts, bossués,
Se sont couchés
Dans le noir des tombes
Il n'y a plus rien
Qu'un gargouillis
De grillons qui m'atteint
Et il voisine
Avec mon inquiétude.

DAMNATION

Clos parmi des choses mortelles
(Même le ciel étoilé finira)
Pourquoi ai-je ce désir de Dieu ?

IL ÉTAIT UNE FOIS

Bois *Cappuccio*
À une pente
De velours vert
Comme un doux fauteuil.

M'assoupir là

Tout seul
Dans un café à l'écart
Sous une lumière tamisée
Comme celle-ci
De cette lune.

DERNIER QUART

Lune,
Plume de ciel,
Si véline,
Aride,
Transportes-tu le murmure d'âmes dépouillées ?

Et à cette pâle que pourront-ils dire
Les chauves-souris sorties
De ce théâtre en ruine,
En rêve ces chèvres,
Et parmi des feuilles calcinées comme dans une fumée figée
Par son égosillement cristallin
Un rossignol ?

VANITÉ

Soudain
Tout haut plane
Au-dessus des décombres
La limpide stupeur
De l'immensité.

Et l'homme
Penché
Sur l'eau
Surprise

Par le soleil
Se découvre
N'être qu'une ombre
Bercée et
Doucement brisée.

NE CRIEZ PLUS

Arrêtez de tuer les morts
Ne criez plus, ne criez pas,
Si vous les voulez encore entendre,
Si vous avez l'espoir de ne pas périr.

Ils ont l'imperceptible bruissement,
Ils ne font pas plus de bruit
Que l'herbe qui joyeusement pousse
Là où l'homme ne passe.

CHRIST

Christ, émoi pensif,
Astre incarné dans les ténèbres humaines,
Frère qui t'immolas
Éternellement pour rebâtir
Humainement l'homme.
Saint, Saint qui souffres,
Maître et Frère et Dieu qui sais notre faiblesse,
Saint, Saint qui souffres
Pour délivrer de la mort les morts
Et nous réconforter, nous malheureux vivants
Je ne pleure plus des pleurs à moi tout seul,
Voici que je t'appelle, Saint,
Saint, Saint qui souffres.

ÉTERNITÉ

Entre une fleur cueillie et l'autre donnée
L'inexprimable néant.

IN MEMORIAM

LOCVIZZA, LE 30 SEPTEMBRE 1910

Il s'appelait
Mohamed Chéab

Descendant
D'émirs de nomades
Suicidé
Car il n'avait plus
De patrie

Il aima la France
Et changea de nom

Il s'appela *Marcel*
Sans être pour autant
Français
Car il ne savait plus
Vivre
Sous la tente des siens
Où l'on écoute la psalmodie
Du Coran
Tout en dégustant un café

Car il ne savait pas
Exhaler
Le chant
De son abandon

Je l'ai accompagné

La taulière de l'hôtel
Où nous logions
À Paris
5, rue des Carmes
Terne venelle pentue
Était avec moi

Il repose
Au cimetière d'Ivry
Cette banlieue qui a toujours
L'air
D'un jour
De fête
Foraine en décomposition

Peut-être suis-je le seul
Qui sache encore
Qu'il vécut.

NOTE DE GIUSEPPE UNGARETTI. Mohamed Chéab avait été aussi mon camarade de classe. Voilà pourquoi nous étions doublement unis ; nous étions unis dans l'espoir d'un monde organisé avec plus de justice ; nous étions unis par nos souvenirs d'enfance et par nos communes inspirations littéraires.

Aspirations différentes : moi, je croyais en une poésie où le secret de l'homme (dès ce temps-là) pourrait trouver un écho d'une certaine façon, je croyais à la poésie de l'inexprimable tandis que Chéab croyait — esprit logique, Arabe descendant de ceux qui avaient inventé l'algèbre — au contraire en une poésie étroitement liée à la raison.

Eugenio Montale

SIESTE À MIDI

(MERIGGIARE...)

Faire, pâle et pensif, sa méridienne
Près d'un mur surchauffé de jardin, écouter
Bruissements de serpents, sifflets claquants de merles
Dans les ronces et les broussailles.

Sur le sol crevassé ou sur les vescerons
Guetter des fourmis rouges les processions
Se rompant tour à tour, s'enchevêtrant
En haut des monticules.

Parmi les frondaisons contempler le lointain
Frémissement de la mer tout écailles,
Quand les crissants trémolos des cigales
S'élèvent des pics chauves.

Et marchant sous le soleil qui brasille ;
Sentir avec un triste étonnement
Que la vie et tout son tourment
Se bornent à longer une muraille,
Crénelée de tessons acérés de bouteille.

MIDI

(GLORIA DEL DISTESO MEZZOGIORNO)

Midi triomphe en nappes étendu,
Lorsque les arbres n'ont pas d'ombre
Et qu'alentour de plus en plus
Tout rutile dans ce trop-plein d'éclat.

Soleil, au zénith, — et la berge et ses galets.
Ma journée n'est donc point passée :
Ce mur clos me cache à la fois
La pâleur du couchant et l'heure de ma joie.

Sécheresse, autour ; un martin-pêcheur en quête
Virevolte sur un reste de vie.
Après le morne ennui la bonne pluie,
Mais dans l'attente gît la joie la plus parfaite.

SARCOPHAGE

Où vont-elles les frisottantes jouvencelles,
Sur l'épaule portant leurs amphores remplies ?
Si léger est leur pas, quand il s'immobilise ;
Au bout de leur chemin s'ouvre une combe
Dans une vaine attente
Des belles, ombragées par une treille
Aux grappes pendantes qui se balancent.
Sous le soleil qui monte
Les pentes entrevues n'ont aucune couleur.
Suave instant où la nature foudroyée,
Mère et non marâtre,
Fait prendre à ses créatures des poses
Et léviter leurs silhouettes.
Est-ce un monde en sommeil ou glorieux
D'une existence inchangée ? Qui peut le dire ?

Ô toi qui passes, donne-lui
Le surgeon le meilleur de ton jardin
Et après poursuis ton chemin, dans cette combe
Ténèbres et clarté n'ont aucune alternance.
C'est loin d'ici que ton chemin te mène
Point d'asile pour toi qui es trop mort :
Suis les étoiles dans leur révolution.
Et donc adieu, frisottantes jouvencelles,
Sur l'épaule portez vos amphores remplies.

LE TOURNESOL

Je veux planter ce tournesol que tu me donnes
À même ce terreau calciné par le sel ;
Tout au long de ses jours les bleus miroirs du ciel
Verront l'anxiété de son visage jaune.

Car toute chose obscure aspire à la lumière
Et chaque corps s'achève en coulantes couleurs
Qui se transmuent en sons. Le bonheur des bonheurs
C'est donc s'évanouir, voilà la fin dernière !

Donne-moi cette plante, et qu'elle nous mène où
Naissent pour s'élever de blondes transparences,
Où la vie s'évapore et n'est plus qu'une essence.
Donne ce tournesol que le soleil rend fou.

HUPPE

(1re version)

Huppe, pimpant oiseau,
Pourtant calomnié par les poètes,
Toi au plus haut d'un poulailler, tu juches
Et frétille ta crête.

Tu n'es qu'un coq postiche
Qui tourbillonne au vent,
Messager du printemps
Et de ses sortilèges,
Huppe, par toi le temps se fige
Et février s'arrête
Et ne meurt plus.
Tu dodelines de la tête
Et dehors tout se tend et guette.
La venue du printemps
Mais c'est, ailé lutin, à ton insu.

HUPPE

(2ᵉ version)

Huppe, calomniée par les poètes,
Toi, sémillant oiseau, qui fais virer ta crête
Au plus haut du perchoir d'un poulailler,
Vivante girouette et coq postiche ;
Messager du printemps,
Tu arrêtes le temps,
Février ne meurt plus ;
Tu dodelines de la tête
Et dehors tout se tend et guette ;
Et toi, lutin ailé, tu n'en sais rien.

MAL DE VIVRE

Mal de vivre, je t'ai bien des fois rencontré :
Dans la rigole d'eau qui s'engorge et gargouille,
C'était toi ce cheval qui s'affaisse épuisé,
Toi la feuille roussie et qui se recoquille.

Point de bonheur pour moi, hormis dans le prodige
Qu'opère seulement la divine indifférence :
Le faucon qui s'essore et dans le vol se fige
Et la statue en plein midi de somnolence.

PEUT-ÊTRE QU'UN MATIN...

(FORSE UN MATTINO...)

Peut-être qu'un matin, dans l'air vitreux et sec,
Ce sera le miracle : une frayeur d'ivrogne
Me saisira voyant le vide et le néant
Derrière moi s'ouvrir qui vais traînant mes pas.

Soudain se plaqueront arbres, coteaux, maisons,
Comme sur un écran : mensonge habituel.
Mais il sera trop tard ; nul ne se retournant,
Je m'en irai muet, jaloux de mon secret.

À K. [1]

Je pense à ton sourire — eau limpide pour moi,
Aperçue par hasard parmi un tas de pierres,
Eau miroir reflétant les corymbes d'un lierre
Et le ciel blanc et calme et son immense étreinte.

Voilà mon souvenir : ton visage, ô lointain,
Exprime-t-il une âme libre et naïve ? ou bien
Es-tu de ces errants en proie au mal du monde
Qui portent leur souffrance ainsi qu'un talisman ?

Je ne sais, mais je sais que ta songeuse image
Apaise mes soucis et mes sautes d'humeur
Et que se glisse dans le gris de ma mémoire,
Tel un svelte palmier, ta silhouette pure.

BONHEUR ATTEINT...

(FELICITA RAGGIUNTA...)

Bonheur atteint et pour t'atteindre il faut marcher
Sur le fil du rasoir.
Vacillante lueur pour ceux qui te regardent,
Sous le pied fêlure de verglas
Voilà ce que tu es !
Ceux qui t'aiment le plus, gare s'ils touchent à toi !

Arrives-tu sur les âmes envahies
De tristesse et les éclaires-tu, ton matin,
À la douceur troublante des nids sous les toits.
Mais rien n'acquitte les pleurs du gamin
Qui voit fuir son ballon
Au-dessus des maisons.

NE NOUS DEMANDE PAS

(NON CHIEDERCI LA PAROLA...)

Ne nous demande pas le verbe qui pourrait
Équarrir notre esprit informe et l'éclairer
En lettres de flamme et briller comme un crocus,
Perdu dans la poussière d'un pré.

Ah, l'homme qui s'en va en toute confiance
Et en accord avec les autres et lui-même
Et qui n'a nul souci de son ombre qu'imprime
Sur un mur décrépi la canicule.

Ne nous demande pas la formule

Qui t'ouvrirait des mondes, mais plutôt
Des syllabes tordues, sèches comme un rameau ;
Nous ne pouvons te dire aujourd'hui que cela :
Ce que nous ne sommes point, ni ne voulons pas.

MOTET

Vitres givrées ; unis et tout de même
Toujours à l'écart les malades,
Et sur les guéridons le jeu de cartes
Pour de longues parties de solitaire.

Ce fut ton exil qui me fait resonger
Au mien, à ce lointain matin
Où j'entendis crépiter parmi les rochers
La grenade ricocheuse.

Toute la nuit ont duré les feux de Bengale,
Tout au long de la nuit, comme pour une fête.
Une aile rude a passé, frôlant ta main,
Mais en vain, car ce n'est pas encor ton tarot.

NI TRAITS FIGÉS...

(MIA VITA, A TE NON CHIEDO...)

Ni traits figés ni biens ni minois charmants,
Ô ma vie, je ne demande rien du tout.
Dans ton cours inquiet dorénavant
Miel et absinthe ont même goût.

Le cœur qui pour tout battement n'a que mépris
Est rarement secoué par des tressaillements.
C'est ainsi qu'au milieu du silence des champs
Parfois claque un coup de fusil.

LES CITRONS

Écoute-moi, les poètes laurés
Ne hantent que les plantes
Aux noms peu usités : buis, troènes, acanthes.
Moi, j'aime, en revanche, les chemins qui aboutissent
Aux ravines herbeuses où dans des flaques
À demi sèches les gosses attrapent
Une chétive anguille :
Les venelles qui longent les talus
Descendent parmi les touffes de roseaux
Et s'engagent dans les vergers parmi les citronniers.

Combien mieux si l'azur engloutit le hourvari
Des oiseaux clabaudeurs :
Alors il fait bon écouter le friselis
Des ramures amicales dans l'air quasi étale
Et humer cette sensuelle senteur
Qui ne sait se détacher du sol
Et nous verse au cœur une inquiète douceur.
C'est ici que par miracle s'apaise
La guerre de nos passions détournées [1],
C'est ici qu'à nous autres miséreux échoit
Notre lot de richesse,
Et c'est cette odeur de citrons.

Vois-tu, dans ces silences où les choses
S'abandonnent et semblent en passe
De livrer leur dernier secret,
On s'attend parfois
À déceler une erreur de la Nature,
Le point mort du monde, le chaînon qui ne tient pas,
L'écheveau à démêler qui nous puisse enfin plonger
Au beau milieu d'une vérité.
Le regard fouille alentour,
L'esprit sonde, unit, désunit
Dans le parfum qui ruisselle

Au moment où le jour s'alanguit davantage.
Ce sont les silences où l'on voit
Dans chaque ombre humaine qui s'éloigne
Une Divinité dérangée.
Mais l'illusion fait défaut et le temps
Nous ramène dans les bruyantes villes où l'azur
Ne se montre que par lambeaux,
Entre les corniches, là-haut.
La pluie épuise la terre, plus tard ; l'ennui
De l'hiver s'épaissit sur les maisons,
La lumière faiblit — notre âme n'est qu'amertume.
Un jour, par une porte cochère entrebâillée
Le jaune des citrons se montre-t-il
Parmi les arbres d'une cour,
Notre cœur se dégivre alors
Et dans notre poitrine retentissent
Les chansons qu'entonnent avec fracas
Les clairons d'or de la solarité.

Nota. [1] Le mot *divertite* peut se traduire par *détournées* ou par *distraites* (au sens étymologique de ce terme), ou bien encore par *diverties* dans le sens classique qu'il a chez Pascal.

JE NE ME LASSE PAS

(NON MI STANCO)

Je ne me lasse pas de dire à mon entraîneur
Jette l'éponge
Mais lui il n'entend rien. Et pour cause :
On ne l'a jamais vu ni sur le ring ni ailleurs.
Peut-être qu'à sa manière il cherche à me sauver
Du déshonneur. Se soucie-t-il tellement de moi,
L'idiot, ou bien suis-je son bouffon ?
Gratitude et colère
Sont en balance.

FAUSSET

Petite Esther,
Te voilà menacée par tes vingt ans
Nuage gris rose
Où peu à peu tu es enclose,
Tu en es consciente et pourtant
Tu n'en es point effrayée.
Nous te verrons sombrer
Dans la houle des fumées
Qu'amasse ou déchire le vent
Violemment.
Ensuite tu émergeras de ce flot de cendre,
Plus que jamais bronzée,
Avec ton visage à l'affût
— Celui-là même de Diane
La Chasseresse —
Visage tendu
Vers une aventure lointaine.
Vers toi montent tes vingt automnes,
Tes printemps passés t'enveloppent ;
Voici tinter pour toi un présage
Dans les sphères élyséennes.
Puisse-t-il ne pas répercuter à ton oreille
Le son d'une cruche fêlée qu'on frappe !
Je souhaite que ce soit
Un concert ineffable de grelots
Pour toi.

Le proche avenir ambigu
Ne t'effraie pas, non plus.
Tu t'allonges à même le rocher de la falaise
Et au soleil se hâle ton corps charmant.
Tu rappelles le lézard
Figé sur la pierre nue
Que l'enfant menace
Avec un brin d'herbe, devenu lacet ;

Jeunesse te tend aussi ses embûches.
Mais l'eau ragaillardit tes forces,
Dans l'eau tu te retrouves et te renouvelles.

Nous te rêvons pareille à l'algue, au galet,
Marine créature,
Que le sel ne saurait entamer,
Mais qui revient au rivage plus pure.

Tu as bien raison, toi !
Ne trouble donc pas
Par des lubies ton souriant présent.
Ta gaieté engage déjà le futur
Et d'un haussement d'épaules
Tu fais s'écrouler les fortins
De tes obscurs lendemains.
Tu te lèves et t'avances sur le tremplin
Qui surplombe le gouffre bouillonnant :
Ton profil se grave
Sur un fond de nacre.
Tu hésites au bout de la planche qui tremble,

Puis tu ris ; le vent semble
Te cueillir,
Et toi tu te laisses choir dans les bras
De ton divin ami qui s'empare de toi.

Nous te regardons, nous qui sommes
De la race des hommes,
Rivés à la terre.

CÔTES DE LIGURIE

(RIVIERE)

Côtes de Ligurie
Des estocs de glaïeuls

Penchés sur la falaise
À pic sur la mer en délire,
Où deux camélias pâles
Dans les jardins déserts,
Un eucalyptus blond, baigné dans la lumière
Striée de vols déments
Et de bruissements :
Rien que cela suffit, et me voilà captif
D'invisibles fils qui se lovent et me piègent,
Moi, papillon dans une toile d'araignée
D'oliviers frémissants, de tournesols voyeurs.

Côtes de Ligurie
Qu'il est doux aujourd'hui de se laisser piéger
Pour peu que l'on consente à revivre les jeux
De son enfance, jeux qu'on ne peut oublier.
Je me souviens du philtre amer que vous offrîtes,
Ô rivages de mon pays,
À cet adolescent éperdu que j'étais ;
Dans les matins clairs ciel et coteaux se mêlaient,
Sur la grève un ressac énorme, un rythme égal
De frémissantes vies, un monde fiévreux,
Et toute chose en soi semblait se consumer.

Oh, ballottés alors
Comme l'os de la seiche à la merci des flots !
Pouvoir s'évanouir peu à peu, devenir
Un galet que la mer polit, un arbre rugueux !
Fondre dans les couleurs d'un coucher de soleil !
Voir sa chair disparaître et renaître eau de source
Qui jaillisse, enivrée, dévorée de soleil I….

Oui, c'était dans mes vœux,
Ô rivage de mon pays : vœux d'un enfant
D'autrefois, appuyé à la balustrade
Lépreuse, d'un enfant lentement se mourant
Avec un doux sourire.

Rivages de la mer, vos lumières glacées
Ont un puissant langage
Pour celui qui, le cœur déchiré, vous fuyait,
Ondes lamées que révèle une déchirure
De mouvantes ramures ;
Rochers noirs, éclaboussés d'écume et d'embruns…
Martinets vagabonds dont le vol monte en flèche…

Ah, je pouvais un jour,
Ô mon pays natal, regarder ta beauté
Et lui trouver un air vaguement funéraire,
Cadre à dorures pour l'agonie de tout être,

Je reviens aujourd'hui
Vers toi, pays natal,

Plus fort ou je me trompe, encor que mon cœur ait l'air
De fondre dans d'heureux souvenirs — et atroces.

Mon âme d'autrefois
Triste et toi, volonté nouvelle qui m'appelles,
Peut-être est-il temps de vous unir tous deux
Dans un havre de paix et de sagesse. Un jour,
Tu entendras encor l'invite de voix d'or,
De leurres audacieux,
Ô mon âme jamais plus écartelée. Songe :
Qu'il est beau de changer en hymne l'élégie !
Se refaire ; ne plus jamais faillir !

Oh, puissé-je,
À la semblance de ces branches
Squelettiques et nues hier, et aujourd'hui
Gorgées de sève et frissonnantes,
Demain sentir aussi parmi les parfums et les vents,
À notre tour, affluer nos rêves,
Et entendre fuser, en quête d'une issue,
Éperdument des voix !
Ô rivages ligures !

Oh, puissions-nous
Au soleil qui vous nimbe
Refleurir !

MÉDITERRANÉE

Ancêtre, me saoule ta voix,
Jaillissant de tes bouches,
Vertes cloches béantes
Qui retombent à la renverse et se défont.
La maison de mes étés d'autrefois,
Tu le sais, jouxtait tes rivages,
Là, dans le pays au soleil brûlant,
À l'air que les moustiques ennuagent.

Aujourd'hui, comme alors, en ta présence, ô mer,
Je reste médusé, mais désormais indigne
Du conseil solennel de ton immense souffle.
Toi, le premier, m'as dit
Que l'émoi tout petit
De mon cœur n'était qu'un instant du tien
Et qu'au tréfonds de moi
S'était gravée ta périlleuse loi :
Être vaste et changeant, à la fois immuable
Et me vider de toutes les souillures,
Comme toi qui vomis
Dans tes ressacs et sur les plages,
Mêlé de goémons, d'astéries, de lièges,
L'inutile déchet de ton gouffre insondable.

L'ANGUILLE

Cette anguille, sirène
Des mers froides, qui laisse la Baltique
Pour atteindre nos mers,
Nos fleuves, nos estuaires,
Qui remonte en amont en profondeur
L'hostile courant en crue
Pour s'enfoncer toujours plus à l'intérieur,
De veine en veine,
De capillaires en capillaires
Toujours plus ténus,
Pénétrant toujours plus
Au cœur de la pierre,
Filtrant au travers
De la vase des caniveaux
Jusqu'au jour où, un dard
De lumière perçant les châtaigniers
Dans des flaques d'eau morte elle flamboie, frétille,
L'anguille,
Et dans les fossés dévalant
Des versants apennins jusqu'en Romagne,
Cette anguille, torche, cravache,
Flèche d'Amour sur terre,
Ramenée seulement
Par nos ravins et par les gaves asséchés
Des Pyrénées
À ses paradis de fécondation ;
L'âme verte qui recherche la vie
Là où il n'y a plus que la morsure
De la sécheresse et de la désolation,
L'étincelle qui dit
Que tout commence alors même
Que tout semble se calciner,
Brindille sèche, ensevelie ;
La prunelle jumelle

De celle qui s'enchâsse entre tes cils
Et qui grâce à toi brille
Intacte, parmi les fils
De l'homme, enlisés dans ta boue, elle est ta sœur :
Ne peux-tu pas le croire ?

ÉPIGRAMME

Gamin farfelu, *Sbarbaro* plie
Du papier bariolé pour en faire
Des petits bateaux livrés à la gadoue
Mouvante d'une rigole. Les voilà qui
S'écartent. Ô brave homme
Qui passes, sois prévoyant pour lui.
Rattrape avec ta canne la si frêle
Flottille et afin qu'elle ne s'égare
Conduis-la jusqu'au havre de galets.

LINDAU

L'hirondelle y dépose des brins
Des brins d'herbe et s'oppose à la vie qui s'écoule.
Mais la nuit l'eau stagnante érode les cailloux
Entre les digues. Sous

Les torches fumeuses
Toujours de guingois glisse une ombre
Longeant les quais déserts.
Dans les mugissements des navires à roues
S'agite sur la place toute ronde
Une sarabande.

NE T'ABRITE PAS

(NON RIFUGGIARTI NELL'OMBRA)

Ne t'abrite pas à l'ombre
De cette verdure touffue
Comme l'autour qui fonce
En un éclair dans la touffeur.

Il est temps de laisser la maigre
Roselière qui semble assoupie
Et de regarder les formes
De la vie qui s'effrite.

Nous marchons dans un poudroiement
Nacré qui vibre
Dans un éblouissement qui englue
Nos yeux et nous vide un peu.

Dans le jeu d'arides flots qui croupissent
En cette heure de malaise, le sens-tu,
Ne jetons pas cependant nos vies vagabondes
Dans un abîme sans fond.

De même que cette enceinte de rochers
Semble s'effilocher
En toiles d'araignées de nuages,
De même nos esprits calcinés

Où l'illusion brûle
Un feu plein de cendre,
Se perdent dans la sérénité
D'une certitude : la lumière.

LA MORT DE DIEU

Toutes les religions du Dieu unique
N'en sont qu'une seule dans une variété
De cuistots et de cuissons.
Ainsi ruminais-je, et je m'interrompis quand
Tu glissas vertigineusement
Dans l'escalier en colimaçon de la Périgourdine
Et toi à même le sol tu éclatas de rire.
Ce fut une bonne soirée avec à peine un instant
De frayeur. Le pape, lui aussi,
Dit la même chose en Israël
Mais il le regretta quand on l'informa
Que le Très Haut Marginalisé [1], existerait-il,
Était périmé.

Nota. [1] Marginalisé ou, comme on préfère dire aujourd'hui, l'exclu, aussi bien dans le domaine social qu'ailleurs.

PETITE CABALE

Notre esprit débarque
Tout ce qui nous est arrivé de plus important,
Mais il embarque ce qui nous expose au ridicule.
Voilà qui prouve l'insuffisance de l'embarcation
Et de son Constructeur. Le Calfat
Suprême ne s'est jamais mis à notre
Disposition. Il a trop à faire.

LE PAGURE

Le pagure n'est pas très regardant,
Lorsqu'il se glisse dans une coquille qui n'est pas la sienne.
Mais il demeure un ermite. Mon malheur
C'est que, si je quitte la mienne, je ne puis entrer dans la tienne.

DANS LE SILENCE

Grève générale aujourd'hui.
Dans la rue pas un passant.
On n'entend qu'un transistor de l'autre côté du mur.
Quelqu'un doit habiter là depuis quelques jours.
Qu'en sera-t-il de la production ? Je me le demande.
Même le printemps tarde un peu à se produire.
On a coupé le chauffage central à l'avance.
On s'est aperçu que le service postal est inutile.
Il n'est pas grave ce retard des fonctions normales,
Forcément il y a toujours un engrenage qui coince.
Même les morts se sont mis en agitation.
Eux aussi font partie du silence total.
Toi, tu gis sous une pierre tombale. À quoi bon te réveiller,
Dès lors que tu es toujours réveillée ? Même aujourd'hui
Que le sommeil est universel.

On peut résoudre fort peu de choses
Par la mitraille et la cravache ;
L'hypothèse que tout est un jeu de mots,
Une contrepèterie, est la plus plausible.
Pas pour rien qu'*au commencement était le Verbe*.

AU CONGRÈS

Si l'homme est l'inventeur de la vie
(Sans lui s'en apercevrait-on ?)
L'homme n'a-t-il pas le droit de la détruire ?

C'est cela que dit dans un Congrès
Un illustre premier opinant sans pour autant bouger
Le petit doigt pour sortir du troupeau.

IL N'EST POINT DE MORT

Impossible de vivre dans la carapace d'une mythologie,
A-t-il été dit.
Il n'y aurait pas grand dommage à ça,
Sauf que la dernière est toujours la pire.

Les vieilles divinités étaient commodes,
Tant pis, si elles étaient hostiles !
Les nouvelles nous abreuvent d'une vile
Bienveillance mais ignorent notre sort.

Non seulement elles sont dans l'ignorance de tout ce qui vit,
Mais le sont aussi d'elles-mêmes.
Elles ont malgré tout un visage amical, même si elles tuent
Mais point de mort où il n'y eut jamais de naissance.

VENT SUR LE CROISSANT

ÉDIMBOURG

Le grand pont ne menait pas jusqu'à toi.
Sur un ordre de toi, je t'aurais rejointe,
Quitte à naviguer dedans des cloaques.
Mais déjà s'épuisaient peu à peu mes forces

Avec le soleil dans des vérandas vitrées.

« *Sais-tu donc où est Dieu ?* », me demanda
Le quidam qui prêchait sur la Route en croissant [1].
Je le savais, le lui dis. Il hocha la tête,
Disparut dans un tourbillon qui enleva
Des hommes, des maisons au-dessus de la poix.

> **Nota.** [1] *Crescente o Mezzaluna* : ainsi appelle-t-on certaines routes
> semi-circulaires en Écosse.

LA MAISON DES DOUANIERS

Toi, tu ne te souviens pas de cette maison
Des douaniers au bord de la falaise
À pic. Elle t'attend désolément
Et c'est depuis le soir
Où pour une halte l'essaim de tes pensées
Entra sans y trouver l'apaisement.

Ses murs, le vent du large les fouette
Depuis nombre d'années
Et ton rire a perdu tout l'éclat de ta joie :
La boussole s'affole et s'égare,
Le coup de dé déjoue tous mes calculs.
Il ne t'en souvient plus : un autre temps fourvoie
Désormais ta mémoire, le fil de l'écheveau
S'enroule et j'en saisis encore

Le bout. Mais la maison de plus en plus recule,
S'estompe et sur le faîte
Du toit la girouette
Enfumée impitoyablement vire.
J'en tiens le bout ; pourtant tu demeures seule
Et ce n'est pas ici non plus
Dans cette obscurité que tu respires.
Oh, l'horizon fuyant où l'on voit clignoter
Les feux intermittents d'un pétrolier !

La passe est-elle là ?
(Encor comme autrefois
Sur l'abrupte falaise
La vague bouillonnante se brise…)
Tu ne te souviens plus de l'ancienne demeure
– Celle-là même d'un soir qui n'appartient qu'à moi –
Et moi, je ne sais plus qui part et qui demeure.

DANS LE VENT LE FAIBLE SISTRE

Dans le vent le faible sistre
D'une cigale égarée,
À peine frôlé et étouffé
Dans la torpeur exhalée.

Du tréfonds se ramifie
Notre veine
Secrète : notre monde
Tient à peine.

Le montres-tu, dans l'air gris
Aussitôt tremblent ses traces
Corrompues
Que le vide point n'efface.

Le geste ensuite s'abolit,
Toute voix fait silence,
Vers son embouchure la vie
Se dépouille et s'enfonce.

LOCUTA LUTETIA

Si le monde va de mal en pis
Ça n'est pas que la faute aux hommes.

C'est ce que disait une évaporée
Tout en humant avec une paille un granité

Au Café de Paris.

Je ne sais qui était cette femme. Le Génie est parfois
Une chose de presque rien du tout,
Une quinte de toux.

CONTRE ZACHÉE

Il s'agit de grimper au sycomore
Pour voir si le Seigneur passe par hasard.
Hélas, je ne suis pas un grimpant et même
En me dressant sur la pointe des pieds, je ne l'ai pas vu.

BIG BANG OU AUTRE CHOSE

C'est étrange, à mon sens, que l'univers
Soit né d'une explosion.
C'est étrange, à mon sens, qu'il s'agisse plutôt
Du fourmillement d'une stagnation.

Encore plus incroyable qu'il soit sorti
De la baguette magique
D'un dieu qui aurait des caractères
Terriblement anthropomorphes.

Mais comment peut-on penser qu'une pareille machination
Soit mise sur le dos d'un être vivant sans doute,
Voleur et assassin tant qu'on voudra, mais
Quand même innocent ?

LE DOCTEUR SCHWEITZER

... jetait des poissons vivants à des pélicans affamés.

Les poissons c'est aussi de la vie, lui fit-on remarquer,
Mais d'un rang inférieur.

À quel rang appartenons-nous
Et dans quelles gueules ? C'est là que le théologien
Ne pipa mot et s'épongea le front.

FIN DE L'ANNÉE 68

Du haut de la lune, ou presque, j'ai contemplé
La modeste planète laquelle renferme
Philosophie, théologie, politique,
Porno, littérature et sciences connues
Ou secrètes. Dedans il y a aussi l'homme
Et moi parmi ceux-ci. Tout ça est étrange.

Dans quelques heures il fera nuit et l'année
S'achèvera parmi des pétards qui explosent
Et des bouchons de *champ'*. Et peut-être des bombes,
Ou pis. Mais pas là où je suis. Quelqu'un meurt-il,
On s'en fiche, à condition qu'il s'agisse d'un inconnu
Et que ça se passe loin.

Umberto Saba

SOIR DE FÉVRIER

Une faible clarté dans l'allée où le soir
Tombe rapidement et la lune se lève.
La jeunesse s'étreint, avec indifférence ;
Vers ses pauvres buts elle erre à la débandade.
La pensée de la mort, somme toute, aide à vivre.

QUAND LE RIDEAU S'OUVRAIT...

Quand le rideau s'ouvrait sur le monde de mon
Enfance, j'accourus, comme les gens accourent
À la fête promise. Un à un les prodiges
Sont tombés. Nul espoir de ceux que j'ai conçus,
Non, pas un seul qui vaille un soupir, une larme,
Quand j'y songe. Et pourtant, *jeune amie,* je possède
Ton baiser, espacé par une longue absence
Et par pitié de nous-mêmes.
                              La vie, qu'était-ce ?
La vie, rien que cela : une gorgée amère.

CHÔMEUR

Où s'en va-t-il ainsi dans le petit matin,
Cet homme à qui vaguement je ressemble ?

Il a les yeux tournés au-dedans, sa figure
Est si lasse et si dure.

Il a chanté peut-être
Avec les soldats de l'autre
Guerre [1] qui fut la nôtre.
En silence il s'en va, s'appuyant sur sa canne
Et sur son destin.

Parmi la foule qui fait la queue, se bouscule
Et s'écrase devant les vides magasins,
Tandis que dans l'air gris et morne
Passe le balayeur et sonne de sa corne.

> **Nota.** [1] « L'autre guerre » : allusion à la Première Guerre mondiale (1915-1918, pour l'Italie) que le poète regarde comme véritablement nationale, contrairement à la Seconde Guerre mondiale (1940-1945) de caractère plutôt idéologique, Saba étant antifasciste.

LE TROUPEAU

Tu traverses le soir, la banlieue poussiéreuse
Avec la puanteur pour moi délicieuse,

Troupeau de ton sillage ; le chemin est très long
Que tu te fraies parmi la circulation

Des chariots, des trams, hâtifs et ferraillants ;
Tu marches lentement et tu serres tes rangs.

Mon enfance n'est plus ; mais comme alors je t'aime
Tu passes, réveillant les affres de ma peine ;

Et le désir me prend de tomber à genoux,
Je ne sais pas pourquoi. Parmi les lourds remous

De tes toisons, moi seul *(me semble-t-il, du moins)*,
Je sens je ne sais quoi d'antique et de saint.

D'un pas mal assuré il te conduit, un vieux,
Peuple dans le désert, tu le suis comme un Dieu [1].

Nota. [1] Allusion à la traversée du désert égyptien par le peuple
hébreu, conduit par Moïse. À noter que Saba était né à Trieste d'une
famille d'origine juive.

HIVER

Il fait nuit : un hiver catastrophique ; à peine
Soulèves-tu le brise-bise. Tu regardes.
Tes cheveux sont vibrants et farouches ; soudain
Flambe dans ta prunelle noire et hagarde
La joie d'une vision de fin du monde
Qui jusqu'en son tréfonds réconforte ton cœur,
Le comble d'aise et le tient chaud.

Marchand sur le verglas, un homme se hasarde,
Portant haut et de guingois un falot.

PETITE FABLE

C'est toi le tout petit nuage et moi le vent ;
        Et je t'emmène où bon me semble.
Çà et là sans répit nous cheminons ensemble
        Sur les routes du firmament.

Le soir, ils vont dormir derrière les montagnes,
        Les tout petits nuages las ;
Au creux de ton berceau les rêves t'accompagnent
        Jusque sous la blancheur des draps.

ULYSSE

J'ai navigué le long des rivages dalmates
Dans ma jeunesse. Au ras des flots il émergeait
Des îlots où le pied glisse et d'algues couverts
Et brillant au soleil comme des émeraudes,
Où des oiseaux chasseurs se posaient rarement.
Mais dès lors que la nuit ou la haute marée
Les effaçait, pour fuir leurs embûches, des voiles
Gagnaient alors le large en donnant de la bande.
La terre de nul homme aujourd'hui mon royaume.
C'est pour d'autres que le port allume ses phares ;
Moi, mon âme inquiète et mon amour torturant
Envers la vie, encor me poussent vers le large.

NIETZSCHE

Autour d'une grandeur solitaire ne volent
Pas du tout les oiseaux et ces errants ne font
Pas non plus, à côté, leur nid. On n'entend rien
D'autre que le silence et l'on n'y voit que l'air.

MA FILLETTE

Ma fillette avec sa balle à la main,
Ses grands yeux couleur du ciel et sa robe
D'été. — « *Papa,* m'a-t-elle dit, *je veux
Sortir avec toi aujourd'hui.* » Et moi
De songer : « *Parmi toutes les merveilles
Que l'on peut en ce bas monde admirer,
Je sais bien à quoi je peux comparer
Ma fillette chérie. Assurément
Au blanc flocon d'écume sur la vague*

Marine, à cette traînée bleuissante
Qui s'étire du toit et qu'éparpille
Le vent et aussi aux nues insensibles
Qui se font et se défont au ciel clair,
À ces choses légères, vagabondes. »

Lorsque sur le coteau le gazon vert
Est encor clairsemé,
La gentille chevrette s'arc-boutant
Debout sur l'arbrisseau

Se dresse et guette si les branches basses
N'ont plus aucun bourgeon,
Ah, fussé-je un cabri pour mordiller,
Moi aussi, d'autres pousses !

LA CHÈVRE

J'ai parlé à une chèvre.
Elle était seule dans le pré, elle était attachée ;
Repue d'herbe, trempée
Par la pluie elle bêlait.

Ce bêlement monotone était fraternel
À ma douleur ; et moi, je répondis d'abord
Pour plaisanter, ensuite parce que la douleur est éternelle,
Elle n'a qu'une voix, toujours la même.
J'entendais gémir cette voix
Chez une chèvre solitaire.

Chez une chèvre à la figure sémite
J'entendais se plaindre n'importe quel autre mal,
N'importe quelle autre vie.

GOAL

Le gardien de but, tout dernier défenseur,
A vainement plongé ; son visage plaqué
Contre le sol, il le cache pour ne point voir
L'azur et sa lumière. À genoux, son copain
Qui l'encourage de la voix et de la main
À se relever, voit ses yeux remplis de larmes.
On dirait que la foule — ivresse unie — déborde
Sur le terrain de foot. Entourant le vainqueur,
Les gars de son équipe fraternellement
Se jettent à son cou. Il est rare de voir
Sous le ciel des instants aussi beaux que l'on offre
À ceux qui sont en proie à l'amour, à la haine.

Il est resté près de ses buts inviolés,
L'autre gardien — Mais seulement avec son corps,
Car son âme est là-bas. Par une cabriole
Il révèle sa joie, adressant des baisers
De loin : *J'ai moi aussi,* dit-il, *part à la fête.*

Silence : persiennes et portes closes,
Ô soleil, les maisons
Se refusent à ton invasion
Triomphante. Elles la refusent !

Tu inondes cette contrée
D'un flot de flammes inutiles.
Çà et là, sur la voie ferrée,
Chauffé à blanc, l'acier des rails rutile.

Les oiseaux pépient faiblement,
Puis ils se taisent, vaincus
Par le sommeil. On dirait que les gens
Sont tous morts, tant la paix est profonde.

Silence... Quand, sans crier gare,
De tous les arbres un bruit s'étale :
C'est un long, assourdissant tintamarre
Que font toutes ensemble les cigales.

Dans cette allée, brûlante et solitaire,
Il n'y a qu'un homme — un vieillard —
Ses béquilles lui tenant lieu d'oreiller,
Il dort là sur un banc de pierre,

Sans se soucier le moins du monde
De cette chaleur qui fait rage
En plein midi — cet incendie qui fige,
Qu'il soit près ou loin, le feuillage.

Aldo Palazzeschi

RIO BO

Trois petits chalets
Aux toits pointus,
Un pré
Tout vert avec un ru :
Rio Bo.

Un cyprès ange gardien,
Village microscopique,
N'est-ce pas ?
Un patelin de rien du tout,
Et pourtant...

Tout là-haut il y a
Tout le temps
Une grande, une superbe étoile
Qui *(semble-t-il)*
Fait les yeux doux
À ce cyprès-là
De Rio Bo.

Une étoile amoureuse !
Est-ce qu'elle l'a
Une grande ville ?

Non, peut-être pas.

QUI SUIS-JE ?

Qui suis-je ?
Peut-être un poète ?
Assurément pas.
Le style de mon âme
N'écrit qu'une parole
Si drôle :
Folie.

Suis-je un peintre ?
Pas même.
La palette de mon âme
N'a qu'une couleur :
Mélancolie.

Suis-je alors un musicien ?
Non plus.
Une note seulement
Sur le clavecin de mon âme :
Nostalgie.

Je suis... quoi donc ?
Je mets des lunettes
Devant mon cœur
Pour le montrer aux gens.
Qui suis-je ?
Le saltimbanque de mon âme.

LA FONTAINE MALADE

Elle est en bas dans
la cour,
la pauvre fontaine
malade.
Quelles affres

que de l'entendre
tousser !
Elle tousse,
tousse,
un peu
elle se tait,
derechef
elle tousse.
Ma pauvre
fontaine,
le mal
que tu as
accable mon cœur.
Elle ne dit mot,
pas un jet,
plus rien.
Elle se tait,
pas un bruit
que ce soit...
Serait-elle
eh quoi !
serait-elle morte ?
Quelle horreur !
Oh non !
La revoilà,
encore
elle tousse...
La phtisie
la tue.
Bon Dieu,
sa sempiternelle
toux
me fait mourir,
un peu
ça va,
mais beaucoup !

Quelle plainte !
Mais Habel !
Victoria !
Courez,
fermez
cette fontaine
elle me tue,
son éternelle
toux !
Allons,
mettez
quelque chose
et qu'on en finisse...
à la rigueur...
à la rigueur
mourir !
Bonne Mère !
Doux Jésus !
Jamais plus,
jamais plus !
Ma pauvre
fontaine
avec ce mal
qui te mine
tu finiras,
vois-tu,
par me tuer,
moi itou.

Ploc, ploc, ploc,
pluic,
pluich,
ich, ich, ich...

VENT À TYNDARIS

Tyndaris [1], tu n'es que tendresse,
Je le sais, parmi tes larges coteaux,
Toi, suspendu sur la mer
Baignant les douces îles du dieu,
Tu fonds sur moi aujourd'hui
Et te penches dans mon cœur.

J'escalade des pics vertigineux, des abîmes,
Et le vent dans les pins me ravit,
Et ma bande qui m'accompagne en douceur
S'éloigne dans les airs,
Vague de sons et d'amour.

Et tu me prends,
Toi dont je me suis mal dépris
Et mes peurs d'ombres et de silences,
Mes havres de douceurs jadis fréquentes
Et la mort dans l'âme.

Toi, tu ignores la terre :
Où, chaque jour, je sombre,
Où je nourris des syllabes en secret ;
C'est une autre lumière qui t'effeuille
Sur les vitres dans la nuit qui t'habille,
Et dans ton giron se repose une joie
Qui ne m'appartient pas.

Mon exil est cruel

Et ma quête d'harmonie,
Autrefois enclose en toi,
Se transforme aujourd'hui
En une précoce angoisse de mourir ;
Et tout amour fait écran à ma tristesse.
Je passe en silence dans ce noir
Où tu m'as mis
Pour y rompre mon pain amer.

Revoilà Tyndaris serein ;
Un doux ami m'éveille
Pour me pousser du bord d'un rocher vers le ciel ;
Et moi, je fais mine d'avoir peur
Devant celui qui ignore
Que c'est un vent profond qui m'a cherché.

Nota. [1] Tyndaris : petite ville de Sicile dont le golfe s'ouvre sur les
îles Éoliennes.

ET LE SOIR EST DÉJÀ LÀ

Au cœur même de la terre tout être est seul
Que transperce un rayon de soleil :
Et le soir est déjà là [1].

Nota. [1] Ce dernier vers est le titre même du recueil d'où est tirée
cette poésie qui a la brièveté d'une épigramme grecque ou d'un haïku
japonais.

PERSONNE

Peut-être suis-je un enfant
Qui a peur des morts
Mais qui appelle la mort

Pour qu'elle le délivre de toutes les créatures :
Les enfants, l'arbre, l'insecte ;
De toute chose enfin qui a tristesse au cœur.

Car il n'a plus rien à donner
Et les routes sont obscures
Et il n'y a plus personne
Qui sache le faire pleurer
Auprès de toi, Seigneur.

VOILÀ PLUSIEURS NUITS...

Voilà plusieurs nuits déjà qu'on entend encore
Le doux bruit de la mer, dans son flux et reflux,
Le long des grèves lisses. C'est l'écho d'une voix
Close dans la mémoire qui remonte le temps ;
Et l'on entend aussi cette plainte assidue
De mouettes ; peut-être est-ce celle d'oiseaux,
Hantant les tours, que vers la plaine pousse avril.
Déjà tu m'étais proche, ô toi, par cette voix ;
Je voudrais qu'à mon tour à présent te parvienne
Également de moi l'écho d'un souvenir,
Tout comme cet obscur murmure de la mer.

LETTRE À MA MÈRE

« Mater dulcissima, les brumes vont descendre,
Le Naviglio [1] cogne confusément contre ses digues
Les arbres se gonflent d'eau, la neige les brûle ;
Je ne suis pas triste dans le Nord : je ne suis pas
En paix avec moi-même sans pour autant attendre
De personne le pardon : nombreux sont ceux-là
Qui d'homme à homme me sont redevables de larmes.
Je sens que tu es fatiguée, que tu vis,

Comme toutes les mères des poètes, dans la pauvreté,
Tu es juste, partageant équitablement ton amour
Pour tes fils lointains. Aujourd'hui c'est moi
Qui t'écris. » — *Enfin,* diras-tu, *deux mots*
De ce garçon qui nuitamment se sauva avec une pèlerine
Et dans la poche quelques poèmes. Pauvre, le cœur tout élan
Un de ces jours on le tuera quelque part. —

« Bien sûr, je me souviens, je partis de cette gare grise
Où des tortillards portaient des amandes et des oranges
Vers l'embouchure de l'Iméra [2] — ce fleuve, plein de pies,
De sel, d'eucalyptus. Mais maintenant je te remercie
(Je le veux) pour cette ironie, douce
Comme la tienne, que tu as posée sur mes lèvres.
C'est ce sourire qui m'a protégé contre pleurs et douleurs
Et peu importe si j'ai à présent des larmes pour toi,
Pour tous ceux qui comme toi attendent
Sans savoir quoi. Ah, mort avenante,
Ne touche pas à la pendule qui bat au mur de la cuisine,
Toute mon enfance est passée sur son cadran
Émaillé, sur ces fleurs peintes :
Ne touche pas aux mains, au cœur des vieilles gens.
Mais quelqu'un répond-il ? Ô mort pitoyable,
Pudique mort. Adieu, chère, adieu, ma *dulcissima mater.* »

Nota. [1] Le Naviglio : canal de Milan, autrefois navigable, aujour-
d'hui comblé en grande partie.
[2] Iméra : petit fleuve de Sicile qui se jette dans la mer Tyrrhénienne, tout près de la petite ville thermale de Termini Imerese.

DEVANT LE GISANT
D'ILARIA DEL CARRETTO [1]

Déjà la lune douce éclaire tes collines ;
Au long du Serchio en robes bleues et rouges
Se promènent d'un pas léger des jeunes filles,

Comme de ton temps, ô ma chère ; et Sirius
Pâlit, de plus en plus on le voit s'éloigner
Et la mouette sur les grèves délaissées
S'affole. Les amants s'avancent dans la joie
Sous le ciel de septembre et leurs gestes soulignent
Des mots que tu connais, paroles chuchotées.
Ils n'ont plus de pitié. Mais quelle est donc ta plainte,
Ô toi, demeurée seule et captive sur la terre ?
Comme toi je tressaille et d'un même sursaut,
Peut-être de colère et de peur. Qu'ils sont loin
Nos morts ! Mais les vivants le sont encore plus,
Mes lâches compagnons, que fige le silence.

Nota. [1] Paolo Guinigi, seigneur de Lucques, fit élever dans la cathédrale de sa ville un sépulcre — œuvre du sculpteur Jacopo della Quercia — en l'honneur de son épouse, Ilaria del Carretto, décédée en 1405, deux ans après son mariage.

LE RIRE DU GEAI

Peut-être de la vie est-ce un signe infaillible :
Balançant doucement la tête, autour de moi
Des enfants vont dansant sur le parvis herbeux,
Voix et gestes rythmant leur jeu. Pitié du soir,
Sur le gazon si vert des ombres toutes belles
S'embrasent derechef dans le feu de la lune !
Allons, réveillez-vous, puisque le souvenir
Vous accorde un sommeil qui ne saurait durer.
La première marée, on l'entend dans le puits,
Qui gronde. Voici l'heure : elle n'est plus à moi,
Images du passé, maintenant calcinées.
Et toi, venant du sud, lourd de tes fleurs d'orangers,
Pousse la lune au pays où les enfants dorment
Nus, dompte le poulain sur les prairies mouillées
Que marquent les sabots des cavales, et puis

Creuse la mer, emporte au ciel et loin des arbres
Les nuages, vent du sud. Déjà le héron
Vers le marais s'avance et flaire lentement
La vase qui croupit au milieu des ronciers ;
Oh, le rire du geai, noir sur les orangers !

LAMENTATION
D'UN MOINILLON D'ICÔNE

D'abondante aridité je vis,
Mon Dieu ;
Ma verte désolation !

Vrombit tout haut une nuit
D'insectes chauds ;

La cordelière dénoue
Ma bure pourrie ;
Je carde ma chair
Taraudée d'ascarides :
Mon squelette, mon amour.

Profondément caché un cadavre
Mâche de la terre pétrie d'urine :
Je me repens
De t'avoir donné mon sang,
Seigneur, mon asile :
Miséricorde !

ANNO DOMINI MCMXLVII

Vous avez fini de sonner le glas
Au roulement cadencé des tambours
Sur tous les horizons, derrière les cercueils
Suivant de près les drapeaux.

Vous avez fini de vous apitoyer sur les plaies et les larmes
Dans les villes détruites — tas de ruines.
Et plus personne ne crie : « *Mon Dieu,*
Pourquoi m'as-tu abandonné ? » De la poitrine trouée
Ne coulent plus le lait ni le sang.
Et maintenant que vous avez camouflé vos canons
Parmi les magnolias, laissez-nous donc
Un jour sans armes sur le gazon
Au bruit de l'eau ruisselante,
Des feuilles fraîches de roseau dans nos cheveux,
Et tout en étreignant la femme qui nous aime.
Puisse-t-elle d'un coup sonner avant la nuit
L'heure du couvre-feu ! Un jour, rien qu'un seul
Jour pour nous, ô maîtres de la terre,
Avant que derechef grondent l'air et le feu
Et que nous brûle un éclat en plein front.

JOUR APRÈS JOUR

Jour après jour : paroles maudites et le sang
Et l'or. Je vous reconnais, ô monstres de la terre,
Vous, mes semblables. Vous avez mordu la pitié
Qui est tombée et l'aimable croix nous a quittés.
Aussi ne puis-je plus retourner à mon Élysée.
Nous dresserons des tombes au bord de la mer,
Dans les champs déchirés, mais pas un sarcophage
Indiquant les héros. La mort a souvent joué avec nous
Dans l'air on entendait un bruissement monotone de feuilles,
Comme dans la lande si la foulque des marécages
Au souffle du siroco s'élève au-dessus d'un nuage.

QUE VEUX-TU, BERGER DE L'AIR ?

Et c'est encor l'appel de l'ancien cor des pâtres
Dont l'âpre son s'élève au-dessus des ravines
Que blanchissent les mues, laissées par les serpents,
Peut-être nous vient-il ce son, rempli de souffle,
Du fond des hauts plateaux d'Acquaviva, là où
Les eaux du Platani roulent des coquillages
Sous les pieds des enfants à la peau olivâtre,
Ou bien de quel pays, avec puissance issu,
L'écho du vent captif résonne-t-il, alors
Que s'abîme déjà la clarté. Que veux-tu,
Ô toi, berger de l'air ? Peut-être appelles-tu
Les morts. Mais toi, ma compagne, qui te confonds
Avec la mer dans la réverbération,
Tu n'entends pas ; tu es seulement attentive
Aux cris bas des pêcheurs qui halent leurs filets.

AMEN POUR LE DIMANCHE
DE QUASIMODO

Seigneur, tu ne m'as pas trahi :
De toute douleur
Me voilà devenu le premier-né.

AUX BRANCHES DES SAULES

Mais était-il pour nous possible de chanter
Quand la botte étrangère écrasait notre cœur,
Parmi nos morts jonchant à l'abandon les places,
Sur le gazon durci par le verglas ; quand les agneaux
Et les enfants bêlaient à l'unisson leurs plaintes,
Que la mère hurlait son deuil, allant voir son

Fils crucifié au poteau téléphonique ?
En guise d'ex-voto nous avions, nous aussi,
Accroché nos cithares aux branches des saules,
Et le morne vent les balançait doucement.

ÉLÉGIE

De la nuit messagère glaciale,
Te voilà de retour, toute limpide,
Sur les balcons des maisons détruites,
Pour éclairer les tombeaux inconnus,
Les débris délaissés de la terre fumante.
Notre rêve c'est ici qu'il repose.
Esseulée, tu te tournes vers le nord
Où toute chose court obscurément
À la mort, et toi, tu résistes.

MILAN, AOÛT 1943

C'est en vain que tu cherches dans la poussière,
Pauvre main : la *ville est morte*.
Elle est morte : on a entendu le dernier grondement
Au cœur du Naviglio. Et le rossignol
Est tombé de la haute antenne sur le mur du couvent
Où il chantait chaque jour avant le couchant.
Ne creusez pas de puits dans les cours :
Les vivants n'ont plus soif.
Ne touchez pas aux morts, si rouges, si enflés :
Laissez-les dans la terre de leurs maisons :
La ville est morte, bien morte.

ÉPITAPHE POUR BICE DONETTI

Les yeux tournés vers la pluie et les elfes nocturnes,
Elle est là, dans le carré quinze au Musocco [1]
La femme d'Émilie [2] que j'ai aimée
Au triste temps de ma jeunesse. Voilà peu,
La mort s'est jouée d'elle qui calmement
Regardait le vent de l'automne en train
De secouer les branches des platanes
Et les feuilles, là-bas de sa grise maison
En banlieue. Son visage est encore ébahi,
Comme il le fut pour sûr dans son enfance,
Ayant eu le coup de foudre pour le cracheur
De feu, haut dressé sur son char.
Ô toi qui, poussé par d'autres morts, passes
Devant la fosse numéro onze soixante,
Rien qu'un instant arrête-toi et salue
Celle qui jamais ne s'est plainte de cet homme
Qui reste, objet de haine, avec ses poèmes,
Un ouvrier de rêves, l'un parmi tant d'autres

Nota. [1] Musocco : cimetière qui est à Milan ce que le Père-Lachaise
est à Paris.
[2] Émilie : région de l'Italie du Nord.

IVOIRE

Le cyprès d'équinoxe parle et sur les monts
Dans le noir le chevreuil exulte ; les cavales
Viennent dans l'eau des sources indolemment laver
Leurs crinières polluées de baisers. Les fleuves,
Dévalant des forêts, s'étirent longuement
Pour venir se heurter aux villes des hauteurs.
Des nefs attendries font voile vers Olympie.
Des jeunes filles vont, cheveux livrés aux vents,
Parcourir les chemins menant vers l'Orient
Et contempler le monde, en riant aux éclats,
Du milieu des marchés qui sentent la saumure.
Mais à présent que mon craintif amour est mort,
Où pourrais-je puiser ma vie ? En ce temps-là
Des roses violaient l'horizon. Dans le ciel
Des villes hésitaient que baignaient les embruns
De vergers tourmentants, et sa voix se figeait
Comme un rocher désert, jamais comblé de fleurs.

SUR LE RIVAGE

Les vagues par paquets déferlent par-dessus
Les quais déserts. Même le loup de mer se rembrunit.
Que fais-tu ? J'ajoute à la lampe de l'huile.
Sans aucune nouvelle de toi et de tes chers
Moi je garde en éveil la chambre où je me trouve.

Notre bande dispersée se regroupe,
Se dénombre après ces coups de chien.
Toi, où es-tu ? Dans un port, je l'espère…
L'homme du phare prend sa barque et sort,
Il scrute, il croise en mer, il pousse vers le large.
Le temps et la mer ont des pauses de ce genre.

ÊTRE HIRONDELLE

Elles giclent
l'une issue de l'autre
elles, débordant
s'extirpant de leur première bande chaude, l'une
après l'autre, défaisant
leurs patrouilles rapides
se débandant sous leur impavide véhémence
        et les voici qui s'élancent,
        jet noir qui rechute,
s'élevant haut dans les airs, mais à peine —
                    ce n'est
        qu'un premier essai,
        celui-là, le premier bond
        d'une flamme comprimée
puis après elles allongent
chacune plus haut — chacune
davantage, elle le voudrait bien — leur jet
mais pas plus loin que le périmètre
de leur domaine aérien,
pas plus loin que leur puissance

        et cette limite une fois atteinte elles rentrent
en planant en altitude,
impétueusement derechef elles plongent
dans le bassin de cette
                    fontaine inépuisable.

                    Y a-t-il de la peine
ou du bonheur dans leur ferveur
ou
                    Qu'y a-t-il dans ce tourbillonnement
de la vie au-dedans de ses enclos ?
                    Elles sont libres
ces âmes
          mais libres de bouger
dans un rythme marqué...
                    que dit-elle de leur douce rechute
quoi leur ascension fusante
                    et leur flèche frénétiquement décochée —
                              souvent se cache une pensée,
                              parfois elle se laisse lire,
                              cette pensée,
                                   partout écrite
                              partout opérante.
                                        Elles, peut-être
l'expriment-elles, la crient-elles avec déchirement et griserie,
leur fureur se déclenche —
voilà bien leur manière d'être hirondelles,
leur paix gît au sein de leur inquiétude.

Corrado Govoni

LE MENDIGOT CAMPAGNARD

Un grand riflard rouge
— Ciel complètement déglingué —
Qui va tout doucement
Avec deux croquenots énormes qui sentent la crotte
Et qu'un chien sans collier affamé
S'arrête et flaire avec curiosité.

LA TROMPETTE

De toute la féerie de la kermesse
Voilà tout ce qui reste :
Une trompette
En laiton vert et bleu
Où souffle une gosse
Marchant pieds nus à travers champs.
Mais dans ce son forcé il y a, dedans,
Les clowns rouges et blancs,
Il y a l'orphéon tonitruant,
Le manège et ses chevaux, ses faibles lumières,
Son orgue de barbarie.
Comme dans une gouttière
Qui s'égoutte
Il y a toute la frayeur de la tempête,
La beauté des éclairs et de l'arc-en-ciel ;
Comme dans un ver luisant dont l'allumette

Mouillée s'éteint sur une feuille de bruyère
Il y a tout le merveilleux printemps.

LE PIC-VERT

Quel est donc là-bas ce docteur
Qui dans la chènevière en fleur
Ausculte un par un tous les arbres ?

Son martèlement est dru comme
D'un bizarre menuisier
Clouant un cercueil à longueur de journée,
Seul, à perdre haleine,
Parmi des carrés de chanvre et de chaume.
Puis, se sauvant à tire-d'aile,
Soudain il ricane macabrement.

À SON FILS

Pour peu que je rencontre aux alentours de Rome
Une carrière de pouzzolane rouge
(*Il y en a beaucoup*), mon cœur se serre alors,
Comme si ton martyre allait se répéter.
Une explosion qui frappe mon oreille ;
— Fût-ce un coup de fusil d'un chasseur abattant
Une aile ivre de chant qui s'écrase du ciel
Ou le sourd grondement de mines, geyser noir
De terre — il n'en faut pas plus pour briser mon cœur,
Puisque dans chaque coup, innocent ou meurtrier,
J'entends l'écho de celui-là qui t'a tué.
Les hommes t'ont fait ça, mon fils, à toi et Dieu à moi.

Nota. Le fils du poète, Aladino Govoni, fusillé par les nazis, le
24 mars 1944, était parmi les 335 otages italiens que les SS massa-

crèrent par représailles à la suite d'un attentat. Ce massacre fut consommé aux Fosses Ardéatines, une carrière près des catacombes de Saint-Callixte (Rome). Aussitôt après le dernier coup de grâce, on fit sauter des mines afin d'ensevelir sous les décombres et les éboulis les cadavres des fusillés.

Ces jours d'hiver si clairs
Et ces nuits encor plus sereines
Glacent terriblement mon cœur,
Comme s'il coulait dans mes veines
Le froid de mes *soixante hivers*
Amers et que ciel et terre
Étaient un immense verglas
Mêlé à toi qui n'es que glace
Fondue par mes larmes qui
Des Pléiades se répandent
Jusqu'au calycanthe et au gui.

Nota. Poésie inspirée comme la précédente par la mort de son fils Aladino, « toi qui n'es que glace ». En 1944, le poète était âgé de soixante ans, « mes soixante hivers ».

VILLA CLOSE

Je connais une villa close, abandonnée
Depuis un temps sans mémoire, secrète
Et close comme le cœur d'un poète
Qui vivrait dans une solitude forcée.

Cernée par une haie, on la croirait murée
De buis amer, et du côté de la pinède
L'ombre depuis longtemps ne rompt plus ni n'inquiète
Plus la fontaine babillarde et asséchée.

Dans cette villa paumée le calme est si grand
Que l'on voit, semble-t-il, toutes les choses
Par le petit bout d'une lorgnette.

Il n'y a tout en haut qu'une girouette
Rouillée, au sommet d'une tour silencieuse
Qui vire, vire interminablement.

Ce frelon, hérissé, velu,
Je l'ai trouvé, ivre mort
De pollen et de rosée,
Dans la cloche d'une fleur orangée.
Il gigotait de çà, de là, tout bourdonnant,
Mais, dérouté, il ne trouvait aucune issue.
Je l'ai tiré de là ; il vole maintenant
Dans un rayon de soleil d'or,
Tel un pochard, tombé sur le trottoir,
Se lève et va sans savoir où, en bougonnant.

APRÈS L'ORAGE

L'orage est loin
Sur l'aire chant joyeux des coqs ;
Sur le pavé les toits
Dégoulinent encore.

Le vent radouci folâtre
Avec les peupliers. Heureux
D'être sauf, le blé
Bénit. Il bénit.

Ce soir, il donnera un banquet
À ses chères lucioles, veilleuses ;
Parmi l'attention de l'assistance,

Un rossignol portera un toast.

Sans parti pris, les grillons
Applaudiront ; les coquelicots,
Ces vieux de la vieille,
Pleureront d'émotion.

Oh, la joie ! Un orphéon
De liserons violets claironne
Devant ma petite maison
Dans un cercle de fleurs paysannes.

Joujoux pour les anges, s'essorent,
Légers, les cerfs-volants ;
Les grelots des charretiers tintent
Dans les rues, tout jubilants.

Là-bas, après la tempête,
L'arc-en-ciel flotte ;
Au-dessus du bourg la cloche du soir
Se balance dans le ciel clair.

PAR UN SOIR D'ÉTÉ...

Par un soir d'été
Serein, pas chaud,
Je voudrais me balader
Avec un ange blond.

Le long d'une berge,
Parmi les soupirs des acacias,
Je regarderais ses pieds nus
Ployer l'herbe et les fleurs.

Et sa voix — voix d'ange
Descendu sur terre —
Parlerait avec l'eau,

Avec les grillons et le vent.

Il me dirait que tout est vrai
De ce que je rêvais autrefois :
Pourquoi en douterais-je ?
Tout vrai ce que j'aimais.

Dieu sur son trône de vieux noyer ;
Les saints dans leurs niches de nuages ;
Les anges avec leurs trompettes ;
Les chérubins tout ailes et têtes ;

Et les âmes des défunts, les âmes
Transparentes comme l'eau,
Luisantes comme des lucioles,
Longues flammes bleuâtres ;

Les âmes qui laissent la terre,
Volant par-dessus les villes,
Montent doucement en silence,
Trouvent une porte parmi les nuages,

Pas besoin de frapper :
La porte est ouverte ; entrez,
Âmes en foule infinie ;
Tout le ciel en est bondé ;

Même la mienne parmi celles-là,
Quand l'heure sera venue,
Sans plus rien savoir
De ce qui a été,

De ce qui est : « *Tout vrai* —
Dirait avec un sourire
L'ange, — *Le paradis*
Est au-dessus de l'arc-en-ciel. »

ANNIVERSAIRE

Retour des Fosses Ardéatines, le jour
Anniversaire du massacre, c'est, passant
Par la place Acilia où l'on joue aux boules,
Que j'ai vu frissonner sur les peupliers clairs
Des tout premiers chatons tendres et verts.
Moi qui n'avais pas vu s'ennuager, hier,
Autour de ma maison, jardins et potagers
De fleurs d'abricotiers, cerisiers et pêchers,
Comme si j'étais aveugle. Je sais pourquoi
Maintenant. Ce matin, avant de mettre
Des giroflées sur ton cercueil, j'ai astiqué
La croix et ton cher nom ; avec des violettes
J'ai fait une couronne, embaumant les baisers
De ta maman, autour de ton beau visage et
J'ai fait les tapotements que tu sais,
Tout en éclatant en sanglots désespérés.
Moi, je te remercie, ô mon fils, pour ces pleurs
Qui m'ont rouvert les yeux, puisqu'à présent je vois
Qu'il y a plus de feu dans la lumière noire
De ta nuit éternelle et infinie
Qu'il n'y en a dans le vert du printemps ;
Et que ta mort barbare est plus belle, plus sainte
Et plus courageuse que n'est la vie.

Au cimetière rappelant par son aspect
Un grand cercueil
Tout clôturé par un mur d'enceinte ;
Sans toit pour que les pauvres défunts
Puissent jouir encore d'un peu d'air
Et de la vue du ciel turquoise
Dans leur triste vie solitaire
Il y a tellement de verdure et l'herbe est si drue

Qu'en marchant on trace un sentier
Comme dans une prairie, avec tant de fleurs qu'on croit
Être dans un superbe jardin abandonné.
Ô l'émouvante pagaille !
Les coquelicots avec les roses, les bleuets, avec les char-
dons
Et parmi les orties, les bardanes, les pissenlits ;
La fleur qui s'éteint avec un souffle...
Si différents, si beaux !
Il n'y a que là-dedans que tous sont frères.

Diego Valeri

MARS

Mars est là-haut dans son nuage
De vent et de soleil, de fumée et d'argent.
Toi, tu es ici-bas dans ta légende
D'âme et de chair, de joie et de tourment.

PRINTEMPS

Sous la fuite légère du vent
S'ouvre l'éventail de l'amandier blanc.
Tout là-haut un ciel de rose et d'argent.
Mon cœur est fourbu cependant.

GLYCINE

Douces larmes de murs croulants,
Sourire de grilles toujours fermées ;
Ciel chaud des terrasses la nuit :
Parfum alangui des soirs de Venise.
Au fond d'une nuit sombre, apaisante
Lumière de la mélancolie.

LA VOIX

De branche un muet balancement
Sur le frisson muet de l'eau. La voix
Qui s'est tue dans le temps
Vient me rappeler encore une fois.

LE FLEUVE

Le fleuve saigné à blanc meurt à son embouchure

LES PÊCHEURS

Ton beau minois à la renverse et tes mines d'enfant
Pour écouter un chant d'alouette au ciel se perdant.

Tu regardais ébahie les espaces, le matin blanc
Qui fumait au soleil, mêlé au rivage blanc.

Ensuite les pêcheurs : en longues saccades oscillantes,
Entrecoupées de cris, ils tiraient au sec leurs filets dégoulinants.

Dans le fouillis noir des fils tu aperçus des frétillements
Argentés, bleus et verts. Tu riais toute des yeux, des lèvres, des
   dents.

UN MATIN D'AVRIL

Un matin d'avril avec à la bouche une rose
Et au cœur une douce envie
De mourir. C'est toi cette chose :
Une jeune fille triste qui rit.

AMANDIER

Nue sous sa blanche chemisette
Qui la voile
La toute jeune Amygdala
Frissonne, appuyée à un ciel
Noirâtre de tempête.
Un bracelet de gouttelettes
Sur son sein rutile,
Et sa tête rayonne
D'un double arc-en-ciel.

Le soir n'est plus que cendre et il s'anéantit
Dans la ténèbre morte et le vent n'est rien plus
Parmi l'herbe visqueuse qu'un simple chuchotis…
Rien de ce qui fut amour et douleur
Ne sera plus, mon cœur.

RIVAGES PERDUS

La vie s'écoule dans la ronde des saisons,
Elle rit à chacun des retours qui nous dupent,
Des formes brillent, et passent confusément
Des bourgades en liesse avec leurs couleurs et leurs sons.

Sans douleur et sans joie tu regardes s'enfuir
Les images du temps,
Tout en te souvenant des rivages perdus…
Où sont-ils, ton cœur et la lumière d'antan ?

DOUCEUR DU SOIR

Ce qui fut un nuage d'orage rouge
Remonte vers les montagnes en légères
Nues roses, aériennes… Ô jours éphémères !
Voilà bien la douceur du soir.

EN LUMIÈRE TÉNUE

En lumière ténue l'automne se dépouille.
Un réseau de nervures grêles
Et un voile d'or diaphane, sous le ciel
Tendus : l'automne c'est ce qui reste d'une feuille.

L'AIR EST ENCORE FROID

L'air est encore froid, les cieux durs.
Mais déjà la terre fume, étouffée
De désirs obscurs.
Sous le voile du gazon nouveau-né,
Elle brûle, sue, frissonne en sa nudité.

COMME L'ENFANT

La petite feuille nouveau-née
Qui sort à peine peu à peu
Hors du doux sein
De son bourgeon déchiré,

Resplendit aussi verte que l'Ange
Gardien de l'espérance…

Mais sa chair semble déjà fatiguée.
(Comme l'enfant… Mais elle ne pleure pas, elle.)

LA LUNE EST PAREILLE AU VENT

La lune est pareille au vent
Qui passe sur le pavé vert
Du canal qui se ride d'argent.
Puis elle plonge dans l'ombre et s'y perd.

VENT

Le vent est une eau d'or dans le haut peuplier,
Une eau qui s'écoule et qui éclaire le ciel.
Sur son visage c'est la caresse
De mains blanches, glacées,
Aussi douces que l'amour
Et que la mort, ma bien-aimée.

BRIN DE BRISE

Les routes sombres, et le soleil dans les places,
Et le monde… Les espaces,
Et les silences infinis.
Les fantômes humains. Et enfin le temps, comme
Un brin de brise effleurant toute chose.

LOINTAINS

L'air au loin est bleuté,
Tout miroitant de sel et de blanches fumées
Embrumé. Les bouleaux jalonnent les méandres
Des fleuves descendant vers la mer toute grise.
Printemps de ciels inconnus, minois tout menu
D'une clarté opale,
Cheveux pareils aux fils d'un soleil boréal…
Coulent les fleuves froids, éclatants et muets.

COMME LA MER

Le lézard brun et vert
Rêve au soleil, perd sa couleur,
Il n'est plus qu'un battement de cœur
(Comme au clair de lune la mer).

CHANSONNETTE

Cette lumière tremblante
Entre tes yeux et mes yeux,
Tel un rayon pressant tes cils,
Un rayon débordant,

Cette lumière de joie
À la mort ravie,
Se peut-il qu'elle meure
Comme meurt la vie ?

FLORAISON

L'air est si pâle et le soleil
Si las. Mais la vallée est riante ; et l'herbe
Resplendit, tout comme les marguerites jaunes ;
Les papillons qui dansent
Ont des éclairs d'amour.
Terre humaine, ô toi, qui donnes encor des fleurs,
Quand il n'y a plus au ciel aucune espérance.

PASSAGE

Le long de la grève au sable fin,
Au bord d'une mer qui moutonne,
S'avance doucement en rangs par trois
Un petit troupeau de jeunes oies.

Elles vont d'un pas régulier
Comme un groupe d'enfants de chœur,
Ne tournent la tête que pour picorer
Les pâles insectes sautilleurs.

Derrière frémit une mer sauvage,
Un soleil qui surplombe et qui flamboie,
Restent comme marque de leur léger passage
À fleur du sable nombre de petites croix.

LUNE

La lune va là-haut à travers les songeuses
Ténèbres, suspendue à un fil d'araignée :
La campagne se fige et reste silencieuse
Sous ses yeux d'étoile morte. Sur la ramée

Toutes les feuilles ont jailli de partout ;

Les fleurs restent cachées dans l'ombre. Du hibou

On entend le sanglot
S'exhalant vers la lune qui roule là-haut.

COUR

Une petite rose est là qui se balance
Au centre d'une cour, au-dessus d'un vieux puits ;
Une petite flamme d'un carmin intense.
Une froide grisaille alentour ; et voici
Que le ciel printanier sur la rose éblouie
Fait néanmoins pleuvoir tout son sourire immense.

MATINES

Sur la ville assombrie et que la nuit écrase
De tout l'énorme poids de son obscurité
Tinte une cloche d'or tout à coup. Et c'est comme
Si l'on voyait alors dans un vol frémissant
Un nuage léger de pétales descendre
D'une fleur musicale et paradisiaque.

VENT

Le vent fait s'envoler sur la place
Des nuages de poussière et des feuilles mortes ;
Il griffe les vitres, cogne les portes
Et fait claquer un drap là-haut et passe.

Il se rue à flanc de coteau qu'il escalade,
Empoigne les oliviers, les secoue et les foule :
Leurs blêmes frondaisons ont tout l'air d'une houle

Qui déferle et tournoie contre une palissade.

Puis il bondit au ciel : tout à coup il enrage,
Il bouscule et disperse les nuages ;
Chien d'un berger céleste, le voilà
Qui geint, grogne sourdement et aboie.

Enfin il disparaît, laissant les rues vides
Et dans le silence plongées.
Entre deux maisons flambent, figées,
Les froides flammes du soir limpide.

ATTENTE

Dans l'air blanc de mars l'arbre
Est un symbole noir d'enclose volonté.
Il guette le nuage, immobile et figé
Au beau milieu du ciel, là-haut. Profondément
Sans bouger il respire. Il s'écoute et *attend*.

LES VIOLETTES

Les violettes ? Je les aperçus au pied d'un mur :
Elles faisaient une tache quasi
Sanguine sur le tapis
Sombre de l'ortie et de la pariétaire.

Elles étaient là : entre un sentier perdu
Et un mur aveugle, dans ce lieu sauvage
Elles fleurissaient ignorées, ivres
D'ombre et de soleil ; derrière un cimetière.

MER — COULEUR

Mer enfant qui insatiablement joues,
Vieille mer qui pleures insatiablement,
Toi qui es éclair et boue
Et qui es ciel, feu et sang,

Sur tes rivages lents tu laisses aujourd'hui
Orgueil et force, gaieté et douleur :
Aujourd'hui tu n'es que couleur,
Une belle couleur qui vit.

UNE ROSE

S'ouvrent encor des soirs comme des lacs
Pâles au-dessus des toits d'or,
Tandis que dans la lumière immobile
Tremble légèrement l'anxiété diffuse
Des arbres. Plus un seul souvenir ni des pleurs ;
Rien qu'un clignement d'yeux et un cœur qui s'éveille
De son sommeil de pierre et c'est toi qu'il revoit,
Toi, clarté de la vie, merveille révélée
Et secrète de cette vie qui vit.
Et quelque part au monde voici qu'une rose
Est éclose, enivrant tout l'air
Du soir qui inonde le monde.

GUITARE VÉNITIENNE

PRÉLUDE

Avant étaient-elles là, ces treilles dorées,
Qui croulent des balcons en cheveux dénoués ?
Ces grandes fleurs d'argent, brodées

Sur la soie verdâtre des canaux ?

Et ce bleu chapiteau d'air, étendu
D'une corniche à l'autre, où était-il donc ?
Ce petit nuage nacré qui plane au-dessus
Du toit brun de la dernière maison ?

Et ce long souffle de vent
Qui porte en lieu clos l'immensité de la mer,
Tailladée par le vol violent
Des hirondelles aux stridences amères ?

Les belles choses et leur sourire assurément
Étaient bien là et elles s'ouvraient alentour,
Mais je ne les ai vues que lorsqu'est apparu
Soudain ton visage, comme au lever du jour.

Alors s'est éveillé, comme à l'aube,
Le monde — *parfum, liesse infinie* —
C'est toi par ton sourire triste
C'est toi seule qui avais rallumé la vie.

Cesare Pavese

FEMMES PASSIONNÉES

Les filles, au crépuscule se baignent,
Quand s'estompe la mer étale. Dans le bois
Chaque feuille tressaille, quand les baigneuses émergent
En tapinois et vont s'asseoir sur la grève. L'écume,
Au loin, à fleur d'eau, se livre à ses jeux inquiets.

Les filles craignent les algues ensevelies
Sous les flots qui ligotent les jambes et le dos :
La moindre nudité de leur corps. Vers le rivage
Elles courent à toute allure et s'appellent par leur nom,
Regardant autour d'elles.
Même les ombres sur la mer au fond, dans le noir,
Sont énormes ; on les voit vaguement bouger,
Comme attirées par les corps qui passent. Le bois
Plus que la grève est un abri tranquille au soleil couchant.
Mais les filles hâlées aiment à rester assises
En plein air, un drap les enveloppant.
Toutes accroupies, serrant le drap entre leurs jambes,
Elles contemplent la mer étale,
Comme un pré au crépuscule. L'une d'elles oserait-elle
S'étendre maintenant nue sur un pré ? Hors de la mer
Elles bondiraient, les algues, qui frôlent les pieds
Pour saisir, envelopper le corps tremblant.
Dans la mer il y a des yeux qu'on entrevoit parfois.

Cette étrangère inconnue qui nageait la nuit,
Seule et nue, dans le noir, à la nouvelle lune,

A disparu une nuit ; elle ne reviendra plus.
Elle était grande et sans doute d'une blancheur éblouissante
Pour que des yeux, au fond de la mer, aient pu la voir.

ÉTÉ

Clôturé de murs bas, il est un jardin clair
D'herbe sèche et de lumière, qui mitonne
Sa terre. C'est une clarté au goût de mer.
Cette herbe, toi, tu la humes. Tu touches tes cheveux
Et tu en secoues un souvenir.
                              J'ai vu choir
Avec un bruit étouffé, sur un gazon que je connais,
De nombreux fruits qui étaient doux. C'est ainsi
Que tu tressailles, toi aussi, au sursaut de ton sang.
Tu hoches la tête comme si autour de toi
Se produisait un prodige aérien,
Mais le prodige c'est toi. Dans tes yeux
Et dans ton souvenir il y a une pareille saveur.
Tu écoutes.
                  Les paroles que tu écoutes te touchant à peine.
Sur ton visage calme tu as une pensée claire
Que ta clarté de la mer façonne derrière toi.
Tu as sur le visage un silence qui oppresse le cœur
Avec un bruit sourd, et il en suinte un vieux chagrin
Comme le jus des fruits qui viennent de choir.

L'ÉTOILE DU MATIN [1]

La mer est sombre encor, vacillent les étoiles,
Lorsque se lève l'homme solitaire… Il monte
Du rivage où la mer a son lit, une haleine
Tiède dont s'adoucit la respiration.
C'est vraiment l'heure où rien ne saurait arriver.

Même sa pipe pend entre les dents, éteinte.
Et le ressac à mi-voix de nuit s'enveloppe.
L'homme solitaire [2] a déjà fait flamber
Un grand feu de branchage et le sol en rougeoie.
Il regarde ce feu. Bientôt même la mer
Sera comme ce feu un énorme brasier.
Rien de plus amer que l'aube d'une journée
Où rien n'arrivera. Rien de plus amer que
L'inutilité. L'aube vient de surprendre
Au ciel une étoile verdâtre qui pend,
Lasse. Il voit la mer encor sombre, cet homme
Qui se réchauffe au feu pour faire quelque chose ;
Il voit, et il tombe de sommeil au milieu
Des montagnes noires où la neige étend un lit.
Pour qui n'attend plus rien l'heure lente est sans pitié.
À quoi bon que de la mer le soleil se lève
Et que commence une longue journée ? Demain
Viendront l'aube tiède et la lumière diaphane.
Ce sera comme hier et il n'arrivera
Jamais rien. Il ne voudrait que dormir, l'homme
Solitaire. Et quand s'éteint la dernière étoile,
L'homme doucement bourre sa pipe [3] et l'allume.

Nota. La thématique de la solitude est fondamentale dans toute l'œuvre de Pavese. Il fut, toute sa vie durant, un homme solitaire, même lorsqu'il jouit d'une certaine célébrité grâce à ses succès littéraires. Cette solitude, de plus en plus pathologique et surtout existentielle, devait aboutir au suicide de Pavese en août 1950, dans une chambre d'hôtel à Turin.

[1] *Lo Steddazzu* : tel est le titre de cette poésie. C'est ainsi qu'on nomme l'étoile du matin en dialecte calabrais.

[2] Ces vers ont été précisément écrits en 1936, l'année où il fut condamné pour antifascisme à la relégation (ou résidence surveillée : *il confino,* en italien) à Brancaleone Calabro, village côtier de Calabre. Cet homme solitaire désigne donc le poète lui-même, Cesare Pavese, livré à un désœuvrement forcé, dont chaque journée est vide, sans but ni espoir, d'une effrayante monotonie, le tout placé sous le signe de l'à-quoi-bon.

[3] Il n'avait pour seule compagne de ses longues heures passées

au bord de la mer Tyrrhénienne que sa pipe, puisqu'il fut un fumeur de pipe acharné.

Viendra la mort, elle aura tes yeux —
Cette mort, notre compagne
Du matin au soir, insomnieuse,
Sourde, comme un vieux remords
Ou un vice absurde. Tes yeux
Seront une parole vaine,
Un cri réprimé, un silence.
Ainsi les vois-tu chaque matin,
Lorsque tu te penches sur toi seule
Dans la glace. Ô chère espérance,
Ce jour-là nous saurons nous aussi
Que tu es la vie et le néant.

Pour tout le monde la mort n'a qu'un seul regard.
Viendra la mort, elle aura tes yeux.
Ce sera comme si l'on perdait un vice,
Comme si l'on voyait dans la glace
Émerger à nouveau un visage mort,
Comme si l'on écoutait une lèvre close.
Nous descendrons dans le gouffre en silence.

Et alors nous les lâches
Qui aimions le soir
Et ses chuchotements, les maisons,
Les chemins de halage,
Les lumières rouges et sales
De ces coins, la douleur
Adoucie et tue —
Nous arrachâmes nos mains

De notre chaîne vivante
Sans broncher, mais notre cœur
Tressauta gorgé de sang
Et la douceur disparut,
Il n'y eut plus d'abandons
Sur le chemin de halage —
Nous n'étions plus esclaves, nous apprîmes
Que nous étions seuls et vivants.

23 novembre 1945.

Leonardo Sinisgalli

VOIX DE CHASSEUR

Moi j'attends que tu passes
À la croisée des vieux sentiers.
Tu dors derrière des cailloux
Et à l'aube tu viens boire.
L'eau est pure comme le ciel
Qu'elle mire ! Sur les feuilles
Tu laisses un fumet : sur ce sillage
Tu dois tomber.

LA VIEILLE VIGNE

Je me suis assis à même la terre
À côté du pailler de la vieille vigne.
Les gosses gaulent des noix,
Les cassent entre deux pierres.
Mes mains se tannent d'un jus vert acide.
Je savoure l'air venant du fond des arbres.

POUR UNE CIGALE

Pour moi impossible de chanter
La fourmi que son zèle
A rendue immortelle.

Plus proche est mon sort
De la crissante cigale
Qui tremble jusqu'à la mort.
Au temps de mon bonheur
Je me livrais confiant
À ce cri lancinant,
Un long cri de colère
Et je m'assoupissais
Avec sur la poitrine une cigale.
Maintenant que mon jour
S'effrite et se détruit,
Il ne me reste qu'une poignée de poussière.
Mais ta pauvre dépouille
Est pour moi d'un tel prix
Que j'entends bruire encore
Le pommier de mon enfance
De ton cri sans répit
Et dans l'air de juin
Sourdre sous la feuillée
Ta liesse endeuillée.

PIÉCETTES ROUGES

Les gosses font ricocher leurs piécettes rouges
Contre le mur. Elles tombent loin
Par terre avec un doux bruit. À tue-tête
Ils crient dans une flambée guerrière,
Échangeant des paroles hautaines
Et de très doux brocards. Le soir
Incendie leurs fronts, ébouriffe furieusement
Leurs cheveux.
Sur le pavé il ruisselle chaud comme du sang.
L'esplanade redevient calme.
Une piécette ricoche et s'arrête pile
Près d'une autre à un empan.

Le gamin plaque sur la terre
Sa main triomphante.

LES PETITES MARCHANDES
DE FLEURS

Le vent du soir entraîne,
Accrochées à leurs parasols,
Les petites marchandes de fleurs
Aux cris aigus et gais, moulées dans leurs pulls.

Comme les hirondelles aux gouttières,
Resteront suspendues en l'air
Les vendeuses de dahlias,
Maintenant que le vent du soir
Gonfle leurs parasols-montgolfières.

LÀ OÙ ABOIE L'ÂME...

Là où aboie l'âme légère des chiens
Et le cri de l'enfant se tend
Avec sa fronde et de toute cette journée il est
Vain tout autre signe *(cette grosse veine
Sur le dos de la main)*, je suis descendu
Ce 14 juillet au royaume des morts
Parmi des chats et des perdrix festoyant
Sous les tables. Dans ces paroles
Restera-t-il l'ivresse de la mouche au soleil,
L'œil du chasseur indifférent ?

Camillo Sbarbaro

LA FILLETTE QUI MARCHE...

La fillette qui marche sous les arbres
N'a pour fardeau que celui de sa tresse,
Elle n'a dans sa gorge qu'un filet de voix.
Elle chante toute seule
Et gambade en chemin, car elle ignore
Qu'elle n'aura jamais trésor
Plus grand que ce peu d'or vivant sur ses épaules,
Ou dans sa gorge cette joie.

Pour moi qui n'ai d'autre bonheur
Que de paroles,
Sans avoir le ruban rouge vif ni l'espoir
Débordant qui gonfle le cœur de l'autre —
Si ce n'est trop demander, que l'on m'ôte
La vie avant cette unique richesse !

LORSQUE LA VILLE A SOIF...

Lorsque la ville a soif, il m'arrive parfois
Que me surprenne un chant de cigales. Aussitôt
La vision m'emplit de champs sous la lumière
Accablés ; me voilà tout ébahi de voir
Qu'en ce monde il existe encor des eaux, des arbres,
Et toute la bonté de ces choses présentes
Qui suffisaient jadis à consoler ma peine.

L'ivrogne mêmement reçoit en plein visage
L'haleine de la nuit et, comme moi, s'étonne
Tout aussi sottement. Mais, dès lors que je sens
Mon âme, tel un arbre et toutes ses racines,
Coller à chaque pierre de cette ville sourde,
Je m'effare et souris, puis soulève mes coudes,
Comme pour m'envoler, dans un effort brisé.

RETOUR À LA TERRE

Terre, pour toi mon cœur se gonfle, comme
La motte au printemps. Avec des yeux neufs
Me voici de retour : ce que je vois
C'est comme la première fois ;
La plus humble image, la plus usée
Me touche et me réjouit pleinement.
Je me lave en toi comme dans une eau
Où l'on pourrait tout entier s'oublier.
Je laisse derrière moi ma misère
Comme la couleuvre sa vieille peau.

Terre, tu es pour moi pleine de grâce.
Et tant qu'à ton contact je me sentirai
Tellement enfant et tant que mon chagrin
Comme brouillard au soleil pourra fondre
En toi,
Je ne maudirai par le jour de ma naissance.
Je me suis assis à même la terre
Avec mes deux mains ouvertes sur l'herbe,
Jetant autour de moi un regard amoureux.

Et dans ce long regard mon visage se mouille
De chaudes larmes, pleines de douceur.

PARFOIS, CHEMINANT...

Parfois, cheminant tout seul au soleil,
Et regardant de mes yeux clairs le monde
Où tout m'apparaît comme fraternel,
L'air, la lumière, le brin d'herbe, l'insecte,
Soudain mon cœur se glace.
J'ai l'impression d'être un aveugle, assis
Sur la berge d'un fleuve immense et dessous,
Le courant roule et tourbillonne.
Mais lui, il ne voit pas cela ; avec bonheur
Il savoure le peu de soleil qu'il y a.
Et entend-il parfois l'eau murmurer,
Il pense que bourdonnent ses oreilles dupes.
C'est que, vivant ma pauvre vie, pour moi
C'est comme si j'en frôlais une autre
Dans mon sommeil et que ce sommeil soit
Ma vie présente.
Une sorte d'égarement,
Un désarroi d'enfant me saisissent alors.
Je m'assieds, solitaire
Sur le bord du chemin et, tout en regardant
Mon monde étriqué, misérable,
De la main je caresse un brin d'herbe qui tremble.

JE RESSEMBLE DÉSORMAIS...

Je ressemble désormais à un cep de vigne qu'un jour je vis avec
stupeur. Il poussait sur le mur d'une maison, naissant du pavé.
L'eût-on transplanté, il se serait rabougri.

Ainsi mon âme s'est-elle enracinée dans la pierre de la ville
et ne saurait vivre ailleurs. Et m'arrive-t-il encore de regarder
du côté des montagnes lointaines, comme pour y trouver une
issue, en réalité elles ne me parlent plus.

Ce qui m'exalte c'est le réverbère atroce au bout de l'impasse. Mon cœur reste suspendu en guise d'un ex-voto aux venelles qui s'entrecroisent. Certains aspects des choses me touchent plus qu'aucun geste humain.

Comme le cep de vigne, je me nourris d'aridité. Plus que la femelle, c'est la soif et les artifices qui me dupent. Je suis apaisé par le miroitement des miroirs.

Parfois, à seule fin de déranger l'inertie à laquelle je me complais, un monde à une seule dimension affleure, venant de je ne sais quel repli de moi ; mon enfance en est désemparée.

À tout appel je me tends et me penche dans une attente trépidante pour me mettre à l'écoute... Ah, ce n'était que le souvenir d'une existence antérieure !

Peut-être je me minéralise au fur et à mesure. Déjà mon œil se vitrifie, depuis le temps que je ne pleure plus ; et mon cœur n'est plus qu'un pesant caillou.

Sandro Penna

LA PETITE PLACE
DE LA VÉNÉTIE...

La petite place de la Vénétie,
Morose et ancienne, accueille
L'odeur de la mer. Et des vols
De pigeons. Mais ce qui demeure
Dans ma mémoire — et la lumière
Est sous le charme du souvenir —
C'est un jeune cycliste qui vole
Sur son vélo et se tourne vers son copain :
Un souffle mélodieux : *« Te balades-tu seul ? »*

Moi, je voudrais vivre endormi
Au-dedans de la douce rumeur de la vie.

Clemente Rebora

CŒUR

Ô Vérité qui brille
Sur le mont sans entrave,
Ô des enfants sagaces,
Bienheureuse naïveté,
Opérante amitié
Qui grandit d'autant plus
Qu'elle a davantage donné !
Quand le cœur est repu,
Un rien le réjouit,
Lorsque le cœur s'embrase,
Un rien est un ciel clair ;
Le cœur s'élève-t-il
Jusqu'au don de l'amour,
Les hommes ne sont plus fiction, mais bien réels.

VIATIQUE

Soldat blessé au fond du petit val,
Si trois camarades en parfait état
Sont tombés pour toi
Quasiment mort,
C'est que ton appel fut si fort.
Dans la gadoue et le sang,
Tu n'es plus qu'un tronc sans jambes,
Avec tes gémissements qui perdurent.

Pitié de nous restés
Avec nos râles d'une agonie sans fin ;
Hâte ton agonie,
Toi, tu peux finir ;
Dans cette démence
N'aboutissant pas à la folie,
Pendant ce sursis de la mort,
Qu'il soit ton réconfort,
Le sommeil envahissant ton cerveau ;
Laisse-nous en silence —
Frère, merci.

NOCTURNE

Pour Jésus qui l'enflamme mon sang bouillonne et brûle.
Je lui dis : « *Brûle-moi !* », mais c'est là un mot vide.
Je lui crie : « *Sauve-moi qui suis crucifié,*
Ensanglanté de Toi ! » Mais me voilà cloué,
— Clou dans un mur — dans mes misères physiques.
La grâce de souffrir, d'obscurément mourir,
Réduit en poussière dans mon amour du Christ ;
N'être plus qu'un engrais sous ton Vignoble et n'être
Qu'un parterre, foulé par tous les pas des gens,
N'être qu'un pédalier désaccordé
Sur lequel on appuie pour extraire de l'orgue
Une profonde voix s'élevant dans le temple —
Pour n'être enfin qu'un serviteur inutile :
Voilà ce que de moi, Jésus, tu as voulu ;
En vain ai-je promis, si après tout j'éloigne
Les âmes. Comme la fleur n'est belle qu'éclose,
Ainsi l'offrande est belle, et pourtant il y a loin
Du rêve à l'action. Père, qui me retiens
Encore ici-bas, fais qu'en moi l'*Ecce*
Ne se perde ou fléchisse ! Et cependant je meurs
De ne pas mourir. Mon sang est tout brûlant.

461

Jésus boute le feu, et s'il ne parvient pas
À tout embraser, ce n'est rien qu'une brûlure...

SÉRÉNADE DU CRAPAUD

Bourrasque brûlant à midi —
De la branche la plus haute
Un rossignol ébloui
Dans un fourré est descendu :
Un crapaud est là — bête utile —
Sacoche grande ouverte.
Avec un sanglot sonore
Bondissant et volant tour à tour
Il avance pour le fuir —
Dans sa gueule il se fourre :
Le crapaud l'avale ;
Puis après, quand un calme
Nostalgique harmonise
Nuit et aurore,
Complaisamment il sort
Du fond de la sacoche
Un son de mandore.

Aldo Capasso

À DIEU

Mon juvénile orgueil dont mes veines gorgées
Grondèrent d'un tumulte immensément dément,
Ne voulut s'enivrer que de sa solitude ;
Je ne puisai qu'au charme
De cet élan de sang,
Fugitif et puissant
Qui fut ma seule foi.
Fier et ravi, je souriais avec amour
À la caducité tragique, humaine et belle.
Si je me pense seul, mon cœur s'en épouvante,
À présent que mon sang a cessé d'assembler
Le sonore fracas de rumeurs océanes
En un concert si fou au-dedans de mes veines,
Le silence à présent
Arrive jusqu'à moi :
Le silence effrayant de ces mondes déserts
Qui roulent dénudés tout autour de la terre ;
À son tour, elle aussi, tout autant dénudée
Dans un proche avenir.
Je ne puis écouter sans un cri ce silence
C'est de vous, ô mon Dieu, que j'ai besoin : suivez
D'un sourire indulgent mes faibles pas qui butent
Sur mes erreurs d'enfant : et lorsque je m'arrête
Et que j'entends alors ce silence effroyable,
Mon nom, chuchotez-le, fût-ce même d'un souffle,

Suffisant malgré tout
À me sauver du désarroi
Démentiel de l'homme seul.

À SEC

De pleurs refusés trop s'est abreuvé mon cœur
Qui en souffre. Trop souvent il en souffre.
Là où le calfat fut distrait, le bois du navire
Gonfle et pourrit.
C'est quelque peu guérir pour moi
Que de rester au soleil à sec.

Homme, je me suis donné du courage ;
Ainsi ai-je appris, moi qui suis né sans voix,
À chanter.

Il eût mieux valu exprimer ce mal par des pleurs
Abondants après chaque voyage : ou sinon
Au premier contact avec la mer
Couler.

LE POÈTE

Comme les élus, moi aussi,
Ma souffrance, je l'ai choisie,
Mais sans pour autant parfaire
Toutes les bonnes actions
Comme je l'aurais voulu.

Mais si je n'ai aucun souci
Des biens trompeurs, tandis

Que je vois à la ronde
Se ruer tout le monde
Pour les saisir dans leur poing
Qui se ferme et n'attrape rien,
C'est pour en dévoiler
Leur sens secret et leur beauté,
Et c'est pour nommer chaque chose
De façon harmonieuse.

Dans ma destinée à la fois
Heureuse et malheureuse,
Sans fonder rien de stable
Sur les biens de la terre,
Je suis souvent ce mendiant
Qui tend la main et qui attend,
Et je suis le riche parfois,
À tous et à chacun donnant
Mes trésors innombrables,
Comme je les ai obtenus :
Sans lutte, gratuitement.

LA TOMBE VERTE

Je me suis reposé au-dedans d'une verte
Tanière, dans un silence
Sans ombre tutélaire.

Une tanière close de tous côtés
Par le ciel immobile
Plus que pierre tombale.

Dans ce silence mon cœur,
Pris au dépourvu, plongea, comme
Un caillou qui coule à pic dans l'eau.

Dans la torpeur végétale de l'été
La paix des choses inconscientes,

Des terres submergées,
Abandonnées,
M'envahit d'emblée comme une marée montante.

Éternité, certitude inutile,
Je t'ai possédée un instant autour de moi :
Et tu m'apparaissais entièrement verte.

Mais tout à coup le vent agita quelque peu
Les herbes : et, dès lors, je te perdis,
Sursautant comme le renard
Aux aguets de la meute à son pourchas.

AUTOMNE

Ta musique, Automne !
En moi se glisse une douceur comme
Celle qui t'enveloppe, ô saison de l'année
Qui descends vers la mort avec une joie sombre.
Laisse-moi sur tes flûtes
M'accorder, t'emprunter l'une de tes formes,
Donne-moi tes fruits embrasés :
Une treille écarlate ou bien une tonnelle
Où je m'étende et m'endorme.
Si du moins me berçaient les ramures d'un chêne,
Si l'éphémère douceur de tes parfums
Tel un nouvel opium
Pouvait apaiser
Ma pensée âpre et tendue,
Ma vie difficile
Et mon obéissance à des ordres futiles.

INDOLENCE

Chère indolence, mère
De mythes et de souvenirs,
Au gré du courant qui change
Je me retrouve en toi,
Algue lentement emmêlée
Et dénouée.

Et je supplie,
Je supplie le destin, puisque
Personne ne m'écoute, de me laisser longtemps
Reposer dans ton giron transparent.

Ma vie ne m'a pas encore donné
Un bonheur plus profond que toi
Et ta paix que menacent
Espérances et souvenirs,
Affleurant dans mes veines,
Semble éloigner de moi toute peine

SIROCO

Et sur les monts, au loin sur les horizons
C'est un long liséré couleur safran :
Il se rue, l'escadron mauresque des vents,
Prenant d'assaut les portes cochères,
Les observatoires sur les toits émaillés
Cogne contre les façades côté midi,
Agite rideaux écarlates, étendards sanguinolents, cerfs-volants,
Ouvre des éclaircies bleues, des coupoles, des formes rêvées,
Ébranle les treilles, les tuiles vivaces
Où de l'eau de source se repose dans des jarres irisées,
Brûle des surgeons, par lui les reflets deviennent ronces,
Il change les porches en clairons,
Tombe pesamment sur les jardins aux croissances
Incertaines, empoigne les feuilles désertes
Et les jasmins tout jeunes — puis il s'amadoue,
Tape sur les tambourins ; pompons, rubans...
Mais la sauvage pompe pontificale ferme-t-elle au couchant
Ses ailes d'incendie et le dernier bief rouge se délite-t-il,
De tous côtés monte la nuit chaude aux aguets.

Andrea Zanzotto

NAVIGATION CÉLESTE

Je voudrais te rendre visite
Dans tes lointains royaumes,
Ô toi qui m'es toujours
Fidèle et qui reviens des cieux
Dans ma chambre, lune,
Toi qui, pareille à moi, sais resplendir
Uniquement de l'espérance des autres.

(Extrait de Églogues IX.)

Giuseppe Antonio Brunelli

DES YEUX BLEUS, DES YEUX VERTS

Des yeux bleus, des yeux verts, des yeux de nuit,
Des nids de feux, maternel duvet,
Au fond de vos miroirs y danse et rit
Une clarté en tourbillons joyeux,

Jusqu'à ce que, frisson craintif, les cils
Tombent, mystère qui prélude au rêve,
Jusqu'à ce qu'en sourdine ton sourire éclose,
Vif aquarium plein de fraîcheur exquise.

LE GRILLON

Les rythmes du ciel je chante et des prés,
Les lunes je clame que gerce le verglas,
Les astres pétillants dans l'obscurité,
Le soleil fort comme un alléluia.

À l'envi je crie avec les cigales,
Au sein du foyer, au creux chaud du mur :
Je chante encor dans l'ennui hivernal
Les grappes alourdies, le raisin mûr.

Parmi les coquilles fossiles et les perles
Ma tête fourchue d'antennes peut-être
Des forêts ensevelies s'extirpa-t-elle
Du fond nacré des mers qui s'échevèlent,

Pareil aux étoiles, au scorpion sacré,
Du plus loin des déserts je suis venu :
Moi, talisman d'un Cafre sorcier...
Moi, le petit grillon noir et cornu.

LE JOUEUR

Les doigts nerveux tambourinent sur la table,
Tandis que le joueur attend son tour ;
Enfin les dés sautillent : ainsi le hasard
Rit à chaque coup, aux six faces bizarres !

Dans le pichet, lampé d'un trait, sans doute
Meurt un brocard mordant, la gorge brûle :
Tenace et sourde une rage y gargouille
Et dans le noir du cœur brille un poignard.

Les réverbères, dans la nuit, à présent
En vain balancent leur morne reflet,
Car le silence — abîme quasiment
Qui s'entrouvre soudain — prolonge en soi

Ce cri, ce bruit de chute, l'écho des pas.

Notices biographiques

ALFIERI Vittorio (1749-1803). Né à Asti d'une famille noble, il voyagea à travers l'Europe « en vandale » (dira-t-il plus tard dans son autobiographie qui renferme des pages superbes), il fut le plus grand dramaturge italien. Son théâtre, très classique, fidèle à la règle des trois unités, a vieilli, principalement en raison de la langue, par trop archaïque. Néanmoins quelques pièces (telles que *Saül, La Conjuration des Pazzi, Myrrha*) méritent d'être encore aujourd'hui connues et jouées. Il repose — insigne honneur pour ce chantre du Renouveau italien et cet ennemi farouche de toute forme de despotisme — dans l'église de Santa Croce à Florence.

ARIOSTO Ludovico [L'ARIOSTE] (1474-1533). Né à Reggio Emilia, le poète du *Roland Furieux (Orlando Furioso)* est une figure centrale de la Renaissance italienne dans toute sa splendeur. Il fut portraituré par Titien. Poète de cour au service d'abord du cardinal Hippolyte d'Este, ensuite du duc Alphonse à Ferrare, il exerça les fonctions de gouverneur dans une région de la Romagne de 1522 à 1525. Il eut enfin l'heur de vivre paisiblement ses dernières années dans la ville ducale auprès de son épouse bien-aimée, Alessandra Benucci, sa muse. « Je vous avoue que cet Arioste est mon homme ou plutôt un dieu... Laissez-moi en extase devant messer Ludovico... » (lettre de Voltaire à Chamfort). Voilà bien un éloge d'autant plus mérité qu'il est décerné par un critique exigeant.

ASSISE François d' (1182-1226). Né et mort à Assise (Ombrie). Après une vie dissipée, il renonça à ses biens terrestres, se vouant à une pauvreté absolue. Dès lors, il calqua sa vie sur celle du Christ, se voulant un *alter Christus*. Son *Cantique des Créatures* constitue une incomparable ouverture à la grande symphonie de la poésie italienne qui débute au seuil du XIIIe s. et se prolonge jusqu'à nos jours. C'est un Hymne en prose rythmique d'action de grâces à l'adresse du Créateur et de sa création, englobant l'amour aussi bien pour les êtres animés que pour les objets inanimés (feu, eau, etc.) qui ont une âme aux yeux de ce saint, brûlant d'un amour mystique et universel.

BERTOLA Aurelio (1753-1798). Né à Rimini, traducteur des idylles de Gessner, il en composa l'éloge et répandit le goût de la poésie allemande. On lui doit un suggestif *Voyage sur le Rhin.*

BORSI Giosuè (1888-1915). Né à Livourne (Toscane) il fut l'un des six cent mille combattants italiens tombés au champ d'honneur pendant la Première Guerre mondiale. Critique et polémiste, d'abord incroyant, il se convertit avant d'aller au front. Il laissa quelques essais, des nouvelles et des poésies d'inspiration classique.

BRUNELLI Antonio Giuseppe (1922 —). Né à Milan, il a pris depuis peu sa retraite après une brillante carrière universitaire. Il a occupé la chaire de littérature française à Catane (Sicile) pendant de nombreuses années, ensuite et enfin à Florence où il vit actuellement. Critique littéraire il a également traduit, entre autres poètes, Villon, Baudelaire et Valéry. Il a publié à ce jour trois recueils de poésie : *Poésies pour Jeanne (Poesie per Giovanna), Les Cascades d'août (Le Cascate d'agosto),* et *Concerto pour Palma.*

CAMPANA Dino (1885-1932). Né à Marradi, près de Florence. Ce poète eut une vie tourmentée, d'errances à travers l'Europe, entrecoupées d'internements psychiatriques fréquents jusqu'au définitif en 1918. Ses *Chants orphiques (Canti orfici)* s'inscrivent dans la lignée du symbolisme anglo-germanique.

CAPASSO Aldo (1909 —). Né à Venise, il a surtout vécu à Gênes à l'université de laquelle il obtint sa licence ès lettres. Critique littéraire et poète, son premier recueil date de 1931. Il fut soutenu par Valery Larbaud. Après quelques expériences hasardeuses du côté de la poésie moderne, il revint à la tradition classique.

CARDARELLI Vincenzo (1887-1959). Né à Corneto Tarquinia, mort à Milan. Il fut l'un des fondateurs de la revue *La Ronde (La Ronda)* qui se proposait de renouer avec la tradition classique et de prendre comme modèle Leopardi. Dans tous ses écrits, soit en prose, soit en poésie, on passe aisément de l'une à l'autre, tellement leur symbiose est parfaite. Il cultive l'harmonie du vers qu'il n'obtient jamais au détriment d'une pensée profonde, tout en disciplinant son imagination.

CARDUCCI Giosuè (1835-1907). Né à Valdicastello près de Lucques (Toscane), il appartient à cette triade (Pascoli, D'Annunzio et lui) qui illustra la poésie italienne dans la seconde moitié du XIXe s. Professeur à l'université de Bologne (1860-1904), il fut le premier écrivain italien qui obtint le prix Nobel de la littérature (1906). Il mourut à Bologne, unanimement regretté. Ardent républicain dans sa jeunesse, il finit par se réconcilier avec la monarchie, cédant certes à des raisons politiques, mais aussi conquis par la beauté racée de la reine Marguerite de Savoie qu'il célébra dans un texte intitulé *L'Éternel Féminin*. Bien qu'anticlérical, il ne fut pas totalement dépourvu de toute spiritualité, ayant de la vie un sens très élevé. Par son classicisme, il réagit efficacement contre les abus d'un romantisme décadent et contre l'onction cléricale et pateline des disciples de Manzoni. On le regarda comme le poète national et nationaliste de la Troisième Rome — capitale d'une Italie, une et indépendante, à l'issue des guerres du Risorgimento.

CAVALCANTI Guido (1260-1300). Florentin. Il devait perfectionner la poésie lyrique du Dolce Stil Nuovo (doux style nouveau), mais Dante, son contemporain, allait éclipser ce poète qu'il appelle *son premier ami*, tant du point de vue chronologique que du point de vue affectif. Cependant, en sa qualité de prieur, il n'hésita pas à l'exiler en raison des luttes intestines entre Guelfes noirs (extrémistes) et Guelfes blancs (modérés). Tous ses poèmes (sonnets, ballades, chansons, stances) sont consacrés à l'amour. Son exil à Sarzana au cours duquel il allait contracter le paludisme lui inspira une pathétique ballade : *Dès lors que jamais plus je n'ai cette espérance... (Perch'i'non spero di tornar giammai...)*.

CENA Giovanni (1870-1917). Né près de Turin, mort à Rome. Poète, essayiste, journaliste et romancier, il fut pendant quelques années rédacteur en chef d'une revue littéraire *Nouvelle Anthologie (Nuova Antologia)*. Il eut une liaison, assez orageuse, avec une poétesse féministe et engagée, Sibilla Aleramo, avec laquelle il partagea néanmoins ses idées politiques.

CORAZZINI Sergio (1887-1907). Né à Rome, le plus typique d'entre les poètes crépusculaires. Petit employé dans une société d'assurances, miné par la tuberculose, il mourut précocement dans sa ville natale. Sa vie fut grise et le monde se présenta à ses yeux sous les couleurs les plus grises. Dans ses poésies qui rappellent les rengaines des limonaires, il invoque souvent la mort salvatrice. Il est, si l'on veut, une sorte de Francis Jammes morbide, livré au spleen et à l'atmosphère des sanas.

D'ANNUNZIO Gabriele (1863-1938). Il quitta tout jeune sa rude province natale (les Abruzzes). Dès ses premiers succès littéraires, il fut accueilli, fêté, choyé dans les salons de Rome et plus tard ceux de Paris dont il fut la coqueluche, car il était un causeur éblouissant. « Il mit son talent dans son œuvre et son génie dans sa vie », peut-on dire à son sujet. La Première Guerre mondiale lui permit de marier l'action au rêve ; il y paya de sa personne, combattit aussi bien sur terre qu'en mer et dans les airs, s'offrant le luxe de survoler Vienne non pas pour y jeter des bombes, mais des tracts. D'abord attiré par le culte nietzschéen du surhomme, il vira assez tôt vers un nationalisme outrancier, teinté d'impérialisme : aussi fut-il en quelque sorte le *Jean-Baptiste du fascisme*, autrement dit le précurseur de cette idéologie totalitaire. À peine Mussolini, qu'il appela *son compagnon*, eut-il pris le pouvoir, qu'il se retira à Gardone (lac de Garde) dans une somptueuse villa « Le Vittoriale » dont il fit un musée, un sanctuaire et son mausolée. Notons qu'il fut un touche-à-tout génial dans tous les genres littéraires : roman, théâtre, proses poétiques, ouvrages autobiographiques, etc.

DANTE (1265-1321). Né à Florence et mort en exil *(exsul immeritus)* à Ravenne, victime expiatoire des querelles intestines qui déchiraient la Péninsule dont il rêva l'unité et l'indépendance, des siècles avant qu'elle ne se réalisât. Il fut l'*altissimo poeta*, autrement dit le poète par excellence et par antonomase. C'est lui-même qui qualifie sa *Divine Comédie* comme le « poème sacré auquel ont mis la main et le ciel et la terre et qui le fit maigrir pendant de longues années… ». Années d'exil où il eut à essuyer nombre d'avanies, car le *pain qu'il quémanda avait saveur de sel…* En vain espéra-t-il *revenir poète* dans son ingrate ville natale « afin de recevoir la couronne de laurier sur les fonts de son baptême… ». Sa célébrité posthume ne s'est pas démentie, depuis, et elle s'est même accrue, puisqu'il compte désormais parmi les génies immortels dont s'honore l'humanité.

DAVANZATI Chiaro. Poète florentin dont on ignore la date de naissance. On sait qu'il participa à la bataille de Montaperti en 1260 entre les Guelfes (partisans du pape) et les Gibelins (partisans de l'empereur). Il fut l'un des premiers qui exaltèrent la femme angélisée *(donna angelicata)* — ce thème sera repris et amplement développé par les poètes de l'école du Dolce Stil Nuovo dont Dante, le chantre de Béatrice, « femme venue du ciel sur terre pour miracle montrer », fut le chef de file.

DONZELLA Compiuta. On ne possède aucune donnée biographique sur cette femme qui fut la première en date des poétesses italiennes ; ainsi peut-on la rapprocher de Christine de Pisan. Son œuvre se résume à trois sonnets que la critique regarde comme *trois joyaux*.

FILICAIA Vincenzo da (1642-1707). Poète florentin, il fut gouverneur de Pise et de Volterra où il vécut ensuite. Sa poésie pèche par redondance et prétention, mais elle se sauve parfois par la sincérité et l'élévation de la pensée qui font penser à Alfieri. Il vécut enfin à Rome auprès de la reine Christine de Suède.

FOSCOLO Ugo (1778-1827). Né dans l'île de Zante (ou Zacynthe) d'un père vénitien et d'une mère grecque (comme André Chénier avec lequel il a quelques affinités), il vécut à Venise. Après le traité de Campoformio (1797), il s'enrôla dans l'armée française et fut assiégé dans Gênes avec le général Masséna. Capitaine de la division italienne à Boulogne-sur-Mer dans l'attente d'un débarquement en Angleterre, il devait par la suite se brouiller définitivement avec l'Empereur. Son poème *Les Tombeaux* (*I Sepolcri*, 1806) s'élève contre des mesures prises par les autorités françaises en Italie. Dès le retour des Autrichiens à Milan (1815), il choisit le chemin de l'exil, d'abord en Suisse, ensuite et enfin en Angleterre, non loin de Londres, où il s'établit jusqu'à sa mort, ayant mené une vie laborieuse, dans un dénuement, proche de la misère. Ses cendres reposent depuis 1871 à Florence dans cette église de Santa Croce qu'il avait chantée dans *I Sepolcri* et exaltée comme « Panthéon des gloires italiques ». Il sut discipliner sa fougue romantique par un art et un style de facture éminemment classique.

FRUGONI Carlo Innocenzo (1692-1768). Né à Gênes, il fut le type même de l'abbé de cour, fréquentant les salons huppés, où il répandait ses *concetti*, ses bouts-rimés, ses poésies à l'occasion des naissances, des mariages et des anniversaires. Néanmoins son sonnet *Hannibal sur les Alpes*, malgré d'inévitables afféteries, a une certaine force et rappelle vaguement un sonnet de José Maria de Heredia.

GAETA Francesco (1878-1927). Né et mort à Naples. Longtemps obscur, il fut lancé par un article du philosophe Benedetto Croce, son compatriote, qui prisa ses *Sonnets volupteux et autres poésies*, car, écrit-il, « ses poésies remplissent notre rêverie de rythmes et d'images ». Certaines de ses compositions rappellent par leur mètre et leur inspiration les épigrammes de l'*Anthologie grecque*. Solitaire et neurasthénique, il se suicide au retour du cimetière où venait d'être enterrée sa mère.

GERACE Vincenzo (1876-1930). Né à Cittanova (Calabre), mort à Rome. Il n'a laissé qu'un roman et qu'un recueil de poésies : *La Fontaine dans la forêt (La Fontana nella foresta)*. Il tranche sur les poètes de son temps (l'hermétisme faisant fureur dans les années 30) par un classicisme pur qui passait alors pour quelque peu suranné et, en tout cas, à contre-courant.

GIACOMO Salvatore di (1860-1934). Poète dialectal napolitain, il fut surtout un dramaturge à succès : *Assunta Spina — Le Vœu* ; on lui doit aussi des nouvelles, fort estimables. Mais il fut surtout le parolier de célèbres chansons du folklore napolitain, diffusées dans le monde entier.

GIULIOTTI Domenico (1877-1956). Toscan de la région du Chianti, il fonda et dirigea avec Tozzi une revue. Il écrivit en collaboration avec Giovanni Papini le *Dictionnaire de l'Homme sauvage*. On lui doit aussi des traductions et une biographie de Villon sous le titre de *Un merle sur le gibet (Un merlo sulla forca)*. Catholique sans concessions, polémiste, une sorte de Léon Bloy au petit pied, il aimait à cultiver le paradoxe.

GIUSTI Giuseppe (1809-1850). Né près de Pistoia (Toscane) et mort à Florence, poète satirique et patriote. Ses cibles furent aussi bien l'occupant autrichien que ses satellites politiques, tels que le grand-duc Léopold II dont il se gaussa dans le *Roi Soliveau (Re Travicello)* ainsi que tous les profiteurs, les opportunistes, prêts à tourner casaque, qu'il épingla dans la poésie *Le Toast de Girouette (Il Brindisi di Girella)*. Aussi mérita-t-il d'être appelé le *Juvénal toscan*.

GOVONI Corrado (1884-1965). Né à Tamara (Ferrare), mort à Rome. Cultivateur, autodidacte, d'abord poète crépusculaire, il flirta un peu avec le futurisme, pour aboutir à une originalité de bon aloi et à une fécondité lyrique, pleine de verve et très imagée. Mais, à la suite de la mort atroce de son fils Aladin (l'une des trois cents victimes des Fosses Ardéatines en 1944, massacrées par les Allemands), ce drame familial eut évidemment une répercussion directe sur sa poésie qui s'humanisa et s'approfondit du tout au tout.

GOZZANO Guido (1883-1916). Né à Agliè près de Turin. Poète et prosateur, il est rangé parmi les poètes dits crépusculaires (le crépuscule incline à la mélancolie et à la nostalgie), mais sa poésie demeure unique en son genre et se reconnaît d'emblée. Il a chanté *les bonnes choses de mauvais goût*, les vieilles filles esseulées, la province somnolente, mais il s'insinue à travers ses croquis une veine, subtilement ironique. Il voyagea, pensant sans doute soigner une tuberculose qui devait avoir raison de sa résistance. Il ramena d'un long voyage en Inde un livre intitulé : *Vers le berceau du monde*.

GRAF Arturo (1848-1913). Né à Athènes. Professeur à l'université de Turin, historien et critique influent. Sa poésie se ressent d'un pessimisme, issu de l'angoisse de l'homme grâce au mystère de l'univers. Mais le poète philosophe ne s'abandonne pas à ce plaisir de la douleur, propre à Leopardi, ce « sombre amant de la mort » (Musset).

GRANDE Adriano (1897-1972). Né à Gênes dans les quartiers populaires et populeux du port. Autodidacte, il fit trente-six métiers avant d'entrer dans le journalisme à vingt-sept ans. C'est Montale qui l'encouragea à écrire des poésies. Il fonda et dirigea deux revues poétiques : *Mistral (Maestrale)* et *Clubs (Circoli)*. Il se lança même dans la peinture non sans succès. Il écrivit un roman et une pièce de théâtre ainsi que des essais. Malgré quelques incursions dans l'hermétisme, il sut rester fidèle à un classicisme clair, ce qui est congénital au génie et à la tradition de la langue italienne.

GUERRINI Olindo (1845-1916). Né à Forli (Romagne). Poète de l'école vériste (ou réaliste) ; il eut un penchant accusé pour la poésie satirique et érotique, qu'il publia sous le pseudonyme de Lorenzo Stecchetti. De par son tempérament sensuel et adversaire de l'idéalisme, il ne recula pas même devant la grossièreté.

GUINIZELLI Guido. Né à Bologne vers 1230. Jurisconsulte et juge. Mort près de Padoue en 1276. Dante le considère comme l'initiateur et le maître de l'école du Dolce Stil Nuovo. Cette école opposait la sincérité de l'inspiration à des formules et à un lyrisme tout conventionnels. L'amour sublimé pour la femme angélisée *(la donna angelicata)* contribuera au salut éternel de l'homme qui lui voue un véritable culte de dulie.

LEMENE Francesco di (1634-1704). Cet aristocrate se rattache, lui aussi, à l'école arcadienne dont il partage les quelques qualités et les nombreux défauts.

LEOPARDI Giacomo (1798-1837). « Né, écrit-il, d'une famille noble dans une ville d'Italie sans aucune noblesse » (Recanati dans les Marches), il est regardé comme l'un des meilleurs poètes italiens et, en tout cas, il est à l'origine de la poésie moderne italienne. Pour échapper à l'ennui de son *natio borgo selvaggio*, autrement dit de « ce bourg sauvage où il était né », il se voue tout entier, sept années durant, à des études qu'il qualifiera d'« insensées et de très désespérées » ; sa santé en sera, dès lors, irrémédiablement compromise. Ses *Œuvres morales (Operette morali)* — sous forme de dialogues et de textes d'une prose poétique — ainsi que ses *Pensées (Pensieri)* — cent onze maximes et réflexions — constituent le bréviaire de son pessimisme qui de personnel deviendra au fur et à mesure cosmique. Son unique recueil *I Canti (Les Chants)* — titre d'une simplicité élémentaire — renferme pourtant *trente-cinq chants désespérés* dont certains sont de *purs sanglots*. Il mourut à Naples au pied de ce Vésuve *exterminateur* où pousse le *genêt* — symbole de la fragilité des hommes, appelés à fraterniser pour mieux résister à l'hostilité d'une Nature marâtre (poésie *Le Genêt*).

LUZI Mario (1914 —). Né à Florence, probablement futur nobélisé. Enseigna la littérature française à l'université de sa ville natale. Poète, traducteur et critique littéraire, il se rallie au début à l'hermétisme, mais il évoluera vers une poésie plus expansive et donc plus ouverte et communicative.

MACCARI Giovambattista (1832-1868). Né à Frosinone (Latium), poète mineur, aujourd'hui oublié. Il mérite néanmoins d'être sauvé d'un oubli fatal et total au bénéfice de quelques poésies qui évoquent la campagne romaine du siècle dernier. L'édition de ses recueils est posthume pour la plupart.

MANZONI Alessandro (1785-1873). Né et mort à Milan. Après un séjour à Paris de cinq ans et son mariage avec une Française, il rentra en 1810 à Milan qu'il n'allait plus quitter. Il soutint les mouvements du Risorgimento qui allaient aboutir à l'unité et à l'indépendance de l'Italie. Sénateur à partir de 1861. Il doit sa célébrité à son roman *Les Fiancés* (*I Promessi Sposi*, 1840), considéré comme le plus grand roman de la littérature italienne. Son ode *Le Cinq Mai (Cinque Maggio)* qui commémore la mort de Napoléon Ier à Sainte-Hélène en 1821, est plutôt d'inspiration religieuse que politique, Manzoni étant un fervent catholique ; néanmoins cette poésie est digne de figurer parmi celles qui ont chanté l'épopée napoléonienne

(Lamartine, Hugo, Barbier) ; elle eut, en outre, l'honneur et le privilège d'avoir été traduite en allemand par Goethe.

MARINO Giovambattista (1569-1625). Il fut le *génie de son siècle corrompu* (car il fut tel en Italie, tombée sous la dure domination d'une Espagne, déjà sur le déclin). Né et mort à Naples. Il fut incarcéré pour des motifs mal connus. Libéré, il se rendit en France sur invitation de la reine Marie de Médicis. Il trouva « admirable » la société française pour ses « extravagances qui rendent le monde beau ». On lui doit le marinisme, précurseur à la fois du gongorisme espagnol, de l'euphuisme anglais et de la préciosité française. Ce mouvement qui eut son heure d'expansion en Europe est marqué chez son fondateur par l'abus des métaphores ampoulées et des antithèses. Mais il reste de ce poète précieux (dans le mauvais sens du terme) quelques morceaux de bravoure qui méritent d'être connus et appréciés.

MICHELANGELO [MICHEL-ANGE] (1475-1564). Voici un homme pour lequel le mot de *génie* (dans toute son acception la plus forte) n'est nullement galvaudé. Il fut à la fois peintre, sculpteur et architecte. Mais il sut à ses heures également manier la plume avec une habileté, presque aussi souveraine, que son ciseau ou son pinceau, pour sertir un sonnet, ciseler un madrigal ou une épigramme. On a de lui également des lettres, fort intéressantes, qui sont un exutoire de plus pour ses colères et ses tourments d'artiste, d'homme et de croyant.

MONTALE Eugenio (1896-1981). Né à Gênes, mort à Milan. Prix Nobel en 1975. Sous le régime fasciste, il vécut à Florence à l'écart. À partir de 1943, il s'installe définitivement à Milan et collabore au *Corriere della Sera*, journal de grande diffusion en Italie. Critique musical et littéraire, traducteur excellent, il est avant tout poète. Son premier recueil *Os de seiche (Ossi di seppia)*, dont le titre reflète l'aridité du style — réduit à l'essentiel —, relève des canons de l'hermétisme auquel il resta toujours, peu ou prou, fidèle. C'est cette aridité minérale qui reflète le mieux ce *Mal de vivre* (titre d'une de ses poésies) dont ce poète est convaincu. À ce premier recueil qui date de 1925, et qui fit date, ont suivi *Occasions (Occasioni)*, *Satura*, inspiré par la mort de sa femme, *Journal de 71 et de 72 (Diario del '71 e del '72)*. Signalons *Le Papillon de Dinard (La Farfalla di Dinard)* — remarquables proses poétiques.

MONTI Vincenzo (1754-1828). Né près de Ravenne et décédé à Milan, ce poète fut le chef incontesté de l'école néoclassique. Homme généreux, cyclothymique, il fut accusé d'être un champion de la versatilité politique — une vraie girouette —, puisqu'il encensa et honnit tour à tour le pape, les idéaux de la Révolution française, Napoléon et les Autrichiens dont il salua le retour après le Congrès de Vienne (1815) qui réduisait l'Italie à n'être plus qu'une « expression géographique », selon les termes cinglants de Metternich. Sa traduction de l'*Iliade* demeure célèbre non seulement pour son exemplarité, mais encore et surtout — fait rare, sinon unique — parce qu'elle est la traduction d'une traduction, étant donné que Monti ignorait le grec.

MORETTI Marino (1885-1979). Né à Cesenatico (Romagne) qu'il ne quitta pratiquement pas jusqu'à son décès, tant il était attaché à sa petite patrie provinciale. Poète d'inspiration crépusculaire : *Poésies écrites au crayon (Poesie scritte col lapis)* et romancier intimiste d'un humour discret. Il jouit, sa vie durant, d'un renom, peu tapageur, mais de bon aloi.

NEGRI Ada (1870-1945). Née à Lodi, près de Milan, décédée dans la capitale lombarde. Fille d'ouvriers, elle s'inspira d'abord de thèmes sociaux pour ensuite s'élever au fil du temps à d'autres thèmes, tels que l'amour et même la passion, les affres et les joies de la maternité. On lui doit un livre autobiographique — vrai poème en prose : *Étoile du matin (Stella mattutina)*.

PALAZZESCHI Aldo (1885-1974). Né à Florence. Il adopta le nom de sa grand-mère maternelle dès son premier recueil de vers, paru en 1905. Il est surtout connu en tant que prosateur : *Estampes du dix-neuvième siècle (Stampe dell'Ottocento)* et romancier : *Les Sœurs Materassi (Le Sorelle Materassi)* et *Les Frères Cuccoli (I Fratelli Cuccoli)* qui reçut un prix littéraire — l'équivalent du Goncourt en Italie. Dans ses poésies il a une prédilection pour les sujets cocasses et quelque peu surréels.

PAPINI Giovanni (1881-1956). Écrivain florentin, homme de vaste culture, poète, polémiste et romancier. Il mena un combat sans merci contre ce que Flaubert appelle les idées reçues. Après une période d'anarchisme échevelé, il s'assagit et même se convertit, écrivant une *Histoire du Christ (Storia di Cristo)* qui fit date. Il est, entre autres, l'auteur d'une autobiographie romancée *L'Homme fini (L'Uomo finito)*, d'une *Vie de saint Augustin* et d'un livre sur Dante.

Ses *Éreintements (Stroncature)* témoignent d'une critique littéraire sévère, mais juste. En poésie il faut citer *Œuvre première (Opera prima)*, *Jours de fête (Giorni di festa)*, *Pain et Vin (Pane e Vino)*.

PARINI Giuseppe (1729-1799). Né à Bosisio (Côme) d'une famille modeste, prêtre et précepteur d'un jeune noble lombard. Ainsi put-il observer et ridiculiser les mœurs et le comportement d'une classe oisive, frelatée et arrogante qu'il fustige et dont il prédit la chute inévitable. Dans son long poème *Le Jour (Il Giorno)* — vingt-quatre heures de la journée de son élève —, l'idylle voisine avec la satire et le poète, en dénonçant les abus du luxe, tisse plus ou moins directement l'éloge d'une vie saine et sobre. Déçu par Napoléon qui venait de libérer le nord de l'Italie de l'occupation autrichienne (il en attendait beaucoup, pensant que ce général allait faire triompher les droits de l'homme et du citoyen), il quitta son poste de conseiller municipal à Milan, en s'écriant : « Le citoyen Parini ne peut rester là où ne peut rester le citoyen Christ » (on venait en effet d'ôter le crucifix des bâtiments publics par ordre des autorités françaises).

PASCOLI Giovanni (1855-1912). Né à San Mauro de Romagne, élève de Carducci à l'université de Bologne, il fut d'abord enseignant de lettres classiques dans les lycées avant de terminer sa carrière en tant que successeur de son maître. Son adolescence avait été assombrie par la mort de son père, lâchement assassiné. Ce drame familial faillit compromettre l'avenir de l'adolescent qui parvint toutefois à remonter courageusement la pente. Sa poésie intimiste et pittoresque dans les premiers recueils *(Myricae, Premiers Petits Poèmes, Chants de Castelvecchio)* s'éleva par la suite jusqu'à aborder des thèmes d'envergure civique, sociale et même cosmique *(Poèmes conviviaux, Odes et Hymnes, Poèmes italiques)*. Grâce à ses *Carmina* (poèmes écrits en latin lors des concours organisés par l'Académie d'Amsterdam), il mérita d'être appelé par Gabriele D'Annunzio « le dernier fils de Virgile ».

PASTONCHI Francesco (1875-1953). Né près d'Imperia (Ligurie), professeur, poète et critique qui eut son heure de célébrité, surtout en tant que conférencier et déclamateur. Ses sonnets ont la netteté pittoresque et la facture impeccable, propres à l'école parnassienne.

PAVESE Cesare (1908-1950). Né à San Stefano Belbo (Piémont). Ami de Pintor et de Ginzburg, deux antifascistes notoires, il fut relégué en 1935 en Calabre pendant une année. Il vécut à Turin et travailla chez l'éditeur Einaudi en tant que traducteur et conseiller littéraire. Il fut l'un des introducteurs de la moderne littérature américaine en Italie. Connu pour ses romans dont certains récoltèrent des prix et des succès de vente, il ne publia que deux recueils de poésie : *Travailler fatigue* (*Lavorare stanca*, 1936) et *La Mort viendra et elle aura tes yeux* (*Verrà la morte e avrà i tuoi occhi*, 1951, posthume), inspiré par sa liaison malheureuse avec une actrice américaine — l'une des causes de son suicide dans un hôtel de Turin.

PEA Enrico (1881-1958). Né à Serravezza (Toscane) près des carrières de marbre de Carrare, il mena dans sa jeunesse une vie vagabonde, aventureuse et fut aussi un navigateur (ce qui rappelle, toutes proportions gardées, la vie d'un Henry de Monfreid). Autodidacte, il fut un écrivain d'instinct, incisif et efficace. Plutôt narrateur que poète.

PENNA Sandro (1906-1977). Né à Perugia (Ombrie), mort à Rome. Vie d'errance de ville en ville avant de s'installer définitivement à Rome pour y tenir une boutique d'antiquaire ; homme épris de liberté, y compris dans ses expériences amoureuses, avec un penchant pour ce qu'on nomme l'*amour grec*. En dépit de l'influence des crépusculaires et de l'hermétisme, sa poésie, toujours musicale, garde beaucoup de spontanéité.

PETRARCA Francesco [PÉTRARQUE] (1304-1374). Né à Arezzo (Toscane), père de l'humanisme, le plus grand poète lyrique italien. On peut dire des nombreux sonnets *sans défauts* de son recueil le *Canzoniere* qu'ils *valent* à eux seuls *un long poème*. Contrairement à Dante, « solide comme une pyramide contre les coups du sort, lui », bien qu'ondoyant et divers, il fut néanmoins choyé par ce même sort, si hostile à son illustre aîné. Encore enfant, il suivit son père dans l'exil doré d'Avignon, alors résidence des papes et de la cour pontificale. C'est précisément dans une église de cette ville qu'en 1327 se situe la rencontre avec Laure dont il fera *sa madone et sa muse*. Son amour, d'abord charnel, s'épura au fur et à mesure jusqu'à la sublimation à partir de la mort prématurée de sa Dame. Couronné poète au Capitole de Rome en 1341, il mourut à Arquà, près de Padoue, la tête posée sur un manuscrit de Virgile.

PICCOLO Lucio (1903-1969). Né à Palerme, mort à Capo d'Orlando, près de Messine. Cousin du romancier Tomasi di Lampedusa, auteur du *Guépard*, il appartint à l'une des plus vieilles et illustres familles de l'aristocratie sicilienne. Homme solitaire et de mœurs excentriques (il fit un voyage à pied jusqu'en Terre sainte), il possédait une vaste culture. « Le son de cor qui nous parvient de Capo d'Orlando n'est pas l'olifant d'un survivant, mais c'est une voix que chacun peut entendre résonner en soi-même », écrit Montale, admirateur de ce poète singulier.

PISTOIA Cino da (1270-1336). Poète de l'école du Dolce Stil Nuovo, loué par Dante et par Pétrarque. Il fut un insigne juriste et participa, lui aussi, aux luttes entre les Guelfes et les Gibelins à Pistoia, sa ville natale, d'où il fut à maintes reprises exilé. Il célébra dans ses poèmes une belle jeune fille qu'il nomme *Selvaggia* (Sauvageonne) et dont il eut beaucoup à souffrir.

PRATI Giovanni (1814-1884). Né près de Trente, auteur fécond de poésies d'inspiration amoureuse et patriotique. Son vers est fluide, musical et frais. Jouant sur son patronyme : Prati signifiant prés, Mansoni eut cette boutade : « Prati-prés : foin et fleurs » — autrement dit : du meilleur et du moins bon. Quasiment tombé dans les oubliettes, il jouit de son vivant d'une grande et enviable célébrité qu'on a de la peine à admettre aujourd'hui.

QUASIMODO Salvatore (1901-1968). Né à Syracuse. Son père était cheminot. Prix Nobel en 1959. Il fut un remarquable traducteur de poètes grecs et latins (il avait étudié en autodidacte ces deux langues anciennes). Sa poésie, hermétique au début, évolua surtout à partir des terribles événements de la guerre et de la Résistance vers une poésie engagée, plus ouverte et plus humaine. Il mourut à Naples, après avoir longtemps habité à Milan.

RAPISARDI Mario (1844-1912). Né et mort à Catane (Sicile), poète et professeur universitaire dans sa ville natale. Excellent traducteur d'auteurs classiques et étrangers. « Torrent débordé qui aurait gagné à être plus discipliné », selon H. Hauvette, un connaisseur.

REBORA Clemente (1885-1957). Né à Milan, mort à Stresa. Il collabore à la revue *La Voix (La Voce)*. Traducteur remarquable d'écrivains russes (Tolstoï, Gogol, entre autres). Il quitte l'enseignement après sa conversion qui le mène jusqu'à la prêtrise (1936). Rebora se situerait plutôt dans le courant de la poésie mystique espagnole, d'où une inévitable tendance à être obscur, sans pour autant tomber dans l'hermétisme. De même, la sublimation mystique n'exclut pas chez lui l'angoisse existentielle.

REDI Francesco (1626-1698). Né à Arezzo, il fut médecin, naturaliste. C'est en homme de lettres qu'il rédigea ses écrits scientifiques où il relatait le résultat de ses expériences. Il fut poète par raccroc ; parmi ses poésies c'est son dithyrambe *Bacchus en Toscane* qui mérite d'être connu. Nous en donnons de larges extraits.

SABA Umberto (1883-1957). Né à Trieste — ville à laquelle il demeura toujours très attaché. Sa mère israélite fut abandonnée par son mari. Aussi Umberto Poli prit-il le pseudonyme de Saba (mot hébreu qui signifie : pain). Libraire et antiquaire, il a réuni dans un recueil *Il Canzioniere* sa production poétique qui s'étend de 1900 à 1947, suivi d'un autre avec le même titre, publié en 1961. Sa poésie d'une grande pureté musicale, d'un pittoresque *impressionnisme* et d'une intense humanité, bien qu'imprégnée de la *douleur du monde*, ne sombre pas dans le pessimisme.

SANNAZARO Jacopo (1456-1530). On lui doit un roman pastoral, *Arcadie (Arcadia)* et des poésies latines, très prisées à la cour angevine de Naples et qui lui valurent le titre ronflant de *Virgile napolitain*. Son sonnet *Icare*, extrait de ses *Rimes*, conforme au goût et au style classiques, a été souvent imité, sinon traduit, entre autres par Philippe Desportes (1546-1606) dont nous ne citerons que le premier vers : *Icare est chu ici, le jeune audacieux...* et le dernier : *Est-il plus beau dessein, ou plus riche tombeau ?..*

SATTA Sebastiano (1867-1914). Né et mort à Nuoro (Sardaigne), il fut le poète du terroir sarde, subissant néanmoins l'influence de Carducci et de Pascoli. Avocat et enseignant, il chanta les paysages mélancoliques de son île et l'âme, farouche et indomptable, de ses habitants.

SBARBARO Camillo (1908-1967). Né et mort à Santa Margherita Ligure, près de Gênes. Enseignant, excellent traducteur de poètes grecs et d'auteurs français, il se consacra à la botanique (étude des lichens et des mousses). Il fut également journaliste. Plusieurs recueils de poésies dont voici quelques titres évocateurs : *Copeaux (Trucioli), Résines (Resine), Pianissimo*. Poésie en sourdine, à demi-teintes et ombrageuse. On lui doit aussi nombre de poèmes en prose.

SINISGALLI Leonardo (1908-1981). Né à Montemurro (Lucanie), il quitta très jeune son village natal pour aller étudier à Rome les mathématiques et la physique (il fut l'élève du savant atomiste Enrico Fermi). Il sut donc allier en lui l'esprit de finesse et de géométrie, le verbe poétique et le *furor mathematicus* (titre d'un de ses livres scientifiques) : « Que de poésie dans une table de logarithmes ! » écrit-il.

STAMPA Gaspara (1520-1554). Le pétrarquisme des excès duquel se gaussa un du Bellay (car il annonçait à certains égards la Préciosité mariniste) fut une contagion qui n'épargna pas les femmes de l'aristocratie. Citons parmi les plus connues, outre Victoria Colonna, amie de Michel-Ange, cette Gaspara Stampa, née à Padoue, morte à Venise, qui racheta par la sincérité et l'ardeur de sa passion amoureuse les artifices d'un pétrarquisme trop raffiné. Son sonnet, cité dans cette anthologie, est un cri d'amour à l'adresse du comte Collaltino di Collalto, seigneur de Trévise, qu'elle aima sans être payée de retour.

TARSIA Galeazzo di (1520-1553). Parmi les nombreux rimeurs du XVIᵉ s. souvent ingénieux, mais pour la plupart insignifiants, se détachent quelques personnalités plus marquées, tel ce Galeazzo di Tarsia dont nous avons cru bon de traduire un seul sonnet, au motif qu'il aurait inspiré, peu ou prou, l'homologue de Joachim du Bellay.

TASSO Torquato [LE TASSE] (1544-1595). *Âme aux songes obscurs / Que le Réel étouffe entre quatre murs,* c'est ainsi que le présente Baudelaire dans un sonnet, inspiré par une toile d'Eugène Delacroix. Il eut à croupir, sept années durant (1579-1586), dans une prison à la suite d'un esclandre à la cour des ducs de Ferrare où il avait pourtant été triomphalement reçu et dont il avait été la coqueluche, avant d'être terrassé par une crise de lypémanie. Lui qui devait mourir à Rome dans un couvent où il s'était réfugié dans le vain espoir d'être couronné poète comme Pétrarque, était né, un demi-siècle avant, à Sorrente, près de Naples. Ses débuts dans la vie avaient été très brillants, puisque sa pastorale, *Amyntas (Aminta),* jouée en 1573, chef-d'œuvre du genre, « le dernier fruit parfait du classicisme », selon Carducci, eut un succès énorme. Il demeure à tout jamais le poète de ce grand poème chevaleresque que fut *La Jérusalem libérée (Gerusalemme liberata)* paru en 1575. Certains personnages de cette épopée ont inspiré peintres et poètes (citons, entre autres, la pièce de Cocteau : *Renaud et Armide*). Femme et magicienne à la fois, Armide abandonnée, par ses supplications, annonce déjà les *fureurs* de la Phèdre racinienne.

TOMMASEO Niccolò (1802-1874). Né à Sebenico (Dalmatie), homme de lettres et patriote. Exilé politique, il vécut en France et à Corfou. Il fut un romantique d'inspiration chrétienne ; polémiste, il s'attaqua, entre autres, à Leopardi. On lui doit un roman, un journal intime et des poésies ; en sa qualité de philologue, un *Dictionnaire des synonymes* et un *Dictionnaire de la langue italienne*. Il fut frappé de cécité vers la fin de sa vie.

TOZZI Federico (1883-1920). Né à Sienne (Toscane) et mort prématurément à Rome, il fut surtout romancier. Les héros de son monde romanesque sont de petites gens, des gagne-petit (paysans, ouvriers, employés, boutiquiers modestes) aux prises avec les difficultés de la vie quotidienne, les traquenards bureaucratiques et les difficiles fins de mois. Ils finissent presque tous soit par une faillite soit par le suicide. Bref, ce sont des *vaincus*, comme il le fut lui-même à certains égards.

TRILUSSA, anagramme de son vrai nom Salustri (1873-1950). Ce poète satirique, né et mort à Rome, ne s'exprima avec un francparler dont il ne se départit jamais, qu'en dialecte *romanesco* (ou romain) dans ses nombreux recueils de sonnets et de fables. Il fut à sa manière un réducteur de têtes : celles des mégalos, des arrivistes, des opportunistes, des parvenus, des aigrefins de tout poil. Il défendit par la plume la liberté — autrement dit le droit à la liberté d'opinion et d'expression. Son esprit frondeur, il l'exerça même sous le régime dictatorial de Mussolini, bravant les foudres de la censure. Homme libre envers et contre tout et jusqu'au bout.

UNGARETTI Giuseppe (1888-1970). Né à Alexandrie (Égypte) de parents émigrés de Toscane. Décédé à Milan. Il fut un bilingue parfait (italien-français). Soldat pendant la Première Guerre mondiale, il séjourna au Brésil de 1936 à 1942 en qualité de professeur de littérature italienne à l'université de Rio de Janeiro. Il est l'un des poètes les plus représentatifs de la poésie moderne italienne et chef de file de l'*hermétisme*. Sa poésie en réaction totale contre l'excès de la rhétorique dannunzienne tend vers la concision la plus extrême, la litote, le flash. Célèbre son monostiche : *Je m'illumine d'immensité (M'illumino d'immenso)* : même le haïku ne saurait faire plus court.

VALERI Diego (1887-1976). Né à Piove di Sacco (Padoue), mort à Rome. Mais il vécut à Venise dont il fut ensorcelé et qu'il célébra dans maintes poésies et proses. Professeur de littérature française, il fut un excellent traducteur (on lui doit, entre autres, la traduction de *Madame Bovary*). Sa poésie subit l'influence de Pascoli et des symbolistes français. Il sut exprimer sa sensibilité moderne dans une langue et des rythmes tout à fait traditionnels.

VITTORELLI Jacopo (1749-1835). Né à Bassano, province de Vicence, appartenant à l'Arcadie, objet de sarcasmes de la part des classiques et des romantiques. La mièvrerie de ses odes anacréontiques est rachetée par la fluidité musicale du vers.

ZANELLA Giacomo (1820-1888). Né à Vicence, cet abbé fut un poète de style néoclassique outre que professeur à l'université de Padoue et élégant traducteur. Il s'efforça de réconcilier la foi et la science. Ayant pris sa retraite, il se retira à la campagne dans une petite villa près d'un torrent, l'Astichello : il s'en inspira pour polir et peaufiner quatre-vingt-dix sonnets dont nous donnons ici quelques échantillons.

ZANZOTTO Andrea (1921 —). Né à Pieve di Soligo (Trévise), ce poète *tellurien* a été enseignant dans des lycées. Il a séjourné quelque temps en France et en Suisse. Son village natal demeure sa *Muse puissante et virginale*. C'est un poète précieux dans toutes les acceptions du terme.

ZAPPI Giovambattista (1667-1719). Né à Imola (Bologne), poète de l'école arcadienne et, en tant que tel, il s'affubla d'un pseudonyme cocasse — celui de Tircis Leucasien. Son sonnet *Le Baiser* n'échappe pas tout à fait au mauvais goût de cette école.

LA PETITE VERMILLON